Marga Bührig
Spät habe ich gelernt, gerne Frau zu sein

Marga Bührig
Spät habe ich gelernt, gerne Frau zu sein

Eine feministische Autobiographie

Kreuz Verlag

Dieses Buch ist auch als Hörbuch erschienen.
Blinde können es kostenlos entleihen bei der

Deutschen Blindenstudienanstalt
– Emil-Krückmann-Bücherei –
Liebigstr. 9
3550 Marburg   Telefon: 06421/67053

oder bei der

Deutschen Blinden-Hörbücherei
Am Schlag 2 a
3550 Marburg   Telefon: 06421/606261

4. Auflage (15.–18. Tausend)
Kreuz Verlag Stuttgart 1988
Umschlaggestaltung: HF Ottmann
Foto: Vera Isler
Gesamtherstellung: Clausen & Bosse, Leck
ISBN 3 7831 0888 8

Meinen Eltern
Wanda Maria und Wilhelm Bührig- von Weyssenhoff
und meinen Lebensgefährtinnen
Else Kähler und Elsi Arnold

Inhalt

Einleitung

»Wie bist du die Frau geworden, die du heute bist?« Diese Frage haben mir viele jüngere Frauen in den letzten Jahren gestellt. Wenn ich dann etwas zögernd zu erzählen anfing, wollten sie mehr wissen. Auf der Suche nach sich selbst und nach ihrer eigenen Identität fragten sie nach dem Weg, den eine ältere Frau gegangen ist und was diesen Weg bestimmt hat. Sie suchten nach einem Stück Frauengeschichte. Mir halfen ihre Fragen, mich mit meinem Werdegang und meinem heutigen Standort auseinanderzusetzen. So entstand der Plan, dieses Buch zu schreiben.

Ein weiterer Impuls kam aus meiner Beschäftigung mit der Geschichte der Frauenbewegung. Es fiel mir auf, daß die Zeit zwischen dem Ende der »alten« Frauenbewegung und dem Beginn der »neuen« Frauenbewegung als eine Art Leerraum dargestellt oder eben nicht dargestellt wird. Es liest sich so, als hätten in dieser Zeit keine Frauen gelebt, als hätte es zum Beispiel keine Frauenorganisationen gegeben, die mit den Ansätzen der alten Frauenbewegung weitergearbeitet hätten. Natürlich war in Deutschland das Dritte Reich und überall der Zweite Weltkrieg ein tiefer Einschnitt. Aber die Jahre zwischen dem Ende des Krieges und dem Anrollen der neuen Frauenbewegung (gegen Ende der sechziger und zu Beginn der siebziger Jahre) fehlen fast überall. Genau in diesen Jahren beschäftigten sich viele Frauen mit Problemen der Emanzipation, und es gab auch christlich geprägte Frauenorganisationen und Frauenwerke, die nirgends in der Frauengeschichte erwähnt werden. Außerdem werden Kirche, Theologie und Christentum von der neuen Frauenbewegung nur unter dem Aspekt der Unterdrückung, der aktiven Unterdrückung gerade auch der Frauen und ihrer Anliegen gesehen. Diese Sicht ist zweifellos teilweise richtig, sie entspricht der persönlichen Erfahrung der jeweils Schreibenden, auch meiner eigenen, wie ich versucht habe darzustellen. Aber meiner Erfahrung nach gibt es auch eine andere Seite. Darum wollte ich eine Geschichte dieser »Zwischenjahre«

9

schreiben. Aber wie sollte ich vorgehen? Das wäre eine umfassende Studienarbeit geworden.

Diese beiden Impulse – Autobiographie und Geschichte christlicher Frauen – gingen bei der langen Vorarbeit für dieses Buch immer wieder in- und durcheinander. Gesiegt hat schließlich die Autobiographie, aber ich hoffe, daß etwas vom anderen Thema trotzdem mitklingt, auch wenn ich mich entschieden habe, fast ausschließlich auf eigene Artikel und Vorträge zurückzugreifen, die ich in gut 40 Jahren geschrieben und gehalten habe. Dank eines Umzugs nach meiner Pensionierung war ich gezwungen, dieses Material zu sichten und zu ordnen. Ich fand es selbst spannend, von meinem heutigen Bewußtseinsstand aus eigene alte Texte kritisch zu befragen, sie aber auch in den Lebenszusammenhang zu stellen, in dem sie entstanden sind. So ist es ein sehr persönliches Buch geworden, das ich ein wenig ängstlich auf die Reise schicke. Es sind nur relativ wenige Namen anderer Frauen (und Männer) genannt. Bei den vielen, die ich nicht namentlich erwähnen konnte, möchte ich mich entschuldigen. Je stärker der Akzent *feministische* Autobiographie sich durchsetzte, desto exklusiver wurde die Darstellung. Vielleicht komme ich noch dazu, eine objektivere und umfassendere Darstellung der christlichen Frauenbewegung in der Schweiz und in Deutschland zu schreiben oder eine Geschichte der Frauen in der ökumenischen Bewegung. Ich meine, beides würde sich lohnen, und vielleicht lockt es eine jüngere Frau, es zu versuchen. Ob ich selbst in den Jahren, die mir noch bleiben, mich nochmals zur aktiven Beteiligung an brennenden Fragen von heute rufen lasse (vergleiche das letzte Kapitel dieses Buches) oder zur sorgfältigen Aufarbeitung eines speziellen Abschnitts der Frauengeschichte Zeit, Kraft und Muße finde, das weiß ich heute noch nicht. Ganz abgesehen davon, daß ich nicht weiß, wie lang oder kurz diese Zeit sein wird, wird es auch vom Echo auf dieses Buch abhängen. Heute kann ich nur sagen, daß ich dankbar zurück und erwartungsvoll nach vorne schaue.

Mein Dank gilt den genannten und den nicht ausdrücklich genannten Frauen und Männern, die mit mir unterwegs waren und noch sind auf dem Weg meiner eigenen Befreiung und dem zur Befreiung aller Menschen. Im Blick auf dieses Buch gilt ein besonderer Dank der Lektorin des Kreuz Verlages, Hildegunde Wöller, ohne deren schwesterliche Begleitung es kaum auf den Weg gekommen wäre.

Binningen/Schweiz, im Frühling 1987

Marga Bührig

Anstelle eines Vorworts

Vor mir liegt ein Bild, nein, eine Collage. Schon etwas verblaßt in den Farben und ganz gewiß kein Kunstwerk, aber seit ihrer Entstehung hat sie mich begleitet, und schon damals, als sie entstand, wußte ich: Das ist die Vision dessen, was ich schreiben möchte, das sind die Themen, um die es mir geht. Aber wird es mir gelingen, sie dann auch ordentlich, sozusagen schön der Reihe nach, auseinanderzulegen und darzustellen? Ich war immer besser in der raschen, intuitiven Zusammenschau, im großen Überblick, in der Utopie, im Traum als im Detail.

Während ich das schreibe, sehe ich mich als Studentin der Germanistik in Berlin im Sommersemester 1938. Es war ein kleines Zimmer in Halensee, in der Wohnung einer Kriegerwitwe aus dem Ersten Weltkrieg, die zwei Töchter in meinem Alter hatte. Im vermieteten Zimmer stand einiges, das wohl in den von der Familie selbst bewohnten Räumen überflüssig war. So eine Büste von Bismarck, unter einer Glasglocke, mit der provozierenden Inschrift: »Wir Deutschen fürchten Gott, sonst nichts auf der Welt.« Ich benützte das Unding respektlos als Hutständer – als wohlerzogenes Mädchen besaß ich damals einen Hut. Er verdeckte den alten Patriarchen, der mich irgendwie ärgerte, auch wenn ich ihn damals sicher nicht so genannt hätte. In diesem Zimmer also schrieb ich an einem schönen Sommertag die Einleitung zu meiner Dissertation »Hebbels dramatischer Stil«. An den Inhalt erinnere ich mich nicht mehr, wohl aber an das Gefühl, an einen Augenblick, in dem das Resultat aufleuchtete. Es war wie eine Sonne in mir oder vor mir, und von ihr aus bewegten sich konzentrische Kreise. Es war eine Vision von Licht und Wärme, ungeheuer beglückend und so stark, daß ich mich heute, 48 Jahre später, noch daran erinnere, als wäre es gestern gewesen. Aus diesem Glücksgefühl heraus schrieb ich die Einleitung. Ob wirklich darin das Wesentliche vorweggenommen war, wie es mir damals erschien, kann ich heute schwer beurteilen. Eins aber weiß ich noch gut: Ich mußte nachträglich den ganzen Weg in geduldiger Kleinarbeit zurückbuchstabieren, mußte das zu beweisen versuchen, was mir doch so klar erschien. Ich tat das selbstverständlich. Ich wollte doch mein Studium abschließen, wollte den Dr. phil. erwerben. Einen anderen Weg gab es nicht. Heute denke ich, ob es Wege oder Umwege waren. »Frauen denken anders«, heißt die 1984 erschienene Schrift einer bedeutenden Frau, und ich selber habe mir schon vor mehr als 25 Jahren Gedanken über die »Geistige Arbeit der Frau« gemacht. Aber auch heute noch müssen Frauen einspuren in die Geleise männlichen Denkens und patriarchaler Universitätsstrukturen, wenn sie »etwas werden wollen«.

Doch zurück zu meiner Collage aus dem Jahre 1981. Es war der erste Advent. Ich war allein – das heißt ohne meine beiden Lebensgefährtinnen – in Berkeley, im geliebten Kalifornien. Kurz vorher war ich von meinem Posten als Leiterin des Evangelischen Tagungs- und Studienzentrums Boldern zurückgetreten. Ich wollte mir selbst und allen anderen Beteiligten klarmachen, daß ich wirklich zurückgetreten war. Ich war allein und hatte Zeit. Ich hatte keinen festen Tagesrhythmus, und das war gar nicht so einfach. An jenem ersten Advent war ich am Morgen im Gottesdienst in einer Presbyterianerkirche, die ich gut kannte und wo ich mich wohl fühlte, weil sie offen und menschlich war und viele Gemeindeglieder aktiv am Gottesdienst beteiligt waren. An jenem Sonntag hatte ich Pech. Ein Gastprediger aus dem europäischen Osten hielt die Predigt, und er wollte offensichtlich den Amerikanern das wahre, das richtige, ganz biblische Evangelium predigen. Wenigstens empfand ich es so. Ich hatte ungeheure Mühe, ihm zu folgen, es waren mir zu viele Worte, er mußte es immer wieder mit noch einem anderen Bibelwort sagen. Von der Freude des Advents war nicht viel zu spüren, und am dunkelsten wurde es für mich, als er den Absolutheitsanspruch dieses seines Gottes laut – sehr laut, zu laut – verkündete: »Es ist kein anderer Gott außer mir.« Zudem sprach er sehr viel von Sünde und daß wir alle immer sehr fern von Gott seien. Dabei lechzte ich danach zu hören, daß Gott uns nahe gekommen ist. Mir kam diese Predigt sehr »männlich« vor, zwar leidend, aber verkrampft, angestrengt, nicht unsympathisch, nicht gewalttätig, aber völlig an mir vorbei. Unter anderem sprach er über das Pauluswort »Wenn ich schwach bin, dann bin ich stark«. Ich dachte, daß die Männer diese Schwachheit und die Stärke, die sich in ihr zeigen soll, doch sehr geschickt an uns Frauen delegiert haben. Wir sind das »schwache Geschlecht« und werden dann, wenn es darum geht, etwas durchzutragen, doch als »stark« bezeichnet. Wann werden Männer sagen, daß das ihre Probleme sind und daß sie, die Patriarchen, sich ihrer Macht entäußern und schwach werden sollten, um dann neu, von innen heraus, gestärkt zu werden, aber nicht zum Herrschen? Jesus ist diesen Weg gegangen, darum haben sie ihn ja gekreuzigt. Aber in der Kirchengeschichte haben sie ihn dann zum Pantokrator gemacht, der all ihre eigene Macht doch wieder sanktionieren sollte.

Mit diesem Hintergrunderlebnis ging ich am Abend in ein kleines Zentrum für Frauen-Spiritualität. Ich hatte mir das schon vorher vorgenommen, ich wollte mich bewußt zwei für mich bedeutsamen Erfahrungen aussetzen. Es war eine geschmackvoll eingerichtete Wohnung in einem Privathaus, eine kleine Gruppe von Frauen, die meisten sehr viel jünger als ich. Kissen auf dem Boden, Schuhe ausziehen, in der Mitte ein Kranz mit Kerzen. Am Morgen, in der Kirche, hatte es übrigens auch einen gegeben. Er war von Kindern in jubelndem Laufschritt in die Kirche getragen worden, und sie hatten die erste Kerze angezündet. Hier entzündete die Leiterin – wie beschwörend um die Flamme kreisend – die Kerze. Das Thema des Abends war das Ende des langen »Thanksgiving«-Wochenendes. Wir sollten das, was für jede von uns jetzt wichtig war, aus farbigem Papier ausschneiden und aufkleben. Ich hatte solche Spiele immer gescheut, aber ich wollte mich dem Experiment nicht entziehen, und so entstand jene Collage. Ich ließ zu, was »von selber aus mir herauswollte« – entsprechend jenem Wort aus Hermann Hesses »Demian«, das mich durch meine ganze Jugend begleitet hat –, und ich hatte ein ähnliches Gefühl wie damals als Studentin, ein Gefühl von Glück und Erfüllung und daß das irgendwie richtig war.

Meine Unterlage war grün. Darauf klebte ich ganz rechts eine graue Kirche. Sie hatte Zacken nach unten, kein Fundament, keine Wurzeln, sondern eine Art von Stacheln, die verletzen können. Mein ganzer Zorn, meine eigene Aggression zeigte sich darin. Sie hatte auch keine Fenster, aber sie stand mächtig da, unübersehbar. Daneben setzte ich einen Baum und eine Blume. Sie waren rosa, weil es nicht mehr viele Farben gab, aber sie sollten sich jedenfalls von der Kirche abheben, sollten lebendig sein. Sie hatten auch Wurzeln. Mich erinnerten sie an eine meiner letzten Frauenwochen auf Boldern. Da hatten Frauen gemeinsam riesige Lebensbäume auf große Bogen von Packpapier gemalt. In der linken oberen Ecke des Bildes flog ein kleiner Vogel, als wollte er aus dem Bild hinausfliegen. Ich wollte ihn aber doch nicht wegfliegen lassen. So setzte ich kurz entschlossen die Andeutung eines Regenbogens über das Bild. Regenbogen waren für mich immer wichtig, und so fand ich es gut, daß der kleine Vogel nicht zum Bild hinaus-, sondern auf den Regenbogen zuflog. Als ich das Ganze noch einmal anschaute, fand ich, daß etwas fehlte – aber was? Nach einigem Umschauen griff ich zu einem Rest leuchtend roten Papiers, schnitt daraus das Frauenzeichen und klebte es in die Mitte des Bildes (siehe Bildteil).

Am Schluß des Abends wurden die Bilder aufgehängt, und wir konnten darüber sprechen. Davon weiß ich nichts mehr. Dann saßen wir wieder im Kreis um die Kerze, die »Insider« summten einen »chant«, eine Anrufung der Göttin Persephone, die in die Unterwelt geht und im Frühling wieder zurückkehren wird. Eine Schale mit Körnern und ein wunderschöner Keramikbecher mit einem süßen, schweren Fruchtsaft machten die Runde. Ich fühlte mich fremd, noch fremder als am Morgen in der Kirche, oder doch näher – weil die Frauen mir sympathisch waren, weil etwas von Wärme und Nähe von ihnen ausging? Aber die Göttin stieß mich ab, ich konnte und wollte nicht in das Summen zu ihrer Ehre einstimmen. Und doch wollte ich wiederkommen, und das tat ich auch. Aber das Wichtigste, das für mich Wichtigste nahm ich mit: meine Collage. Ich hängte sie in meinem Zimmer so auf, daß ich sie von meinem Leseplatz aus sehen konnte, und sie kam auch Wochen danach mit in die Schweiz.

Ich versuche eine Deutung. Am Rande, aber so, daß sie einen großen Teil des Bildes einnimmt, steht die Kirche. Warum habe ich sie ins Bild gebracht? Seit jenem Abend im

15

Advent 1981 habe ich oft darüber nachgedacht. Ich komme nicht von ihr los, das ist klar, und seit ich im Sommer 1983 in Vancouver dazu ja gesagt habe, mich ins Präsidium des Ökumenischen Rates der Kirchen wählen zu lassen, ist das noch klarer geworden. Ich komme nicht darum herum, mich mit ihr auseinanderzusetzen, nicht nur mit dem Zentrum der Botschaft, sondern auch mit ihrer geschichtlichen Gestalt, mit der Institution, auch wenn ihre Stacheln mich verletzen und der fehlende Lebensbezug mich stört – auf meinem Bild hat sie ja keine Fenster. Die Kirche meiner Hoffnung, die Gemeinschaft der Gläubigen, das Volk Gottes – wer immer das sein mag – sieht anders aus. Diese Gemeinschaft ist näher bei den Blumen und Bäumen, näher beim Leben. Und doch bin auch ich ein Teil jener grauen Kirche, ich bin nicht nur draußen, ich bin auch drinnen, ich bin geprägt von ihrer Tradition, und manchmal kann ich auch wieder singen, wenn es nicht zu laut sein muß: »Ein feste Burg ist unser Gott«, und kann etwas davon erleben, daß Mauern auch für mich Schutz bedeuten können. Aber meistens ist es nicht so.

Der Vogel auf dem Bild ist ein Teil meiner selbst. Er möchte über alles wegfliegen, möchte das Gute sehen und nicht das Böse, möchte Harmonie und nicht Auseinandersetzung, möchte von oben herunterschauen und nicht mitten drin sein. Ich bin aufgewachsen im deutschen Idealismus, darum liegt mir das nah. Das Bild, das andere von mir haben, widerspricht dem, und ich habe gelernt, nicht so zu leben. Aber die Sehnsucht ist geblieben, und darum ist der kleine Vogel meiner Seele da. Er ist das Symbol für eine Sicht des Lebens und der Welt, die mir nie ganz abhanden gekommen ist, einer Welt, wie sie sein sollte und könnte. Ich bin in vieler Hinsicht privilegiert gewesen und bin es noch, und sicher hat das dazu beigetragen, daß ein wenig Kindlichkeit mir immer erhalten geblieben ist, auch wenn sie sich oft verkrochen hat im Streß und Ernst des Alltags. Aber sie ist da, so wie der kleine Vogel in der oberen linken Ecke meines Bildes da ist. Er erinnert mich übrigens an ein Psalmwort, das mir lieb ist und auf das ich mich immer wieder zurückbesonnen habe. »Unsere Seele ist wie ein Vogel, der dem Netz der Vogelsteller entronnen, das Netz ist zerrissen, und wir sind entronnen« (Psalm 124,7). Für mich ist es wichtig, glauben zu können, daß Gott selbst Befreiung will und schenkt. So fliegt der kleine Vogel aus dem Netz von Rollenzwängen, von Einengung, Enttäuschungen und Täuschung und ist getragen von göttlicher Kraft, einer Kraft der Befreiung.

Auf meinem Bild fliegt er in den Regenbogen und nicht ins Nichts. Das hat mit dem Vorangehenden zu tun. Er stößt nicht an die Grenze der Unmöglichkeit, an der ich mich oft wundgestoßen habe und die mir von meinen Gegnern immer vorgehalten wurde, sondern an die der Verheißung. Der Regenbogen von Gottes Verheißung über der Erde, die geliebt ist und bewahrt werden soll, erinnert daran, daß wir die Hoffnung nicht aufgeben dürfen, die Hoffnung darauf, daß die beiden Seiten zusammenkommen, das Leben und die Kirche. Er wölbt sich über beiden.

Und das Frauenzeichen in der Mitte? Es ist leuchtend rot, eigentlich so rot, wie es in meinem Leben kaum gewesen ist, wenigstens nicht nach außen sichtbar. Ich habe lange gebraucht, bis ich gerne eine Frau war. Aber das Rot ist eine meiner Lieblingsfarben, auch wenn ich es erst spät in meinem Leben zu tragen wagte. An einem Fest während meiner Gymnasialzeit wurde ein Spiel inszeniert, von dem ich nur noch weiß, daß wir Mädchen eine Blume nennen sollten, die wir sein wollten. Ich wählte eine Tulpe, vermutlich, weil sie geschlossen nicht viel über sich aussagt. Hätte ich gewagt, das zu sagen, was ich wirklich in mir spürte, hätte ich vielleicht die von mir so geliebte dunkelrote Pfingstrose mit den vielen Blütenblättern genannt, die mein Vater in seinem Gartenbeet zog. Aber das hatte ich nicht gewagt. Sie war zu schön für mich, ich fürchtete den Spott der Kameraden, deren Normen von Schönheit und Attraktivität ich nicht entsprach.

Als alternde Frau habe ich das leuchtend rote Frauenzeichen mitten in mein Bild gesetzt. Es steht für viele positive Begegnungen mit Frauen, für Freundschaft mit Frauen, für die Erfahrung, daß ein unerhörtes Potential von nicht genützter Energie und Lebenskraft in Frauen verborgen ist. »Kommt das Heil von den Frauen?« fragte mich ein Mann spöttisch nach einem Referat. Nein, so nicht. Aber Kräfte der Heilung und des Lebens schon. Ob sie einmal auch die Wände der grauen Kirche aufbrechen, nein abbrechen können, weil sie keine mehr braucht? Das weiß ich nicht. Aber manchmal träume ich davon.

Bekehrungen

Aufgewachsen bin ich ohne Kirche

Bei uns zu Hause ging niemand zur Kirche. Mein Vater spottete, meine Mutter suchte ihren Weg bei immer neuen »Heiligen« – Goethe, Hermann Hesse, C. G. Jung spielten in unserer Familie eine große Rolle. Daß ich konfirmiert werden sollte, war eigentlich keine Frage. Es wäre auch kein Problem gewesen, wenn ich nicht gewollt hätte. Für mich war es einerseits eine Frage der Anpassung. Ich wollte das Gleiche wie meine Kameradinnen, aber andererseits suchte ich auch etwas. Beides kam darin zum Ausdruck, daß ich einen anderen Konfirmator wählte als meine Klassenkameradinnen. Es war der religiös-soziale Churer Pfarrer. Ich wußte nicht, was das war, »religiös-sozial«, aber irgendwie hatte seine Art mich angesprochen. Leider wurde er schwer krank, konnte den Unterricht nicht erteilen, und so paßte ich mich nochmals an und ging mit den anderen zum liberalen Pfarrer, der mir eigentlich nicht sympathisch war. Er grüßte die »besseren« Leute viel freundlicher. Da mein Vater, wenn auch Fremder, so doch ein »Herr Doktor« war, gehörten wir durchaus zu den freundlicher Gegrüßten. Aber das half mir nicht viel.

Eine Besonderheit unserer damaligen Schule und Kirche ist hier noch nachzutragen. Meine Klasse war die erste in der Bündner Kantonsschule, in der sieben Mädchen saßen, also fast ein Drittel der Klasse. In den Jahrgängen vor uns waren es immer nur eine bis zwei gewesen. Ob das der Grund war, daß wir beim Konfirmandenunterricht von unseren Klassenkameraden getrennt wurden, weiß ich nicht. Jedenfalls mußten wir Mädchen zum Unterricht in die sogenannte Stadtschule gehen, zusammen mit den Volksschülerinnen, während die Buben Unterricht von einem der Religionslehrer am Gymnasium erhielten. Wir fühlten uns degradiert, fehl am Platz. Ausgerechnet in der Zeit, wo manche von uns, ich jedenfalls, viele ernsthafte und kritische Fragen an Gott und die Welt hatten, wurden wir einem Unterricht ausgesetzt, der darauf nicht eingehen konnte. Trotz allem brachte ich noch ein Stückchen Hoffnung mit. Eigentlich wollte ich ja wissen, wer Gott war und was unser

Leben für einen Sinn hatte. Die Gesangbuchverse, die wir auswendig lernen mußten, halfen mir nicht viel. Am Ende einer Stunde – es war noch am Anfang des Unterrichts, der zum Glück nur ein gutes halbes Jahr dauerte – schrieben wir in unser Heft die Überschrift: »Das höchste Gut.« In der nächsten Stunde sollte darüber gesprochen werden. Ich kam voller Erwartung und wurde bitter enttäuscht.

In meiner Erinnerung ist das Blatt leer geblieben, was sicher nicht buchstäblich der Fall war, denn was in dem Heft stand, wurde diktiert, und ich habe es sicher aufgeschrieben. Aber in meiner Erinnerung sehe ich nur die Überschrift und darunter einen leeren Raum. Für mich war damit der Unterricht vorbei. Ich saß ihn ab, und mein wirklicher Trost war der Ausblick aus dem Fenster. Man sah nach Westen, hinein ins Bündner Oberland, mit den kleinen Hügeln bei Ems / Domat – den Bergkinderchen, wie mein Vater sie nannte –, mit den Spitzen der Signina Gruppe hinter dem vertrauten »Hausberg«, dem Pizokel. Der Unterricht fand an zwei Nachmittagen von 5 bis 6 Uhr statt, und meine stärkste Erinnerung sind die Sonnenuntergänge mit all den verschiedenen Farbenspielen von Gelb, Orange und tiefem Rot, die besonders an den in Chur häufigen Föhntagen von einer fast atemberaubenden, beglückenden, aber auch Nachdenklichkeit und Frieden vermittelnden Schönheit waren. Wie ich zu dem Platz mit dem wunderbaren Ausblick gekommen war, weiß ich nicht mehr. Meiner Erinnerung nach war offenbar immer schönes Wetter; an die sicher auch vorhandenen grauen, verhangenen Abende kann ich mich nicht erinnern. Aber das Licht und die Farben sehe ich heute noch. Sie hatten für mich mehr mit Gott zu tun als die mich kaum berührenden Worte des Pfarrers. Übrigens kann ich mich auch nicht erinnern, daß wir je eine Bibel angerührt oder aufgeschlagen hätten.

Das Heft, in dem die Überschrift vom *höchsten Gut* stand, habe ich nach der Matura verbrannt. In Chur war es Sitte, daß die Abiturienten nach überstandener Prüfung johlend und lärmend auf einem offenen Wagen zu einer Wiese fuhren, wo im Frühling zum jährlichen Markt Karussell und Schiffschaukeln und Schießbuden standen und wo im Winter die von uns geliebte Eisbahn war. Dort verbrannten wir übermütig und mit dem Hochgefühl von Freiheit Hefte und auch manche besonders gehaßte Bücher – für mich war das ein Lehrbüchlein der Wirtschaftsgeographie, mit der wir uns in quälend langweiligen Stunden hatten beschäftigen müssen. Aber vor allem war es mein Konfirmandenheft. Es flog mit dem Schwung meiner ganzen Enttäuschung und Verachtung ins Feuer. Das Gefühl, um etwas betrogen zu sein, das ich von ganz innen heraus suchte, saß tief. Heute bedaure ich, das Heft nicht mehr zu haben. Zu gerne würde ich nachlesen, was denn wirklich unter der so viel versprechenden Überschrift gestanden hat.

An die Konfirmation selber habe ich nur schwache Erinnerungen: an einen kalten und trüben Frühlingstag im Jahre 1931 und den Kampf mit meinen Eltern, über das dünne schwarze Kleid einen Mantel anziehen zu sollen. Wer siegte, weiß ich nicht. Erinnern kann ich mich aber auch an eine gewisse Erwartung, es könnte doch mehr dran sein, als ich gedacht und bis jetzt gespürt hatte, eine Ahnung von einem Mysterium, dies noch viel stärker beim Abendmahl am Karfreitag nach dem Palmsonntag, an dem wir konfirmiert wurden. Aber es geschah nichts, das Wunder blieb aus. Und doch stimmt das nicht ganz. Mein Konfirmationsspruch hat mich schon damals getroffen und dann irgendwie durch mein Leben begleitet: »Selig sind, die hungern und dürsten nach der Gerechtigkeit, denn sie werden gesättigt werden.« Gerechtigkeit sagte mir damals nichts, ich war viel zu sehr in mir selbst gefangen, aber das »Hungern und Dürsten« stimmte, das Hungern und Dürsten nach einem Sinn. Das sprach mich an, das war meine innerste Realität.

Meine Konfirmation wurde im Kreise unserer Familie gefeiert. Mein Patenonkel war weit weg, meine Patin lebte nicht mehr. Zu dritt gingen wir zum Essen aus. Ich durfte ein Glas Wein trinken und eine Zigarette rauchen. Der Stil entsprach unserer Lebenssituation und der Auffassung meiner Eltern. Bei wichtigen Festen waren wir unter uns, hatten sie doch schon allein, das heißt zu zweit geheiratet, ohne Familienfest. An drei Geschenke zu diesem Tag kann ich mich noch erinnern: Ich erhielt ein goldenes Armband, das mir eigentlich schon gehörte, denn ich hatte es von meiner Großmutter geerbt, und meine Eltern hatten es für mich bis zu diesem Tage aufbewahrt – ich trage es heute noch täglich. Ich bekam Goethes Werke in sechs grünen Bänden vom Insel-Verlag, die mir dazu verhalfen, Abende lang ohne Anleitung Goethes Faust zu lesen und Teile daraus auswendig zu lernen, und ein Neues Testament, das auch meiner Großmutter gehört hatte. »In diesem Buch haben meine Eltern oft gelesen. In den letzten Jahren hat mein Vater häufig darin Trost und Erhebung gefunden. Wir geben es Dir weiter am Tag Deiner Konfirmation. Deine Eltern.« Ich wußte nicht recht, wie ich mich bedanken sollte. Die Großmutter bedeutete mir etwas durch die Erzählungen meiner Eltern und durch ein Portrait von ihr, das immer bei uns hing und mich auch nach Binningen begleitet hat. Aber das Neue Testament? Ich konnte und mußte nicht leugnen, daß es eine Verlegenheit für mich war. Als ich die Geschenke wegräumte, wußte ich nicht recht, wohin in meinem Bücherschrank ich es stellen sollte. Schließlich fand es seinen Platz bei der griechischen Literatur, war es doch im Urtext griechisch geschrieben worden. Mit mir selbst hatte es damals nichts zu tun.

Trotzdem hielt ich mich nicht für ungläubig. Das Hungern und Dürsten nach einem Sinn war mir wichtiger als die Antworten der Kirche. Um so mehr traf es mich, als meine Verwandten, zu denen ich immer in den Frühlingsferien fuhr, nicht wollten, daß ich mit meiner Cousine, die gleichzeitig mit mir konfirmiert worden war, zum ersten Abendmahl gehen sollte. Ich durfte also erst später kommen, meine Tante fürchtete offenbar meinen Spott, obschon sie kaum »christlicher«, wohl aber konventioneller war als wir. Von dem, was ich wirklich dachte und fühlte, wußte sie nichts. Ich war verletzt, sozusagen zum erstenmal direkt ausgestoßen aus dem Kreise der »richtigen«, der anständigen Menschen. Ihr war das sicher nicht bewußt. Es war die Quittung auf den letztlich unbürgerlichen Weg meiner Eltern und auf mein Anderssein, meinen eigenen Weg. Dieser führte denn auch nach der Konfirmation entschlossen aus der Kirche hinaus. Ich wollte wieder ehrlich werden, sagte ich. Das hinderte mich nicht daran, am freiwilligen Religionsunterricht an unserer eigenen Schule teilzunehmen. Ich wollte ja gerne glauben, aber nicht so konventionell, sondern wissend, verstehend und mir selber entsprechend.

Mit diesem Suchen war ich sehr allein, allerdings getragen von der täglich gelebten Gemeinschaft mit meinen Eltern, die ehrlich zu ihren Grundüberzeugungen und zu ihren wechselnden wesentlichen Anregungen standen und auch darüber reden konnten. Heute denke ich manchmal, daß diese liebende Beziehung mehr mit Gott zu tun hatte, als wir alle wußten. Und trotzdem war ich allein.

In einem Tagebuch aus dem Jahr 1934, dem Jahr, in dem ich Abitur machte, stehen die Sätze:

»›Ich habe nur versucht zu leben, was von selber aus mir heraus wollte. Warum war das so sehr schwer?‹ H. HESSE, DEMIAN

Diese Worte haben mir die Lösung von vielem gegeben. Schicksal liegt also in uns selbst. Unsere Bestimmung ist es, nur das zu leben, was in uns ist, mit anderen Worten: unseren Anlagen gemäß uns zu entwickeln. Ich finde das schön und schwer. Schön, da es endlich ein Ziel, eine Lebensaufgabe ist..., schwer, weil der Verstand, der Intellekt einem immer wieder hineinpfuscht, und eigentlich nicht nur der Verstand, manchmal gerade auch das Gefühl. Man kennt sich trotz aller Selbstkritik immer doch zu wenig, wenigstens ich... Man sollte sich ganz seinem Schicksal hingeben können, ohne Rücksicht auf Glück oder das, was man für sein Glück hält. So war Jesus, und das ist mir eigentlich erst jetzt klargeworden. Er war ganz hingegeben an sein Schicksal, ganz bereit: Dein Wille geschehe. Denn was ist Gott anderes als Schicksal? Diese Begriffe fließen ineinander. Gott ist Weltseele, der Geist der Welt – unsere Seele, wir, unser Ich, ist ein Teil von ihm.«

Wie bin ich dahin gekommen, wo ich heute stehe? Manches, was ich heute sage oder schreibe, ist scheinbar gar nicht so weit entfernt von dem Hungern und Dürsten von damals, von dem brennenden Wunsch, ganz ich selber zu sein oder zu werden, und von der tiefen Erfahrung von Leben, Schönheit und Ganzheit, wie sie aus den Sonnenuntergängen im Bündner Oberland während unserer öden Unterrichtsstunden sprach. Und doch war es ein weiter Weg mit vielen Brüchen und Aufbrüchen. Fast bin ich geneigt zu sagen: Ich habe mich dreimal in meinem Leben bekehrt:

- einmal zu einem sehr engen Christentum, zu einer nur persönlich verstandenen Frömmigkeit,
- einmal zurück zur »Welt«, aber auch zur Sprachlosigkeit, zum Fragen und Hören und zum Ernstnehmen gesellschaftlicher Realitäten,
- einmal zum Feminismus.

In jeder »Bekehrung« war etwas von mir selbst, und von jeder ist etwas geblieben und weitergegangen. Daß ich auch als Feministin nicht loskomme von der Bibel und der Kirche, daß ich versuche, Zusammenhänge herzustellen, wo andere Frauen, die ich schätze, bewundere und achte, einen radikalen Bruch vollzogen haben, spricht für die Tiefe und Ernsthaftigkeit der ersten Bekehrung. Daß ich den Zugang zur Frauenbewegung fand und auch zu vielen Frauen, die nichts mehr mit Religion und Kirche zu tun haben wollen, daß ich vor allem auch die kollektiven, gesellschaftlichen Zusammenhänge heutiger Frauenerfahrung begriff und in der Lage war, mich auch politisch zu engagieren, hat mit der zweiten Bekehrung zu tun. In allem hat die ökumenische Weite, in die ich geführt wurde, eine nicht zu überschätzende Rolle gespielt. Wohin geht nun die Reise? Um das besser zu begreifen, will ich meinen drei Bekehrungen noch besser auf die Spur kommen. Meine Erinnerungen sind freilich sehr subjektiv. Aber das dürfen und sollen sie ja sein.

Bekehrung zum christlichen Glauben

Während meiner Studienjahre in Zürich – 1934 bis 1939, mit einer Unterbrechung von einem Sommersemester in Bern und zwei Semestern in Berlin – blühte die sogenannte Oxford-Gruppen-Bewegung. Sie erreichte mich nicht, das heißt, natürlich wurde ich zu Zusammenkünften eingeladen, in denen *Schuldbekenntnisse* ausgesprochen wurden, durch die sich angeblich alles änderte. Mich stieß das ab, es war mir fremd und unsympathisch. Es war der Versuch, die sehr allgemein gehaltenen christlichen Sündenbekenntnisse in den Alltag zu übersetzen und ehrlich miteinander umzugehen, und ich habe nachträglich gesehen, wie viele Christen, die aktiv in den Gemeinden und auch bei uns in der Akademie mitmachten, durch diese Bewegung gegangen waren. Ich konnte und wollte das nicht. Es war mir zu banal und zu aufdringlich, auch zu einfach. Vor allem aber fühlte ich mich nicht ständig schuldig. Einsam ja, gehemmt, vor allem Männern gegenüber, nicht so frei, wie ich gerne gewesen wäre, ja. Aber da halfen die »Vier Absoluten« der Oxfordbewegung nicht.

In der gleichen Zeit wurde eine evangelische Hochschulwoche veranstaltet, zum großen Teil bestritten von Vertretern dieser Bewegung. Sie ließen mich kalt. Der letzte Vortrag der Woche wurde von Eduard Thurneysen, Basel, gehalten. In meinem Tagebuch stehen die Sätze:

»Eben bin ich tief erschüttert aus einem Vortrag von Pfr. Thurneysen zurückgekommen. Das Thema war ›Das Kreuz‹.«

Der Schrift sieht man die Erschütterung an, der Rest der Seite blieb leer. Ich war nicht imstande, etwas vom Inhalt wiederzugeben. Ich weiß nur noch, daß ich das Gefühl hatte: »Wenn der recht hat, war alles falsch, was ich bisher gedacht und gesucht habe.«

Ob er wirklich recht hatte? Für mich verblaßte der Eindruck, und eigentlich ist bis auf den heutigen Tag nie der Kreuzestod von Jesus das wirkliche Zentrum meines Glaubens gewesen, jedenfalls nicht im Sinne von »Sterben zu unserer Erlösung«. Ich habe das dann freilich durch manche Jahre nachgesprochen und mitgesungen, aber es lebte nicht, und ich konnte nicht davon leben.

Meine erste tiefe Begegnung mit einem biblischen Text war die mit einer damals neuen Übersetzung des Buches Hiob. Ich habe das kleine schwarze Bändchen unter meinen Büchern nicht wiederfinden können. Es war auch meine erste Begegnung mit Textkritik, denn in dieser Ausgabe wurde unterschieden zwischen dem Volksbuch – der Geschichte vom frommen und gerechten Hiob, dem Gott alles nahm, um ihn auf die Probe zu stellen – und den Reden der Freunde und vor allem Hiobs eigenem Ringen. Das Volksbuch konnte ich lesen wie ein Märchen. Was mich ansprach, war Hiobs Ringen, sein Mut, Gott alle Anklagen ins Gesicht zu schleudern, Anklagen, die schärfer waren als diejenigen, die ich aus der Literatur kannte. Gottes Antwort, seine überwältigende Erscheinung, die Hiob seine eigene Kleinheit und Unwissenheit spüren ließ, verstand ich nicht als Zerstörung eines Menschen, sondern als Erfüllung tiefster Sehnsucht nach der Begegnung mit dem wirklichen, dem tatsächlich existierenden Gott. Ich weiß nicht, ob es zur selben Zeit war, daß ich die Studie von Rudolf Otto »Das Heilige« las, heute kommt es mir so vor. Gott als *tremendum* und doch *fascinosum*, das Heilige als den Menschen im Tiefsten erschütternde, aber auch aus Zweifeln zum Leben erweckende, alle Verluste übersteigende Macht. In Erinnerung geblieben ist mir Hiobs Antwort:

»Vom Hörensagen hatte ich von dir gehört; nun aber hat dich mein Auge gesehen« (Hiob 42, 5).

Vom Hörensagen zur Erfahrung von Gottes Wirklichkeit – das war mein Problem, und Schuld in dieser Tiefe konnte ich auch annehmen, denn der Text geht weiter:

». . . darum widerrufe ich und bereue in Staub und Asche.«

Hier war eine Wirklichkeit, die ich nicht kannte und die mich doch zuinnerst berührte, und dazu war sie noch in einer Sprache ausgedrückt, die ich nicht nur intellektuell verstand, sondern die etwas in Schwingung versetzte – ich war ja nicht umsonst Studentin der Literaturwissenschaft.

In diese Zeit des Suchens fällt die Beziehung zu einem verheirateten Mann, einem Pfarrer. Aus einer kurzen Begegnung auf einer Bahnfahrt wurde ein Briefwechsel, eine neue persönliche Begegnung in Berlin und eine Liebesgeschichte, die mein Leben tief veränderte, auch wenn wir uns beide gebunden fühlten durch die Verantwortung seiner Familie gegenüber. Ich erlebte trotz aller Begrenzungen – heute würde ich vielleicht sagen: gerade wegen dieser, die diese Liebe nicht dem Alltag einer bürgerlichen Ehe aussetzten – ein Stück Befreiung von alten Hemmungen (ich hatte mich immer häßlich gefunden), mein Selbstwertgefühl stieg, ich war glücklich und zwischendurch auch wieder tief verzagt und verzweifelt, weil alles so aussichtslos war. Trotzdem schien mir mein Leben plötzlich sinnvoll, es paßte irgendwie zu mir. Dieser Mann war Christ, er versuchte nicht, mich zu bekehren, aber es war klar, daß ich mich trotzdem beeinflussen ließ. Ich fing an, in der Bibel zu lesen, und ging in die Predigten und Vorlesungen von Emil Brunner, die mir inhaltlich mehr bedeuteten als das, was ich von meinem Freund las und hörte. Bei Brunner fand ich ein Denkschema, das mich auch vom Verstand her befriedigte, und trotzdem eine Frömmigkeit, die mich überzeugte. Wenn ein so intelligenter Mensch Christ sein konnte, mußte ich das doch auch können. Meine aufgewühlte Seele aber suchte trotzdem die unmittelbare Erfahrung Gottes. Mit dem Verstand lernte ich, daß christlicher Glaube kein Schauen ist, daß die Offenbarung Gottes durch Christus vermittelt ist. Aber mein Herz schrie nach Unmittelbarkeit. Meine Tagebücher aus dieser Zeit zeugen vom Versuch, nun eben doch durch Buße, durch Anerkennung meiner Schuld, die ich als Überbewertung meiner Intelligenz und als Eigenwilligkeit verstand, Gottes Gnade zu erfahren. Ich übernahm das Schema von Überhebung – Erniedrigung – Begnadigung, und ich erinnere mich an einen Morgen, wo ich beglückt erwachte und mich von Licht umgeben fühlte, irgendwie angenommen und geborgen. Es war nicht in der Kirche, es war in meinem Bett, und ich wußte ganz fest: Jetzt glaube ich. Was genau das damals hieß, weiß ich nicht mehr, aber diese Grunderfahrung hat mich nie mehr ganz verlassen.

Heute erstaunt mich die Tatsache, daß ich – daß wir – unsere Liebe zueinander nicht als Schuld erlebten. Im Grunde genommen kann ich nur von mir reden. Was so mit Leben erfüllte, konnte nicht Sünde sein. Für mich war es ein Geschenk Gottes, und hier kann ich es mir doch nicht versagen, eine Tagebuch-Eintragung aus dem Jahre 1940 zu zitieren:

»Heute hat Emil Brunner in einer Vorlesung über den ›Vitalismus‹ unserer Zeit und die christliche Einstellung zu ihm gesprochen und ist dabei auf die ganzen Probleme ›Christentum und natürliches Leben‹ gekommen. Oh, allmählich fallen die Schleier, und es wird mir immer klarer und klarer, wie wenig die Auffassungen, die immer als christlich gelten und oft auch von der Kirche vertreten werden, wirklich christlich sind, und die Verpönung gerade z. B. des Geschlechtlichen ist, wie Brunner gesagt hat, ganz und gar nicht christlich und steht nirgends in der Bibel. Er hat von der Ehe gesprochen als von der von Gott gewollten Form des geschlechtlichen Lebens, aber nur darum gottgewollt, weil sie durch gegenseitige Verantwortlichkeit bindet und den unpersönlichen, besser: nicht personhaften Trieb personhaften Bindungen unterordnet. Das heißt, daß dem körperlichen Einssein auch ein seelisches entspricht, aus den tiefsten Gründen der Persönlichkeit... In wieviel Prozent aller Ehen wird das Wirklichkeit? Und für mich die brennendste Frage: Was dann, wenn es ist wie in unserem Fall?«

Es folgt dann die Abwägung aller unserer Möglichkeiten: Scheidung oder Abbruch der Beziehung. Letztere wird als unmöglich angesehen mit der folgenden Begründung, von der ich nicht weiß, was Emil Brunner zu ihr gesagt hätte:

»Ganz abgesehen davon, daß es uns unmöglich wäre, einander zu vergessen, bedeutet das, daß wir uns selbst, unsere Entfaltungsmöglichkeiten zerbrächen, uns die Möglichkeit nähmen, als Menschen reif und das zu werden, was wir werden können. Oft habe ich gedacht, daß das die christliche Lösung wäre, und doch glaube ich nicht mehr, daß sie es ist. Sie wäre es, wenn uns bloß sinnliche Leidenschaft zueinander zöge, so aber ist sie es nicht. Uns selbst zu verstümmeln, haben wir nicht das Recht, seelisch ebensowenig wie körperlich...

Selten gibt es so tiefe Beziehungen wie die unsere, und das sollte man preisgeben? Gewiß, unser höchstes Gut sollen wir preisgeben können für Gott, und ich würde versuchen, nicht zu murren und es als seinen Willen zu verstehen, wenn wir durch irgend etwas von außen Kommendes getrennt würden...«

Zwei Jahre später konnte ich das Gesagte auf die Probe stellen durch den plötzlichen, völlig unerwarteten Tod meines Freundes. Ich bestand sie in dem Sinn, wie es hier angedeutet ist. Ob ich sie aber wirklich bestand? Ich übernahm sozusagen sein Erbe, das heißt, seinen theologisch anspruchslosen missionarischen Glauben, der mir eine Zeitlang die Wirklichkeit eher verhüllte als erschloß, auch wenn ich das damals nicht sah. Was ich auch nicht sah, nicht sehen wollte und konnte, war seine Seite *unserer* Geschichte.

Ich habe die Geschichte dieser Liebe so geschrieben, wie ich sie damals erlebte – aber war sie wirklich so? Im Träumen war ich immer gut! Es war für den viel älteren, erfahrenen Mann ein leichtes, ein unerfahrenes, idealistisches, einsames Mädchen, in das er sich verliebte (ich war 21, als wir uns trafen), zur erotischen Hörigkeit zu verführen. Ich beteuerte ihm ja, daß erst durch ihn mein Leben sinnvoll geworden sei. Es entsprach alles dem Schema Mann/Frau. Ich *durfte* ihm bei seiner Arbeit helfen – ich konnte besseres Deutsch schreiben und korrigierte manche seiner Texte –, und er genoß es, daß ich meine eigene Arbeit, mein eigenes Schreibenwollen, zurückstellte und dadurch immer mehr in seine Welt eintauchte, eine Form von Christentum, die mir im Innersten nicht entsprach. Sein plötzlicher Tod an einer Infektion war zuerst ein tiefer Schmerz, aber es war trotzdem die »einfachste« Lösung. Was ihn wirklich bewegte, was ihn umtrieb und wohl auch seinen Tod verursachte, weiß ich nicht. Was jahrelang mein Leben so erfüllte, war im Grunde genommen keine reale Beziehung, und trotzdem hat diese Begegnung mein Leben verändert.

Als Folge meiner Bekehrung trat ich den Frauen- und Mädchen-Bibelkreisen bei und arbeitete dort eifrig mit. Heute würde ich sagen, daß mein Glaube sich verengte, daß ich aber gleichzeitig zum erstenmal in meinem Leben in eine Gemeinschaft von Christen – und es waren Frauen – hineingestellt wurde. Ich saugte diese Gemeinschaft auf wie ein vertrockneter Schwamm, beteiligte mich intensiv, wurde sehr rasch Gruppenleiterin in Lagern und gründete in Zürich eine Mädchen-Bibelgruppe, die lange bestand. Es wuchsen Freundschaften zu älteren und jüngeren Frauen, und alles war – so sahen wir es damals – gehalten und getragen von Christus. Wir lasen die Bibel wörtlich, nach dem vorgegebenen Schema: Sünde – Buße – Erlösung – Freude. Wir waren entschlossen, ein Christus-gemäßes Leben zu führen, wir verabscheuten die »Welt«. Ich las keine *weltliche* Literatur mehr, oder jedenfalls nur so viel, wie ich meinem Beruf entsprechend mußte; ich lebte mit der Bibel, so wie ich sie verstand, und mit einer frommen Literatur, die von wissenschaftlicher Arbeit an der Bibel nicht viel oder gar nichts hielt.

Allerdings gab es Einbrüche. Es war Krieg, und mindestens zu Hause hörte ich unablässig von dem, was außerhalb unserer Grenzen geschah. Mein Glaube wurde dadurch nur insofern berührt, als ich das Böse und Grauenhafte, das da geschah, mit der Sünde, dem Abgefallensein der Menschen von Gott in Verbindung brachte und mich selbst, auch wenn mir der Abstand sehr bewußt war, mit denen identifizierte, die widerstanden, von denen zuerst spärliche, dann immer deutlichere Berichte zu uns drangen. Glaube hatte damals für mich nichts mit Politik zu tun oder eben nur insofern, als er Kraft zum Durchhalten auch in schrecklichen Zeiten gab. Gertrud Kurz und der Flüchtlingspfarrer Paul Vogt waren für mich so etwas wie ferne Heldengestalten, und von der schweizerischen Politik verstand ich zu wenig, um mich an der geistigen Auseinandersetzung wirklich zu beteiligen. Der Kampf gegen den Nationalsozialismus als eine Inkarnation des Bösen war mir klar, durch das Leiden meiner Eltern wohl klarer als vielen anderen. Mein Vater litt Qualen als Deutscher in der Schweiz, er war nie Nazi gewesen, er schämte sich für sein Volk, und er schämte sich auch, daß er um seiner Kriegsrente willen (er war schwer lungenkrank aus dem Ersten Weltkrieg zurückgekommen) die Verbindung zur streng nationalsozialistisch geführten deutschen Kolonie in Chur nicht abbrechen konnte. Diese Rente brauchte er zum Leben. Meine Mutter war Polin, hatte aber durch ihre Heirat und auch auf Grund einer großen Liebe zur deutschen Kultur sich einhundertfünfzigprozentig mit Deutschland identifiziert. Mit dem Einmarsch der Deutschen in Polen und vor allem durch die Verhaftung ihrer Schwester und deren Überführung nach Auschwitz brach das alles zusammen.

31

Heute wundere ich mich, daß nicht mehr an Bewegung, an Anteilnahme und Auseinandersetzung in dem zu spüren ist, was ich damals schrieb. Ich las alles, was an Zeugnissen von Glauben aus den besetzten Ländern, zum Beispiel aus Holland, kam. Ich sorgte mich auch mit um die Menschen in Deutschland und in Polen, mit denen wir verbunden waren. Meine politische Auseinandersetzung, wie sie sich in Artikeln spiegelt, die ich damals geschrieben habe, folgte dem einfachen Schema von Ungehorsam, Abfall von Gott und den Folgen. Mich selbst nahm ich von diesem Abfall von Gott nicht aus, und ich warnte andere davor. Ich sah das Leiden der vielen Unschuldigen nicht als Strafe an, sondern als die Folge von dem, was Menschen in ihrer falsch verstandenen Freiheit anderen antaten. An Gottes Gerechtigkeit zweifelte ich eigentlich nicht. Ich half mir mit der Aussage, daß er uns Menschen eben die Freiheit zum Guten und zum Bösen gegeben habe, und in missionarischem Eifer versuchte ich davon zu überzeugen, daß wir doch diese Freiheit richtig benützen sollten. Wir – das hieß durchaus auch: wir Schweizer, die wir verschont geblieben waren, was ich nicht als Verdienst, sondern als Gnade verstand. Die wirklichen politischen Zusammenhänge begriff ich im Grunde genommen nicht. Ich war ein echtes Kind des deutschen Idealismus, der ja auch viele Deutsche meiner und einer noch älteren Generation daran gehindert hatte, sich mit den politischen Realitäten wirklich auseinanderzusetzen. Außerdem lebte ich in einem Lande, in dem sehr national gedacht wurde, das sich, mehr als ich damals wußte, anpaßte an die nördlichen und südlichen Nachbarn, auch wenn man sich von deren Ideologie distanzierte. Mir jedenfalls lieferte mein christlicher Glaube den Rahmen, das Muster, in das alles einzuordnen war.

Auf der persönlichen Ebene war Christus mein persönlicher Erlöser. Manchmal kommt es mir so vor, als hätte ich in diesen Namen all das projiziert, was ich früher Mitte meiner selbst und Sinn des Lebens genannt hatte und was ich als Aufgehen von Licht und im Grunde als Eros erlebt hatte. Aber von der Liebe, die mit dem Namen oder besser gesagt mit der Gestalt von Jesus doch eigentlich verbunden gewesen wäre, ist in dem, was

32

ich damals schrieb, wenig zu spüren. Ich war schon früh Mitarbeiterin einer evangelischen Wochenzeitung und schrieb unbekümmert um Sachkenntnis über Gott und die Welt. Wenn ich das heute lese, erschrecke ich über meine Härte und Intoleranz, über die starre Moral (die doch eigentlich dem widersprach, was ich selber erlebt hatte) und über die Absolutheit der Aussagen.

Eine zweite Bekehrung war fällig, überfällig.

Bekehrung zur »Welt«

Diese war ein jahrelanger Prozeß. Manche strenggläubige Christen würden sagen, daß sich mein ursprünglich starker und eindeutiger Glaube langsam mehr und mehr verflüchtigte. Ich sehe das nicht so, sondern habe den Eindruck, daß ganz verschiedene Erfahrungen mich in die Realität zurückholten. Eine erste Öffnung war der Entschluß, Theologie zu studieren, nachdem ich erkannt hatte, daß die sogenannten Laien in unserer Kirche »niemand« waren. In den von der Kirche unabhängigen Mädchen-Bibelkreisen kamen wir zum Zuge, das war eine ausgesprochene Laienbewegung, mit allen Stärken und Schwächen einer solchen. Ich hätte gerne etwas davon in der Kirche verwirklicht oder verwirklicht gesehen. Ich arbeitete zwar mit in der Kirchengemeinde, ich wollte auch dort Bibelgruppen gründen, aber das war nicht so einfach, denn richtig die Bibel auslegen konnte doch nur der Pfarrer. Was mir in der Kirche fehlte, was ich als nötig betrachtete, faßte ich in einem Büchlein »Und wir? Ein Wort zur Not unserer Kirche« zusammen, im Auftrag des Verlegers, der auch die Zeitung herausgab, an der ich mitarbeitete. Die Trennung von Verkündigung und Leben, die Kirche als Pfarrer- und als Sonntags-Kirche, die Problematik der Volkskirche – das waren die Ansatzpunkte meiner Kritik, und was ich suchte, war eine Gemeinschaft, eine Kampfgemeinschaft in einer schwierigen Zeit (das Büchlein erschien 1943), eine Gemeinschaft der Seelsorge und der gegenseitigen

Hilfeleistung, des gemeinsamen Gebets. In jeder Gemeinde sollte es lebendige Zellen geben.

»Jeder, der zu Christus gehören will, sollte zu einem solchen kleinen, lebendigen Kreis gehören, der ihn trägt und den er mitträgt, und wer sich gegen solche Gemeinschaft wehrt, wer sie als Frömmelei abtut, der frage sich doch ernstlich, ob solche Hemmungen und Widerstände nicht einfach daraus entspringen, daß er innerlich nicht ganz bereit ist, sich Christus hinzugeben, ob er nicht doch etwas für sich behalten will, ob ihm sein Privatleben nicht zu lieb ist, ob er sich nicht schämt, weil er genau weiß, daß seine Frömmigkeit nicht echt ist... In Kirchengemeinden, wo es noch keine solchen Zellen gibt, müssen welche entstehen...

Diese Entwicklung wird vielleicht dazu führen müssen, daß es zu einer Aussprache mit dem Pfarrer kommt. Wir haben oft eine falsche Haltung, einen falschen Respekt vor unseren Pfarrern! Wie viele Pfarrer wären froh, wenn die Glieder ihrer Gemeinde auch einmal etwas sagen oder wünschen würden...«

Als ich das Manuskript des Büchleins dem Pfarrer brachte, den ich am meisten schätzte, gab er es mir mit einem müden Lächeln und mit Achselzucken zurück. »Wenn Sie wirklich meinen, daß Sie das sagen müssen, dann tun Sie es. Neu ist es ja nicht.«

Nein, neu war es wirklich nicht, das hatte ich im Vorwort schon selber geschrieben, und das wußte ich. Aber warum und wie konnte man all das wissen und zugeben und es doch nicht tun? Und warum konnte ich mit meinem brennenden Herzen und Glauben nicht wirklich sinnvoll in dieser Kirche mitarbeiten? So reifte der Entschluß: Ich will Theologie studieren. Ich wollte mehr wissen, wollte Zusammenhänge erkennen, ich wollte den Gesprächen mit Pfarrern gewachsen sein. Pfarrerin wollte ich allerdings selbst nicht werden. Damals war es auch noch gar nicht möglich, aber ich hätte auch sonst nicht gewollt. Dazu war meine Skepsis der Institution gegenüber zu groß. Ich wollte ebenbürtig sein, um mich besser für die Laien einsetzen zu können. So immatrikulierte ich mich an der theologischen Fakultät der Universität Zürich und trat damit aus der Abgeschlossenheit der Bibelkreise heraus. Als ich unserem damaligen Studentenpfarrer im Tram begegnete, sagte er: »So, so, das Fräulein Dr. Bührig will den Laienstand verlassen.« Meine Antwort war kurz und bündig: »Nein, aber ich will und muß mehr wissen.« Ich suchte die geistige Auseinandersetzung.

Wenn ich heute an die Jahre zurückdenke, durch die sich dieses zweite Studium hinzog, bin ich zwiespältig. Gerne denke ich an Lehrer wie Emil Brunner, Walter Zimmerli, Gottlob Schrenk, an Vorlesungen, in denen plötzlich etwas aufleuchtete, an ernsthafte Arbeit und an gedankliche Auseinandersetzung mit der Bibel, der Tradition und der damaligen Welt. Ich bin froh, daß ich gelernt habe, kritisch mit Texten umzugehen – ohne diese Voraussetzung wäre mir manches in der heutigen feministischen Theologie nicht möglich. Ich bin froh, daß ich, wenn auch mit Schmerzen und oft auch im Hader mit der Universitätstheologie, allmählich aus der engen Welt der Bibelkreise herauswuchs. Im Grunde aber wollte ich zu viel nebeneinander – ich mußte schließlich meinen Lebensunterhalt verdienen: In der Schule unterrichten, Artikel schreiben, Vorträge halten, eine Wohngemeinschaft mit Studentinnen aufbauen, das war eigentlich genug und wurde schließlich bestimmender als das Studium im »Nebenberuf«. Infolge eines Formfehlers oder der Schikane eines Professors (ich hatte ein Seminar für Katechetik nicht besucht, war aber jahrelang Lehrerin gewesen und hatte mehr Unterrichtserfahrung, als mir das Seminar gegeben hätte) konnte ich das Abschlußexamen zur geplanten Zeit nicht machen. Schlecht vorbereitet war ich auch, denn das, was mich interessierte, entsprach dem, was ich für das Examen wissen sollte, nicht. So verzichtete ich darauf, das verlangte Seminar nachzuholen und mich nochmals zum Examen zu melden. Das, was ich ursprünglich gewollt hatte, hatte ich auch ohne Abschluß erreicht: Ich wußte genug, um selbst weiterarbeiten zu können, zum Beispiel in Bibelarbeiten mit Frauen, etwa mit Leiterinnen von Frauenabenden in den Gemeinden. Eine Frau – eine »Laiin« – zwang mich dort, etwas zu tun, was aller damaligen Universitäts-Theologie widersprach: einen Bibeltext unter ein Lebensthema zu stellen, oder gelinder gesagt, beide sehr nah miteinander zu verbinden, nicht nur zu fragen, was die Bibel zum Leben sagt, sondern Lebenssituationen ernst zu nehmen, ein Gespräch zwischen Text und Leben zu führen. Von heute her gesehen waren es sehr vorsichtige Gespräche, und als Theologin oder angehende Theologin wehrte ich mich gegen die Verfälschung biblischer Texte; ich versuchte, mindestens ein Gleichgewicht zu halten und die biblischen Zusammenhänge immer wieder aufzuzeigen. Aber ich wurde durch diese Art von Bibelarbeit und von Gesprächen mit Frauen in einer anderen Lebenssituation selber stark geprägt. Das Leben setzte sich durch gegen die Theorie.

Zwei Erinnerungen aus meiner Studienzeit, die mir von meinem heutigen Frauenbewußtsein her wieder eingefallen sind, gehören noch hierher. Ich sollte bei Schrenk die Exegese eines schwierigen Textes aus dem Römerbrief im Seminar vortragen. Den Text weiß ich nicht mehr, und ich habe die Arbeit auch nicht mehr. Ich weiß nur noch, daß ich schließlich – wie immer unter Zeitdruck, aber auch mit dem Gefühl, vor einer irgendwie unmöglichen Aufgabe zu stehen – etwas aufschrieb und vorlas, von dem ich den Eindruck hatte, daß ich selber es nicht verstand. Zu meinem großen Erstaunen bin ich damit durchgekommen. War das, was mir so fremd war, »richtige«, das heißt männliche Theologie? Oder hatte der Professor Mitleid mit dieser nicht mehr ganz jungen Frau, die sich offensichtlich schwertat? Ich weiß es nicht und muß es auch nicht mehr wissen, aber ich spüre noch das Gefühl des Nicht-Übereinstimmens zwischen mir und dem, was ich sagte, aber auch zwischen dem, was ich sagte und was doch irgendwie etwas Eignes war, und der »Universität«, um unter diesem Namen den Professor, den Hörsaal, die fast ausschließlich männlichen Mitstudenten und das »Klima« zusammenzufassen.

Gegen Ende meines Studiums spielte ich mit dem Gedanken einer theologischen Doktorarbeit. Schon damals war mir klar, daß sie sich mit der biblischen »Lehre von der Frau«, mit Bildern der Frau in der Bibel oder in der Theologie befassen sollte. Ich schrieb eine Art Aufriß, formulierte einige Denkansätze und gab diese Blätter Emil Brunner. Mit zitterndem Herzen ging ich dann zu ihm, um mir seine Antwort zu holen. Er war sichtlich verlegen. Wenn ich mich recht erinnere, kam es auch zu keinem wirklichen Gespräch. An seine Antwort aber erinnere ich mich noch sehr gut: »Schreiben Sie lieber ein Buch.« Zu einer hochschulreifen Dissertation hätte es nicht gereicht. Das Buch schreibe ich jetzt nach so vielen Jahren, und ich tue es auch im Gedanken an die Studentinnen heute, die über das, was sie wirklich brennt, so oft keine Dissertation schreiben können, weil feministische Theologie bei uns immer noch nicht hochschulwürdig ist und weil viele männliche Theologen sich weigern, die einschlägigen Bücher wenigstens zu lesen. Mein damaliger Entwurf war sicher ein sehr unfertiges Gestammel, was mir übrigens selbst klar war. Trotzdem ging ich gedemütigt und verletzt weg. Die Hilfe, die ich gebraucht hätte und die ich suchte, habe ich erst viel später in der Frauenbewegung gefunden.

Der zweite wichtige Schritt zur »Bekehrung zur Welt« war die Zeit im Reformierten Studentinnenhaus, das ich 1945 gründete. In meiner journalistischen Arbeit war mir die Aufgabe zugefallen, den Jahresbericht des Reformierten Theologenhauses zu besprechen. Dieses war von Walter Zimmerli, Alttestamentler an der Zürcher Universität, gegründet worden, und zwar zur Zeit des Einmarschs der Deutschen in Holland und Frankreich. »Laßt uns Burgen bauen«, war sein Motto, und daraus wuchs eine Lebensgemeinschaft des Professors und seiner Familie mit Studenten der Theologie, eine sehr disziplinierte Gemeinschaft mit Morgenturnen und Früh-Hebräisch und gemeinsamen Andachten. Sie strahlte eine Glaubwürdigkeit aus, die an der Hochschule fehlte. Mich beeindruckte der Bericht, und ich brachte das auch zum Ausdruck. Kurz darauf traf ich Professor Zimmerli zufällig in der Bibliothek. »Sie haben einen guten Bericht über das Theologenhaus geschrieben«, sagte er. Ich: »So etwas sollte es auch für Studentinnen geben.« Er: »So fangen Sie doch an!«

Das saß und ließ mich nicht mehr los. Es war einer der Anrufe, die mich zur Aktion drängten. Aber wie ließ sich das realisieren? In der christlichen Studentenvereinigung suchte und fand ich einige Studentinnen, die mitmachen wollten. Wider alle düsteren Voraussagen derer, die den Wohnungsmarkt kannten, fand ich eine wunderschöne, verwohnte Sieben-Zimmer-Wohnung mit herrlichem Ausblick auf See und Berge für ganze 250.– Franken Monatsmiete (es war ein Provisorium, das Haus sollte abgerissen werden, es steht aber heute noch). Ich wußte, daß ich mit meinem Gehalt als Hilfslehrerin die Miete bezahlen konnte, wenn alles schiefgehen sollte. Aber die Einrichtung?

Ich suchte Hilfe bei »der Kirche«, das heißt bei dem damaligen Kirchenratspräsidenten. Er empfing mich wohlwollend, hörte sich mein Anliegen, daß es doch auch ein Reformiertes Studentinnenhaus geben müßte (ich dachte nicht in erster Linie an Theologinnen, wir waren ja viel zu wenige), freundlich an, sah aber keinerlei Möglichkeiten, sich da einzumischen. Ich empfand die Antwort als kalte Dusche, aber solche sind ja gesund. Ich begriff, daß die Initiative nur von mir, heute würde man sagen: nur von den Betroffenen selbst kommen konnte. Die Lektion habe ich nie vergessen. Initiative kommt in den seltensten Fällen von »oben«, von den Behörden. Später hat uns im übrigen »die Kirche« öfter geholfen, später, das heißt, als man sah, daß das Kind lebensfähig war. Eigentlich war das logisch, und doch wehrte sich etwas in mir, und ich habe den Zwiespalt nie ganz überwunden. Immer noch denke ich, daß »die Kirche« doch eine Gemeinschaft auf dem Wege und damit auch bereit zum Risiko sein müßte. Später gab mir Emil Brunners Buch »Das Mißverständnis der Kirche« eine theologische Deutung, und immer fragwürdiger ist mir im Laufe meines Lebens die Entwicklung von der Bewegung um Jesus zu unseren durchorganisierten Kirchentümern geworden. Damals war es im Grunde genommen einfach. Der Konflikt war schmerzhaft, aber klar: Ich stand draußen vor der Tür der Institution und konnte sie ablehnen. Heute bin ich Teil dieser Institution, als Mitglied des Präsidiums des Ökumenischen Rates der Kirchen (ÖRK), und versuche, in ihr die zu vertreten, die heute so oft vor der Tür der Kirche stehen, zum Beispiel die Frauen- und Friedensbewegung, zu denen ich auch gehöre. Manchmal frage ich mich, wie und wie lange ich mit dieser Spannung leben kann. Doch zurück zu »damals«.

Die paar jungen Frauen, die sich zusammengefunden hatten, brachten von daheim mit, was sie konnten, ein Aufruf im »Kirchenboten« verhalf uns zu alten Möbeln und etwas Geld, zu unmöglichen Vorhangstoffen, die Freiwillige verarbeiteten, kurzum es war das Nötigste da, als wir einzogen. Wir hatten so viele Möbel, wie wir brauchten, und so viele Studentinnen, daß die Wohnung belegt war.

Ich fing unser gemeinsames Leben mit Lesungen aus Bonhoeffers gleichnamigem Buch an, ohne zu bedenken, daß dieses für ein Theologenseminar der Bekennenden Kirche, das heimlich abgehalten werden mußte, geschrieben war. Hohe Vorstellungen von »Brüderlichkeit« – das Wort Schwesterlichkeit war noch nicht erfunden – schwebten mir vor. Doch auch hier siegte das Leben, der Alltag mit seinen Freuden und Schwierigkeiten. Die Liebes- und Studienprobleme der einzelnen, unsere Freundschaften und Nicht-Freundschaften untereinander, die ganz simplen Geldfragen um Miete und Haushalt und die Arbeit in diesem Haushalt holten mich rasch auf die Erde zurück. Es war gut, Glauben im sehr realen Alltag bewähren zu müssen, eigentlich zum ersten Mal, denn die Gemeinschaft in den Bibelkreisen war doch eine Ferien- und Sonntags- oder Feierabendgemeinschaft gewesen. Aus ihr konnte man da oder dort aussteigen, das war einfacher als in einer Hausgemeinschaft. Jedenfalls hätte *ich* nicht aussteigen können, denn daß ich letztlich, trotz dem Versuch einer möglichst partizipatorischen Lebensgestaltung, nach außen hin die Verantwortung trug, war mir klar.

Vierzehn Jahre (elf davon mit Else Kähler zusammen) habe ich in einer solchen Gemeinschaft gelebt, zuerst in der Sieben-Zimmer-Wohnung, dann in einer Villa am Zürichberg, die heute der Evangelischen Akademie gehört. Es sind viele junge Frauen durch dieses Haus gegangen. Manche von ihnen sagen, sie hätten dort Entscheidendes erfahren. Für mich selbst blieb der Anspruch, eine »vom Evangelium geprägte Lebensgemeinschaft« aufbauen zu helfen, bis zuletzt bestimmend. Aber die großen Worte wurden bescheidener, das Tun und Sein wurde wichtiger, ebenso das Wohlsein und die Wärme. Heute lese ich bei einer feministischen Theologin:

»*Die Erfahrung der Beziehung ist fundamental und grundlegend für den Menschen, sie ist gut und machtvoll, und nur innerhalb dieser Erfahrung, wie sie hier und jetzt geschieht, können wir erkennen, daß die* Macht in Beziehung *Gott ist. Die Möglichkeit, Gott ›Macht in Beziehung‹ zu nennen, ist so fremd für den überwiegenden Teil des traditionellen christlichen Denkens, daß die theologische Erforschung dieser Möglichkeit eine beharrliche hermeneutische Parteilichkeit erfordert: Die Liebe zum Nächsten wie zu sich selbst – anstatt der Liebe zu Gott – muß die Norm christlichen Lebens und christlicher Theologie sein.*« *

Das wäre mir damals als Blasphemie erschienen und entsprach doch eigentlich ziemlich genau dem, was wir lebten. In diese Richtung, vom überirdischen Gott zu den Menschen, ging meine »Bekehrung zur Welt«. Sie endete freilich nicht im Studentinnenhaus, sie ging weiter in der Akademiearbeit, wo wir lernten, daß wir lange zuhören mußten, bevor wir etwas vom Evangelium sagen konnten, und daß wir auch die Hindernisse ernst nehmen mußten, die Menschen im Weg standen, sich so anreden zu lassen. Wir wurden sehr schweigsam, und es dauerte lange, bis wir wieder reden lernten.

* Carter Heyward: Und sie rührte sein Kleid an. Eine feministische Theologie der Beziehung, Kreuz Verlag 1986

Ledig, aber nicht alleinstehend

Warum nicht verheiratet?

Ledig – unverheiratet – alleinstehend – single. Das Auswechseln von verschiedenen Bezeichnungen verrät Verlegenheit und Unsicherheit. Immer noch – und manchmal ist man versucht zu sagen: immer wieder von neuem – ist nur die verheiratete Frau die richtige Frau, sind nur die Ehe oder ehe-ähnliche Verhältnisse das Normale, das Fundament der Gesellschaft. Wie kommt eine Frau dazu, nicht zu heiraten, und wer ist sie, wenn sie aus diesem oder jenem Grunde nun eben nicht geheiratet hat? Eine alte Jungfer? Zu wählerisch? Bindungsscheu oder -unfähig? Hoffnungslos verklemmt? Nicht bereit, den Verzicht auf eigene Karriere zu leisten, und welche Karriere wäre besser als Ehe oder wenigstens Mutterschaft? So häßlich, daß sie eben »sitzen blieb«? Meine eigene Auseinandersetzung mit mir selbst kreiste lange um diese Frage, durch Jahre allein, dann in der romantischen Bindung an einen verheirateten Mann und dann – und das war mein Glück – in der nicht gesuchten, aber gewachsenen Freundschaft und Lebensgemeinschaft mit einer Frau.

Else Kähler und ich waren 30 beziehungsweise 32 Jahre alt, als wir uns kennenlernten und befreundeten. Ich war damals Lehrerin ohne feste Anstellung, Journalistin, Leiterin der oben beschriebenen Wohngemeinschaft von Studentinnen und »nebenbei« Theologiestudentin. Else kam aus Norddeutschland, war Stipendiatin der Universität Zürich. Aus einer uns beide tief anrührenden Begegnung über dem deutschen Schicksal wurde eine auf vielen gemeinsamen Interessen beruhende Freundschaft: Theologie, Literatur – ich hatte über Friedrich Hebbel meine Doktorarbeit geschrieben, und Else kannte und liebte Hebbel, schon weil sie Schleswig-Holsteinerin war wie er. Unendlich viele Gespräche über Krieg und Nachkriegszeit, über Glaubensfragen angesichts von Zusammenbruch und Neuanfang, Faszination durch das Studium mit all den Zukunftsfragen, die es aufwarf – Theologinnen waren damals noch seltene Vögel –, wurden zum Lebenselement, machten die Partnerin bald unentbehrlich. Letztlich läßt Liebe sich freilich nicht erklären. Ich will es auch nicht versuchen. Daß sie ebenso lebenbestimmend sein und werden würde, wie eine Ehe es gewesen wäre, wußten wir nicht. Es ergab sich von Schritt zu Schritt und mußte dann doch bei jedem Schritt neu entschieden werden.

Ich schreibe das, weil wir oft beneidet werden. »Ja, ihr habt es gut, ihr seid nicht allein.« Wir wußten immer beides. Daß es zu einer tiefen Begegnung kommt, beruht auf vielen Voraussetzungen, es läßt sich letztlich weder erklären noch machen. Wir erlebten es als großes Geschenk. Was man daraus macht, ist eine andere Sache. Die Gestaltung einer solchen Beziehung schließt Phantasie und Risikofreudigkeit ein, vor allem wenn es sich um eine Lebensform handelt, die in der Gesellschaft ungewohnt, wenn nicht gar verdächtig ist, für die es wenige Vorbilder gibt. Vorgeformt ist nur das Muster Ehe und Familie. »Zwangsheterosexualität« sagt die Amerikanerin Adrienne Rich heute. Davon wußten wir nichts. Zum Glück? Oder leider? So froh ich heute über manche nachträgliche Information und Verstehenshilfe aus der neuen Frauenbewegung bin, so wenig möchte ich die Unbefangenheit und innere Zielstrebigkeit missen, die Jahre äußerer Armut um der Freiheit zur gemeinsamen Lebensgestaltung willen, die Stunden gemeinsamer Entdeckung an- und miteinander. Gerne denke ich an viele Gespräche zu zweit und in bald sich bildenden Arbeitskreisen, an die theologische Arbeit, zum Beispiel auch an Else Kählers Dissertation »Die Stellung der Frau in den paulinischen Briefen« und mein vieles Reden und Schreiben in Frauenkreisen und verschiedenen Zeitschriften.

Wie diese theologische Arbeit anfing, weiß ich nicht mehr genau, aber daran erinnere ich mich noch sehr gut, daß wir frühzeitig nach der Situation der ledigen, unverheirateten Frau zu fragen begannen. Warum waren wir beide nicht verheiratet? Für meine deutsche Freundin war die Antwort relativ einfach. Die möglichen Partner, die Freunde aus dem evangelischen Jugendbund, waren im Krieg gefallen, einer nach dem anderen. Und dann hatte sie nach dem Krieg zu studieren angefangen, war völlig fasziniert, war beteiligt am Aufbau der Hochschulgemeinde und der Studentenschaft. Nach dem Zusammenbruch alles Bisherigen war dies eine neue Situation. Sie hatte auch zu dem Zürcher Stipendium geführt, sie führte nach ihrer Rückkehr in die Heimat zu einer schweren Krankheit, und diese half dazu, daß ich sie in die Schweiz holen und ihr die Chance zum Gesundwerden und zu ihrer Doktorarbeit geben konnte. Aber ich selber? Für mich war die Frage nach meinem Ledig-Sein schwerer zu beantworten. Warum war ich nicht verheiratet? Vieles ließe sich nennen: der soziale Abstieg der Familie durch die im Ersten Weltkrieg erworbene Lungenkrankheit meines Vaters. Es war ein Abstieg vom Großbürgertum in eine kleinbürgerliche Wohnung und Umgebung, aus dem deutschen Universitätsmilieu in eine schweizerische Kleinstadt, wo Fremde ohne Stellung und Reichtum »niemand« waren. Es ließe sich aber auch nennen, daß ich ans Elternhaus gerade aus diesen Gründen stark gebunden blieb, daß ich dadurch »anders« war als meine Kameradinnen und darum auch nicht attraktiv. Ich absolvierte Gymnasium und Studium ohne Krampf und Mühe, was ja für eine Frau eine zweifelhafte Auszeichnung war. Es war auch eine Flucht in den Intellekt, wo ich anderen überlegen war. Die jahrelange Liebesbeziehung zu einem verheirateten Pfarrer isolierte mich vollends. Sie verhalf mir aber auch zur intensiven Auseinandersetzung mit dem Christentum, zum schließlichen Ausstieg aus dem Lehrerinnenberuf und dadurch zu einer zwar ungesicherten, aber freien Existenz als – ja eben, als was? Als alleinstehende Frau? Als Leiterin eines Mädchenpensionats? Eine sehr begabte Studentin, die bei uns wohnte und Germanistin war, sagte einmal so nebenbei: »Du könntest doch auch etwas Besseres machen.« Besser als eine Schar von Studentinnen »hüten«, als eine Hausgemeinschaft aufbauen »auf der Grundlage des Evangeliums«, mit jungen Mädchen – heute würde ich »Frauen« sagen –, die zum Teil an dem, was ich eigentlich wollte, gar nicht so interessiert waren? Für mich war es – in meiner damaligen Sprache ausgedrückt – ein Auftrag, von außen angeregt, von tief innen her bestätigt, und dieser Auftrag erfüllte mein Leben.

In dieser Situation begegneten Else Kähler und ich einander, und vielleicht zeigt die Intensität und innere Konsequenz dieser

Begegnung, daß wir, ohne sie bewußt zu suchen, gerade diese Lebensform gewollt hatten.

Hier möchte ich einen Text von heute einschieben, einen Text, der damals nicht hätte geschrieben werden können und den wir, wenn er doch geschrieben worden wäre, nicht verstanden hätten:

»Wenn wir außerhalb unser selbst leben – und damit meine ich, nur nach äußeren Richtlinien anstatt nach unserem inneren Wissen und Bedürfnis; wenn wir von den erotischen Wegweisern in uns selbst entfremdet leben, dann wird unser Leben durch äußere, entfremdende Formen eingeschränkt, und wir passen uns den Bedürfnissen einer Struktur an, die sich nicht auf menschliche und schon gar nicht auf individuelle Bedürfnisse gründet. Doch wenn wir von innen heraus zu leben beginnen, in Berührung mit der Macht der Erotik in uns selbst, und wenn wir uns von dieser Macht im Einwirken auf unsere Umwelt inspirieren lassen, dann werden wir im eigentlichen Sinn verantwortlich für uns selbst. Wenn wir nämlich unsere innersten Gefühle zu erkennen beginnen, können wir uns notwendig nicht mehr mit Leiden und Selbstverleugnung begnügen – oder mit jener Abstumpfung, die in unserer Gesellschaft so oft die einzige Alternative zu sein scheint...« [*]

Heute meine ich, daß wir genau unserem inneren »Wissen und Bedürfnis« folgten, ohne Rücksicht auf äußere Gegebenheiten, aber als engagierte Christinnen versuchten wir zu ergründen, was denn die Bibel über Ehelosigkeit sagte. Wohlverstanden: über Ehelosigkeit, nicht etwa über Liebesbeziehungen unter Frauen. Wir fanden einiges, von dem wir in unserer Kirche nie gehört hatten, jedenfalls nicht im Kontext des konkreten Lebens. In der Gesellschaft und in der Kirche waren wir bestenfalls durch unsere beruflichen Qualitäten geschätzt, als Frauen aber kaum existent. Heute würde ich sagen: Wir waren diskriminiert. Bestätigung suchten wir, den spürbar vorhandenen gesellschaftlichen Gegebenheiten gemäß, eigentlich doch

* Audre Lorde: Vom Nutzen der Erotik: Erotik als Macht, in: Macht und Sinnlichkeit, sub rosa Frauenverlag 1983

bei den Männern. Ich habe lange gebraucht, bis mir die Anerkennung von Frauen ebensoviel wert war wie diejenige von Männern. Sie hatten ja das »Sagen« in allen Bereichen, aber das Suchen nach Anerkennung ging tiefer. Ich hätte das vermutlich nicht zugegeben, aber im Blick auf mein Nicht-verheiratet-Sein hatte ich im Grunde genommen viele Minderwertigkeitsgefühle. Ich beneidete die verheirateten Frauen zwar nicht um ihr Hausfrau- und Muttersein, übernahm aber doch die geltenden Vorstellungen, auch wenn ich sehr bald dagegen protestierte. Um so wichtiger war unsere Gegenbewegung: Wir suchten in der Bibel nach Bestätigung unserer Existenz, und für uns gehörte die Bibel nicht der Kirche. Sie war etwas für sich, ein Buch, zu dem wir eine persönliche Beziehung hatten. Darum war es wichtig, herauszufinden, ob wir überhaupt darin vorkamen, und wir fanden für uns Wesentliches.

Ehelosigkeit in der Bibel

Wenn ich die Stöße von Vorträgen und Artikeln durchlese, die ich damals gehalten und geschrieben habe, dann drängen sich drei Grundgedanken auf, die sich immer wiederholen:

- die Gottebenbildlichkeit der Frau, wie sie in der Schöpfungsgeschichte dargestellt wird,
- Ehelosigkeit als Freisein zum Dienst, wie sie bei Jesus und bei Paulus verstanden wird,
- die Möglichkeit, zwischen Ehe und Ehelosigkeit zu wählen, wobei der Ehelosigkeit höhere Bedeutung zugewiesen wurde.

Besonders lieb war uns natürlich der erste Schöpfungsbericht, in dem die Frau völlig ebenbürtig neben den Mann gestellt wird. »Gott schuf den Menschen nach seinem Bilde, als Mann und Frau schuf er sie.« Also waren auch wir gemeint. Für uns war es damals wichtig, zu erkennen, daß Frau-Sein zu Gottes guter Schöpfung gehörte, und wir sagten immer im gleichen Atemzug: genau wie das Mann-Sein. Es war uns wichtig, daß es nicht einfach beim Menschen blieb. Wir wollten ja gerade kein Neutrum sein, kein »Fräulein« auf Lebenszeit, sondern Frau, auch als ledige Frauen. Klar und selbstverständlich war uns aber auch die Zusammengehörigkeit von Mann und Frau. Sie wurden ja immer zusammen genannt. Der Schluß auf die Ehe lag nah, und auch wir folgten diesem Trend, was uns unweigerlich zur Frage führte: Wenn Mann und Frau zusammengehören, wenn sie so aufeinander bezogen sind, dann fehlt uns doch etwas. In einem Text, den ich für eine Zusammenkunft lediger Frauen im Jahr 1949 geschrieben habe (wir hatten zu dieser Zusammenkunft eingeladen), stehen die Sätze:

»Es heißt, daß Mann und Frau die beiden verschiedenen Formen des Menschseins sind, ja die beiden Formen der Gottebenbildlichkeit. Erst beide zusammen ergeben das volle Menschenbild, wie es von Gott gemeint ist.

Als Mensch sind wir immer Mann oder Frau, und indem wir Mann oder Frau sind, sind wir Mensch. Das tönt sehr brutal und selbstverständlich, aber es hat seine Konsequenzen, wenn wir damit ernstmachen. Wir neigen dazu, das Verbindende, das ›allgemein Menschliche‹ zu betonen, und gerade als Christen haben wir von manchen Stellen des N. T. her das Recht dazu: aber vielleicht tun wir gut, uns von dem alttestamentlichen Zeugnis die andere Seite einmal zeigen zu lassen, um nicht vorschnell über die Tatsache unserer mit unserem ganzen Wesen in Leib, Seele und Geist verbundenen Geschlechtsbestimmtheit hinwegzugehen, als wäre sie ein Ding zweiter Ordnung...

Was ist aus diesem Schöpfungsbericht abzulesen für die Fragen nach dem Weg der unverheirateten Frau? Wohl zweierlei: daß sie als Frau Geschöpf und Abbild Gottes ist so gut wie der Mann und ihm ebenbürtig. Aber auch das andere: daß sie allein eben nur die eine Seite ist und eine Seite kennt (ebenso wie der Mann). Und daß sie darum der Ergänzung bedarf. Es erhebt sich damit die große und ernste Frage: Gibt es ein volles Leben für die alleinstehende Frau?«

Man sollte meinen, daß wir uns mit dem zweiten Schöpfungsbericht schwerer getan hätten, mit der Erschaffung Evas aus Adams Rippe und mit der »Gehilfin«. Aber wir glaubten unseren theologischen Lehrern, die uns erklärten, daß auch hier die volle Zusammengehörigkeit von Mann und Frau gemeint sei: »Diese nun endlich!« ruft Adam nach der Erschaffung Evas aus, und als wir erfuhren, daß das im Deutschen gebrauchte Wort »Gehilfin« eigentlich »Hilfe« hieß und daß das gleiche hebräische Wort in den Psalmen gebraucht wird, wenn es heißt: »Du (Gott) bist unsere Hilfe für und für«, war uns klar, daß da keinerlei Zweitrangigkeit gemeint sein konnte.

Auch heute schreibe ich: Es konnte nicht so *gemeint* sein. Warum genügte uns das »Nicht-gemeint-Sein«? Sozusagen die Idee, die Aussage ohne Konsequenz? Warum beschäftigte es uns nicht mehr, daß sich in der Geschichte der Kirche wie in der Gesellschaft sehr wohl eine Zweitrangigkeit, die Nichtbeachtung der Frau durchgesetzt hatte? Ich denke, daß das zwei Gründe hatte. Für uns waren diese Entdeckungen in der Bibel zunächst einmal lebenswichtig, und obschon wir alle zitierten Exegesen von Männern übernahmen, waren sie im Kontext unseres eigenen Lebens doch eigene Entdeckungen. Sie verbanden unseren Glauben mit unserem Leben, und als Protestantinnen hatten wir ja gelernt, nach den Ursprüngen zurückzufragen. Hier meinten wir, auf Urgestein zu stoßen, auf einen Grund, auf dem wir stehen konnten, und zudem waren diese Entdeckungen mindestens zum Teil, in der Frage der Ebenbürtigkeit, Bestätigungen für uns selbst und Befreiung vom Gefühl der Diskriminierung. Zudem wuchs daraus Gemeinschaft. Der oben zitierte Text war für eine erste Zusammenkunft von ledigen Frauen geschrieben, und aus der zweiten Zusammenkunft, die sich mit neutestamentlichen Stellen befaßte, wuchs ein Arbeitskreis von acht Frauen, Theologinnen und anderen kirchlichen Mitarbeiterinnen, der sich durch viele Jahre hindurch regelmäßig traf. Mit diesen Frauen haben wir Tagungen veranstaltet, aber auch für uns selbst und gemeinsam die Bibel im Kontext unseres eigenen Lebens gelesen. All das gab Sicherheit und Freude.

Der andere Grund, daß wir das Auseinanderklaffen von

Wirklichkeit und dem in der Bibel »eigentlich Gemeinten« besser verkraften konnten, war unser Verständnis von Sünde. In dem bereits einmal zitierten Text aus dem Jahre 1949 findet sich auch eine Auseinandersetzung mit 1. Mose 3, der Geschichte vom Sündenfall. Dort wird zunächst summarisch festgestellt, daß wir die Schöpfung nur als gefallene kennen. Besonderes Gewicht wird dann auf einen Teil des Fluchwortes über die Frau gelegt: »Dein Verlangen soll nach deinem Manne sein, und er soll dein Herr sein« (1. Mose 3, 16). Dazu heißt es:

»Dieser Fluch lastet auf unserem Leben... Damit ist wohl nicht die Ordnung des zweiten Schöpfungsberichtes gemeint, die ja unter dem Segen Gottes steht, und auch nicht die Ordnung der Haustafeln in den Briefen des Neuen Testaments, sondern... die Verzerrung dieser Ordnung: die Frau angewiesen auf den Mann, der zu ihrem einzigen Lebenszweck wird, der Mann aber derjenige, der die Situation ausnützt, sich die Schwäche der Frau zunutze macht und sie mißbraucht, indem er der despotische Herrscher der unterwürfigen Sklavin wird und so wiederum die Opposition der Frau hervorruft. Das ist die verzerrte ›Ordnung‹ unter dem Fluch, die sich übrigens mit religiöser Bemäntelung bis weit hinein in unsere christlichen Kreise bemerkbar macht. Wie weit ist das entfernt von jenem ursprünglich Gemeinten: die zwei sollen ein Fleisch sein.«

So war beides erklärt: die gute Ordnung Gottes, die als Grundlage und Norm bestehen blieb, Mann und Frau ebenbürtig, aufeinander angewiesen ohne Über- und Unterordnung. Das war der Ursprung, das »eigentlich Gemeinte«, das dann durch Jesus Christus wiederhergestellt wurde. Die verzerrte Wirklichkeit aber sahen wir, den Fluch erlebten wir, das heißt, durch ihn erklärten wir das, was nicht zu diesem »eigentlich Gemeinten« paßte. Interessant von heute her sind die Bezeichnungen, die wir anwandten: die *unselige* Abhängigkeit der Frau vom Mann und daß wir ihn als den sahen, der die Situation ausnützt und sich zum Despoten aufwirft. Da ist etwas zu spüren von dem, was wir heute viel konkreter als Unterdrückung der Frau bezeichnen.

Damals wußten wir nichts von den gesellschaftlichen Komponenten, vom gesellschaftlich verankerten Patriarchat. Wir selbst hatten keine solchen Herren über uns, denn wir verstanden diese Texte und ihre Auslegungen rein individuell und persönlich. Wir lebten unsere »Freiheit in Christus«, sahen aber um uns herum viel von dieser »unseligen Abhängigkeit«. Als wir zum Beispiel mit den für uns befreienden Erkenntnissen in einen größeren Kreis gehen wollten und darum eine Tagung für ledige Frauen ausschrieben, kamen fast ausschließlich die über 50jährigen. Die Jüngeren wollten sich nicht zu denen zählen, die keine Chance mehr hatten, für die das Tor zur normalen Existenz in der Ehe endgültig zugefallen war. Unser Angebot einer größeren Freiheit war für sie offensichtlich nicht einleuchtend.

Beim Alten Testament konnten und wollten wir natürlich nicht stehenbleiben. Wir suchten Hilfe im Neuen Testament und fanden sie bei Jesus und bei Paulus, verbal bei Jesus zwar nur in Randaussagen, aber tatsächlich in seinem ganzen Leben. Er selbst war ja nicht verheiratet. Heute fragen viele Frauen: Wie können wir uns als Frauen mit einem männlichen Erlöser identifizieren? Mir hat das nie große Mühe gemacht, und zurückdenkend habe ich den Eindruck, daß das möglicherweise mit der Tatsache seiner Ehelosigkeit zusammenhing. Mit einem verheirateten Jesus hätte ich wohl sehr viel mehr Mühe gehabt. Als lediger Mann war er schon als Mensch ein Sonderfall – wie wir auch –, ein Zeichen auf das Reich hin, das er verkündigte, in dem der Zwang, zu heiraten und sich heiraten zu lassen, aufgehoben sein würde (vgl. Matthäus 22, 30). So war er für mich als unverheiratete Frau ein Zeichen der Freiheit, ein Befreier vom Fluch jener unseligen Abhängigkeit vom Mann. War er – oder seine Botschaft – auch ein Befreier zum eigentlich doch gar nicht so selbstverständlichen Zusammenleben von Frauen? Diese Frage stellten wir uns nicht. Für uns war das selbstverständlich, es war von innen heraus konsequent. Und doch suchten wir nach biblischer Orientierung. Daß die Kirche sie uns nicht geben konnte, war rasch klar. Die Verletzung durch Fürbittegebete wie »und hilf jenen armen alleinstehenden Frauen, daß sie ihr schweres Ledigsein annehmen und bestehen können«, saß zu tief, und die Lebensform, die die

Kirche tatsächlich anzubieten hatte, den Stand der Diakonisse, konnten wir für uns selbst nicht akzeptieren. So mußten wir selber suchen.

Freiheit zum Dienst?

Zwei Bibelstellen wurden uns besonders wichtig: Matthäus 19, 10–12 und 1. Korinther 7, 25 ff. Beide gehören nicht zu den Texten, die in unserer Kirche häufig ausgelegt wurden und werden, und auch die Kommentare ließen uns weitgehend im Stich. Wir waren auf uns selbst gestellt. Beim Durchlesen von Artikeln und Vorträgen aus den fünfziger Jahren stoße ich in verschiedenen Variationen immer wieder auf die gleichen Grundgedanken: Ehelosigkeit als sinnvoller Verzicht, als Freiheit zum Dienst, als Zeichen einer größeren, umfassenden Zugehörigkeit, als Hinweis auf das kommende Reich. Dieses hat für mich als Hoffnung, die schon in der Gegenwart wirksam war, immer eine große Rolle gespielt. Vielleicht liegt hier die Wurzel für meine unausrottbare Sehnsucht nach »Mehr«. Heute würde ich sagen: nach mehr Gerechtigkeit für alle.

Freiheit zur Ehelosigkeit – dabei erkannten wir die Ehe als das »Normale« an. In einem Referat aus dem Jahre 1959 findet sich der Satz: »Die Ehe gehört zu Gottes guter Schöpfung. Sie ist auf alle Fälle der ›normale‹ Weg (vgl. 1. Mose 1 und 2). Auch das Neue Testament sagt nichts Negatives über die Ehe. Jesus setzt sie ganz selbstverständlich voraus. Sie wird so hoch geschätzt, daß sie als Bild für die Gemeinschaft zwischen Christus und seiner Gemeinde gebraucht wird (Epheser 5, 21–32). Jesus als Bräutigam (Matthäus 9, 15 ff). Sein Kommen unter dem Bild der Hochzeit, Matthäus 25, 1 ff...« Das wollten wir nicht abwerten, und darum redeten wir auch im Blick auf Matthäus 19, 10–12 sehr ernsthaft vom Verzicht, der etwas kostet.

Unsere Exegese lief etwa so: Jesus betont dort die Verbindlichkeit der Ehe. Darum kann Scheidung nicht so einfach sein, wie sie in der damaligen Zeit gehandhabt wurde. Die Reaktion der Jünger – Männer – fanden wir typisch: »Wenn die Sache des Mannes mit dem Weibe (man beachte die Formulierung ›die Sache des *Mannes*...‹, aber das fällt mir erst heute auf), also: Wenn die Sache des Mannes mit dem Weibe so steht, ist es nicht gut zu heiraten« (Matthäus 19,10). Ehelosigkeit als Flucht vor der Verbindlichkeit der Ehe, als einfacher Ausweg? Demgegenüber warnt Jesus vor dem Leichtnehmen der Ehelosigkeit. Er braucht den Ausdruck »Verschnittensein«.

Das ist ein starkes Bild. Daß es vom männlichen Körper genommen war, störte uns nicht. Für uns war es Ausdruck für Verzicht, für einen Verzicht, der weh tat, eine Verwundung, die schmerzte. Konkret hieß das für uns: Verzicht auf Kinder, Verzicht auf eine gewisse »natürliche« Gemeinsamkeit. Wichtig war dabei der Gedanke der Endgültigkeit – Verschnittene konnten nicht zurück – und vor allem der Wahl. Wenn sie »um des Himmelsreiches« willen verschnitten waren, hatten sie selbst gewählt, und diese Wahl war eine Verpflichtung. Hatte ich selbst gewählt? Ich war ehrlich genug, mir zuzugeben, daß ich nicht bewußt gewählt hatte. Das Vorbild der Liebe und Ehe meiner Eltern, das jahrelange Leiden unter dem »Nicht-so-Sein« wie die anderen, die leidenschaftliche, unerfüllbare Liebe zu einem verheirateten Mann sprachen eine andere Sprache. Und als ich diese Sätze schrieb, lebte ich schon vier Jahre lang in einer sehr intensiven Freundschaft mit einer Frau. Was tat mir weh? Und hatte ich gewählt?

In diesen Überlegungen spielten Erfahrungen anderer Frauen und die Diskriminierung lediger Frauen in der Gesellschaft eine Rolle. So wurde mir – für mich selbst und für andere – der Gedanke einer nachträglichen Wahl sehr wichtig. Konnte ich nicht in all dem früher Gelebten und Gelittenen, im vergangenen und gegenwärtigen Glück und Leid Gottes Führung auf diese Wahl hin entdecken? Konnte ich nicht, wenn ich dazu ja sagte, nachträglich die Ehelosigkeit wählen? Wobei ich theoretisch nie behauptete, daß das für das ganze Leben bindend sein müsse. Bei vielen anderen sah ich das ständige Schielen nach einem männlichen Lebenspartner (eben jene »unselige Abhängigkeit von einem Mann«), sah späte Heiraten, die ich als Torschlußpanik interpretierte, sah kurze Befriedigung in flüchtigen sexuellen Beziehungen. Demgegenüber setzte ich, setzten wir das Ja zu unserem Stande. Sicher spielte unsere ganz persönliche Beziehung dabei eine große Rolle, auch wenn sie eigentlich nicht in dieses theoretische Schema paßte. Wir verstanden sie aber von allem Anfang an auch als Verpflichtung zum Dienst, zum Weitergeben des Evangeliums und der daraus gewonnenen Befreiung. Weitergeben wollten wir auch unsere Deutung des ehelosen Standes. Das war gar nicht so einfach. So heirateten die meisten Studentinnen, mit denen wir zusammen lebten, eine nach der anderen. Mit einigen führte das zu schmerzlichen Auseinandersetzungen. Wir hätten gerne Töchter gehabt, die denselben Weg gingen wie wir. Heute haben wir viele Schwestern, junge und alte, verheiratete, geschiedene, ledige, lesbische Schwestern in vielen Teilen der Welt. Aber von solcher Schwesternschaft wußten wir damals noch nichts.

Worin bestand die größere Freiheit konkret? 1948 gab ich die letzte berufliche Sicherheit, eine Hilfslehrerinnenstelle am Freien (evangelischen) Gymnasium in Zürich, auf. Ich wollte frei sein für das, was ich damals Dienst nannte: für meine Aufgabe im Studentinnenhaus, zum Schreiben von Artikeln, für die Redaktion einer evangelischen Frauenzeitschrift, für Vorträge und Bibelarbeiten, aber auch dazu, noch Theologie zu studieren. Im Studentinnenhaus hatte ich freie Station und ein Taschengeld. Insofern war ich nicht ganz ungesichert. Aber den Anspruch auf berufliche Karriere, entsprechend meinem abgeschlossenen Studium, gab ich mit dem Ausscheiden aus dem Schuldienst auf. Das war mir nicht in allen Konsequenzen bewußt, aber faktisch war es so. Es war eine Zeit voller Entdeckungen, auch von ganz »weltlichen« Freiheiten: Wanderungen und Reisen (mit sehr wenig Geld!), Teilnahme an Konferenzen, erste Erfahrungen mit selbst organisierten Tagungen, erste ökumenische Kontakte, aber auch viele persönliche Gespräche im Studentinnenhaus, Bekanntwerden durch Vorträge und Artikel, viele Möglichkeiten zu eigener Initiative. Vieles war nur möglich durch unser Zu-zweit-Sein. In manchem waren wir austauschbar, wenn auch sehr verschieden, in anderem ergänzten wir einander. Heute denke ich an jene Jahre zwischen 1948 und 1959 als an eine Zeit großer Ungebundenheit. Aber damals verstand ich sie als Gehorsam gegenüber einem Auftrag, den ich wohl nicht ganz klar hätte formulieren können. Es war jedenfalls keine schrankenlose Freiheit, aber sie war nicht begrenzt durch die Verpflichtungen von Ehe und Familie, und der Auftrag war auch nicht durch eine Kirche oder eine kirchliche Organisation gegeben. In ihm war für meine Freundin enthalten, daß sie ihren theologischen Doktor erwarb.

Doch nochmals zurück zu unseren grundsätzlichen Überlegungen. Die Ausführungen von Paulus in 1. Korinther 7, 25 ff. bedeuteten uns in doppelter Hinsicht viel: wegen der Nebeneinanderstellung von Ehe und Ehelosigkeit und wegen der Relativierung der Ehe. Der zweite Gedanke war noch wichtiger als der erste. Paulus spricht im 29. Vers dieses Kapitels vom »Haben, als hätte man nicht«. Genau zitiert: »Das aber sage ich, ihr Brüder: die Zeit ist kurz; damit fortan auch die, welche Frauen haben, so seien, als hätten sie keine...« Auch hier störte es uns nicht, daß nur die Männer angeredet waren. Wichtiger war für uns die Relativierung des in Kirche und Gesellschaft so hoch gehaltenen Standes der Ehe. Ja, sie war eine Ordnung der Schöpfung, aber die Schöpfung war für uns damals kein letzter Wert. Sie mußte transzendiert, überstiegen, überwunden werden. Heute liebe ich die Schöpfung tiefer, und ich bin nicht mehr so sicher, daß sie überstiegen und überwunden werden muß. Lieber möchte ich sie schützen, bewahren und erhalten, und ich fühle mich stärker als damals als Teil von ihr. Damals war das anders. Höher als sie stand für uns die Zugehörigkeit zu einer kommenden Welt. Was hieß das für die Ehe?

Haben, als hätte man nicht, das hieß doch: Auch die Ehe war kein letzter Wert. Der paulinische Text geht im übrigen ja weiter: Auch Glück und Schmerz und Besitz sind vergänglich, auch für sie gilt der Satz vom »Haben, als hätte man nicht«. Das bezogen wir durchaus auch auf uns selbst, aber die größte Bedeutung hatte es für uns doch im Blick auf die Ehe. Wir selbst lebten ja als ledige Frauen ohne feste Anstellung in einem gewissen Provisorium. Das galt zwar nicht im Blick auf die Tiefe unserer persönlichen Beziehung. Aber da der Ledigen-Stand gesellschaftlich nicht anerkannt war und es keine Form juristischen und sozialen Schutzes einer solchen Beziehung gab (und gibt), fühlten wir uns absprungbereit – nicht voneinander weg, wohl aber in neue, wechselnde Formen des »Auftrages«. Daß solche Absprung-Bereitschaft auch für Eheleute gelten sollte, tat uns wohl, aber wir glaubten, daß diese Verfügbarkeit »um des Himmelreichs willen« für ledige Menschen leichter zu leben sei.

Paulus bestätigte uns in diesen Gedanken, wenn er, Männer und Frauen anredend, schrieb, daß die Verheirateten sich darum sorgten, ihrem Partner oder ihrer Partnerin zu gefallen, während die Unverheirateten sich darum sorgten, Christus zu gefallen. Auch hier bezauberte uns der Gedanke der Freiheit, und doch wußten wir um unsere eigene Abhängigkeit voneinander. Aber gegenüber der doch ständig spürbaren Nichtachtung oder Nichtbeachtung der ledigen Frauen war jede Unterstützung eine Hilfe, und wenn sie von einer letzten, nämlich biblischen Instanz her kam, ganz real ein Stück Befreiung.

Natürlich machte auch uns der Satz zu schaffen, der am Anfang jenes Abschnitts steht: »Die Zeit ist kurz.« So viele Jahrhunderte waren vergangen. Hatte Paulus sich nicht einfach geirrt? Sicher hatte er sich geirrt, aber waren durch das Nicht-Eintreffen der Nah-Erwartung wirklich all die übrigen Sätze hinfällig? In unserer Kirche waren sie jedenfalls nicht zum Tragen gekommen. Wir verstanden die Aussage »Die Zeit ist kurz« nicht zeitlich, sondern als Ausruck der Dringlichkeit, sich voll und ganz für die Verwirklichung von Gottes Reich einzusetzen. Inhaltlich hätte ich dieses damals nicht umschreiben können, aber wir sahen in unserem persönlichen Leben und in der Wohngemeinschaft des Studentinnenhauses, in der Auseinandersetzung mit eigenen und fremden Konflikten, in den Freuden und Schwierigkeiten persönlicher Lebensgemeinschaft und im Weitergeben von Entdeckungen in der Bibel Schritte auf dieses Reich hin.

Das liest sich heute sehr wenig realitätsbezogen. Mit *einer* Realität setzten wir uns allerdings ziemlich von Anfang an auseinander: mit dem Beruf, mit der Berufstätigkeit der Frau.

Daraus ergab sich das immer stärkere Einbeziehen der gesell-schaftlichen Verhältnisse in unser Denken. Sicher spielte dabei die schon erwähnte Tatsache eine Rolle, daß sich nur Frauen über 50 als »ledige« Frauen ansprechen lassen wollten. So rede-ten wir sie, um sie an Akademietagungen zu erreichen, als »be-rufstätige Frauen« an. Für uns waren diese zunächst identisch mit alleinstehenden Frauen. Wir folgten der Unterscheidung der »alten« bürgerlichen Frauenbewegung, wo es klar war, daß Frauen wählen mußten zwischen Ehe und Mutterschaft einerseits und Berufstätigkeit andererseits. Wir vergaßen dabei die viel größere Zahl der verheirateten Arbeiterinnen, die keine Wahl hatten, sondern schlicht und einfach ihren Lohn brauchten, um ihre Familie über Wasser zu halten. Wir dachten aber auch wenig an jene Frauen, die infolge der veränderten Situation der Hausfrau und aus Liebe zu ihrem Beruf die ver-schiedenen Rollen zu vereinigen suchten. Zwar heißt es bereits in einem Tagungsprogramm aus dem Jahre 1952 zum Thema »Berufung und Beruf«: »Eingeladen sind ledige und verheira-tete Frauen zwischen ca. 25 und 40 Jahren, die einen Beruf aus-üben, selbstverständlich auch Hausangestellte.« Daß wir diese Altersgruppe wählten (und damit die Älteren verärgerten), hatte mit dem oben angesprochenen Phänomen zu tun. Darum nahmen wir wohl auch die verheirateten Frauen mit hinein. Im übrigen wollten wir die Altersgruppe ansprechen, zu der wir selbst gehörten. Als Antwort auf den Protest der Älteren gab es später eine Tagung »Vom Sein und vom Leisten im Christen-stand«.

Berufung und Beruf

Es war uns klar, daß die beiden Begriffe sprachlich zusammen-gehörten und daß sie auch eine Geschichte hatten, eine christ-liche und eine säkulare. In der Reformationszeit wurde die Be-rufung der Laien derjenigen der Priester und Ordensleute gegenübergestellt und die Möglichkeit vollen Christseins in einer weltlichen Tätigkeit, eben dem Beruf, aufgewertet. Berufung zur vollen Gliedschaft in der Gemeinde und Beruf als weltliche Tätigkeit lagen sehr nah zusammen. Auf ganz andere, säkularisierte Weise gehörten die beiden Begriffe in der Frauenbewegung zusammen. Frauen der Ober- und Mittelschicht verstanden in der zweiten Hälfte des letzten und zu Beginn unseres Jahrhunderts Beruf als Berufung. Aus der Leere eines Lebens ohne wirkliche Aufgabe schrien diese Frauen nach einem Beruf. Ein Beispiel für viele: Die Schweizerin Helene von Mülinen (1850 – 1924), aus einem aristokratischen Berner Geschlecht stammend, war eine der Pionierinnen der Schweizer Frauenbewegung. Übrigens war sie nicht verheiratet und lebte in der zweiten Hälfte ihres Lebens mit einer Frau zusammen, mit Emma Pieczynska-Reichenbach. In einem Referat aus dem Jahre 1897 sagte Helene von Mülinen:

»Ein Fach, einen Beruf haben, das ist das große Postulat und zugleich Bedürfnis der modernen sozialen Frau. Ihre Berufstätigkeit ist ein ›Carthaginem esse delendam‹, ein Postulat, auf das wir immer zurückkommen werden. Sie muß ein Arbeitsgebiet besitzen, wo sie tüchtig ist und sich tüchtig weiß, wo sie etwas zu leisten vermag, wo ihre Persönlichkeit sich verantwortlich fühlt. Ihr Männer, gebt euren Töchtern einen Beruf. Ob begabt oder nicht, ob reich oder nicht, gebt einer jeden einen Beruf. Wirkt alle dahin, die Lehrerschaft in der Schule, die Pfarrer in der Unterweisung, die Eltern daheim. Verbündet euch alle zu diesem einen. Es ist ja ganz gleichgültig, welchen Beruf wir haben, wenn er nur unseren Fähigkeiten entspricht. Ob wir eine Haushaltungsschule oder Diakonissenanstalt leiten, ob wir akademische Studien verfolgen oder irgendwo ein bescheidenes Plätzchen ausfüllen, ist sekundär und kommt nicht in Betracht neben dem einen Großen, ein bestimmtes Arbeitsfeld zu haben.«

Wir aber lebten längst in einer anderen Wirklichkeit. Einerseits erlebten wir, daß viele Frauen gerade in sozialen, den Menschen fordernden Berufen (die ja zum Teil aus den Impulsen der Frauenbewegung hervorgegangen waren) müde und enttäuscht waren. Die Berufe hatten sich durch die Technisierung (zum Beispiel der Schwesternberuf) und durch neue Organisationsformen verändert. Was Helene Lange noch sagte und glaubte, daß das tiefste Wesen der Frau Mütterlichkeit sei und daß diese nicht nur in der leiblichen Mutterschaft, sondern auch im Beruf gelebt werden könne und müsse, war nicht mehr so einfach lebbar. Es waren zu viele Menschen, mit denen eine berufstätige Frau in den Menschen-bezogenen Berufen zusammenkam, und die eigenen Lebensansprüche von Frauen und Männern hatten sich gewandelt. So lautete unsere Frage: »Kann der Beruf das Leben einer Frau erfüllen?« und die Antwort: »Im Normalfall nein.« Galt das schon für die hier zuerst erwähnten sozialen Berufe, so erst recht für die vielen, die in der Industriegesellschaft neu entstanden waren, die administrativen und technischen Berufe, von der bezahlten Hausarbeit ganz zu schweigen. Der Hinweis in jenem alten Tagungsprogramm, daß »selbstverständlich« auch Hausangestellte eingeladen seien, läßt ja tief blicken.

Hinter dem allem stand ein Anliegen, das mich durch mein ganzes Leben begleitet hat: Wie lassen sich ein ernsthaftes und engagiertes Christsein und eine Sach- und Zeit-bezogene »weltliche« Tätigkeit vereinigen, und das nun eben im Leben einer alleinstehenden Frau? Dazu taucht in Artikeln und Vorträgen aus den fünfziger und sechziger Jahren ein Gedankenkreis sehr häufig auf: In der modernen Gesellschaft ist die alleinstehende berufstätige Frau noch eine relativ neue Erscheinung. Mir selbst war das durch meine ersten ökumenischen Reisen so recht bewußt geworden. Ich erinnere mich noch, wie es mich 1959 in Süd-Brasilien beeindruckte, zu hören, daß ein junges Mädchen nur, wenn es bei Verwandten wohnen konnte, ein Studium oder eine Berufsausbildung in einer anderen Stadt als in der, in welcher seine Eltern lebten, machen konnte. Mir kam das ungeheuerlich vor, hatte ich doch selbst als Studentin in vielen selbst gesuchten »Buden« gewohnt, war selbstverständlich auch allein ins Kino oder ins Theater gegangen, war als Studentin allein gereist und dabei stolz gewesen auf meine Selbständigkeit. Und nun lernte ich manche berufstätige Frauen kennen, die zwar allein wohnten und oft verantwortungsvolle Posten ausfüllten und doch persönlich unausgefüllt waren. So begann die Frage sich neu zu formulieren: Von der Gesellschaft, die die Berufsarbeit der Frau brauchte, wurde dieser ein Freiraum angeboten. Aber wurde er wirklich genützt, oder wurde nur die berufliche Seite gestaltet – und auch diese weniger von den Frauen selbst als durch die Anforderungen der Arbeitswelt, deren Spielregeln ja von Männern geschaffen und nicht auf den Lebensrhythmus von Frauen zugeschnitten waren und sind? Das übrige Leben, das eigentliche Leben, wie viele sagten und wo theoretisch sehr viel Spielraum bestand, kam nach unserer Meinung zu kurz. Hobbys konnten es ja nicht füllen, und Vorbilder gab es wenige. Zu tief saß in der Gesellschaft und in uns selbst das Leitbild von Ehe und Familie als der einzig normalen Lebensform.

In einer in der Bundesrepublik durchgeführten Untersuchung »Zur Lebenssituation alleinstehender Frauen« aus dem Jahre 1970 stehen die lapidaren Sätze:

»Alleinstehende Frauen leben also in einem psychologischen Klima, das zu ertragen schon einige Robustheit oder ein sehr glückliches Temperament erfordert. Sie befinden sich in der Lage einer unterprivilegierten Minorität, die in nicht geringem Maße durch ihre Sondersituation Feindseligkeit erweckt. (Mit dem Stichwort ›privilegiert‹ ist in diesem Zusammenhang nicht eine rechtliche Situation gemeint, sondern es sollen die ungeschriebenen gesellschaftlichen Privilegien dadurch bezeichnet werden). Provozierend wirkt einerseits die im Privatbereich *ungeklärte gesellschaftliche Rolle (von MB hervorgehoben), andererseits, daß alleinstehende Frauen wirtschaftlich nur für sich selbst zu sorgen haben.«* *

Die »ungeklärte gesellschaftliche Rolle« und unsere Beobachtung, daß der Beruf allein das Leben nicht erfüllen konnte – war hier nicht ein Einsatzpunkt für eine Verbindung von Beruf und Berufung, oder anders gesagt: für eine andere Motivation, ein anderes Verständnis von Leben und Arbeit? Uns beschäftigte schon sehr früh die Frage, ob es nicht auch in der moder-

* Zur Lebenssituation alleinstehender Frauen. Eine Untersuchung des Instituts für Demoskopie Allensbach, hrsg. vom Bundesministerium für Arbeit und Sozialordnung, 1970.

nen Arbeitswelt Berufe, »Dienste«, gebe, die mit Ehe und Familie nicht oder nur sehr schwer kombinierbar wären, das heißt mit Ehe wohl schon, aber mit Familie? Und für die Frau? In unseren theologischen Überlegungen brauchten wir gerne den Begriff »Verfügbarkeit«. Damit meinten wir, daß wir Gott zur Verfügung stehen sollten und wollten, frei, einen Ruf, eine Berufung anzunehmen. In der Gesellschaft sahen wir, daß verheiratete Frauen im allgemeinen diese Freiheit nicht hatten. Da war (und ist) es der Mann, der ohne Rücksicht auf seine Frau eine Stelle wechseln, eine Berufung annehmen konnte (und kann) und sie oft keine andere Wahl hatte (und hat), als ihm zu folgen. In unserem eigenen Ringen um den Sinn der Ehelosigkeit meinten wir, hier eine Brücke zu finden. Wir verstanden den von der Gesellschaft geöffneten Freiraum als Angebot Gottes, auch wenn wir schon damals wußten, daß diese Öffnung keineswegs aus frauenfreundlichen und schon gar nicht aus christlichen Erwägungen heraus erfolgt war. Nicht einmal die Frauenbewegung hatte das meiste Verdienst daran, sondern schlicht und einfach wirtschaftliche Entwicklungen. Aber konnte uns das daran hindern, von unserem Glauben her anders zu interpretieren und die weltliche Gegebenheit zu nützen und zu füllen? Daß wir damit genau wie in der herkömmlichen Frauenrolle das bestehende System unterstützten, statt es von unserer Situation her in Frage zu stellen, kam uns nicht in den Sinn. Ebensowenig kamen wir auf die Idee, daß ja auch Männer einen Verzicht leisten könnten. Zu fest lebten auch wir noch in den alten Vorstellungen der Rollen von Mann und Frau. Darum bezogen wir die erwähnten theologischen Betrachtungen bezeichnenderweise nur auf die Frauen und fragten: Wäre nicht die Verfügbarkeit »der um des Himmelreichs willen« ehelosen Frauen die Parallele zu dem von der Gesellschaft angebotenen Freiraum? Konnten nicht durch Christus befreite Frauen Aufgaben übernehmen, die ohne diese Befreiung zu schwer waren? Nach unserer Überzeugung eröffnete die Freiheit des Christenmenschen den Blick in einen weiten Raum, sie gab dem Leben Sinn und machte einen weltlichen Beruf zum »Auftrag« Gottes. Verfügbarkeit hieß in der Arbeitswelt: beweglich und belastbar zu sein, es hieß im Glauben bereit zu sein für »Berufungen«, die die Gestalt der Ehelosigkeit annehmen konnten.

In dieser Sicht unterstützte uns unsere Kirche nicht. Zwar nahm sie die vollen Arbeitseinsätze von Gemeindehelferinnen (später auch von Theologinnen), Diakonissen, freiwilligen Helferinnen gerne an. Aber das, was in unserer Sicht mitschwang: den Stolz der Selbständigkeit, der freiwilligen Ehelosigkeit, das sah sie nicht. Das konnte sie auch nicht sehen, waren doch die in ihr Hauptverantwortlichen verheiratete Männer, die es sich nicht vorstellen konnten, daß Frauen ein erfülltes Leben ohne Männer leben konnten. Und konnten sie es wirklich? Der Augenschein sprach nur zu oft dagegen.

Zu Hilfe kam uns einzig die Aufwertung der Laien in der ökumenischen Bewegung. In unserem Arbeitskreis beschäftigten wir uns intensiv mit dem Ergebnis der Sektion VI der zweiten Vollversammlung des ÖRK in Evanston (1954). Dort und später – 1961 in Neu-Delhi – wurden dieselben Fragen nach der Verbindung von Glauben und Arbeit, von Kirche und Arbeitswelt gestellt, die auch uns beschäftigten; es gab auch Frauen, die mitarbeiteten, es gab Ansätze, mit denen wir uns identifizieren konnten, auch wenn nicht speziell von Frauen gesprochen wurde. In diese Bewegung hinein gehörten auch die Kirchentage, die Evangelischen Akademien und Heimstätten (wie sie in der Schweiz hießen), die zwar alle von Männern gegründet und geleitet wurden (und weithin noch werden), aber wo es doch Möglichkeiten der Mitarbeit gab.

Wenn ich heute kritisch zurückblicke, stelle ich mir zwei Fragen: Warum fiel es uns nicht ein, deutlicher zu widersprechen, uns aufzulehnen und Kritik an der Gesellschaft zu üben? Es hätte doch auch damals schon Vorbilder dazu gegeben. War der christliche Glaube ein Hindernis? Hielt er uns in der alten Abhängigkeit fest? Ich finde es schwierig, klar darauf zu antworten. Eins ist mir klar: Ich selbst war zu bürgerlich trotz aller eigenen Wege, aber vor allem war ich zu sehr damit beschäftigt, in meiner eigenen Situation und mit den Frauen um mich herum persönliche Möglichkeiten der Lebens- und Arbeitsgestaltung zu finden, und das gerade auf der Grundlage des christlichen Glaubens.

Meine andere Frage bezieht sich auf eben diese Grundlage. War nicht unsere starke persönliche Freundschaft der wirklich tragende Lebensgrund? Hatten wir wirklich »um Christi willen« auf Mann und Kinder verzichtet, oder nicht viel eher darum, weil wir einander hatten und uns im Grunde genommen im privaten Bereich nichts fehlte? Ich kann das nicht entscheiden, ich kann auch heute unsere theologischen Überlegungen nicht einfach als Rationalisierungs- und Legitimierungsversuche unserer eigenen Existenz abtun. Aber ich sehe die Verflochtenheit von beidem.

Wege selbständiger Frauen

Darum muß ich nochmals auf unseren persönlichen Weg zurückblenden. Für Else Kähler und mich hatte es sich in diesen gemeinsam gelebten Jahren fest herauskristallisiert, daß wir uns nicht trennen wollten. Wir glaubten fest daran, daß sich dieser Wunsch würde realisieren lassen. Ein Vorbild hatten wir übrigens in der Zwischenzeit gefunden, nämlich die drei Frauen, die damals den Bayerischen Mütterdienst der Evangelisch-Lutherischen Kirche in Stein bei Nürnberg leiteten (s. Anhang »Frauen in der Kirche« S. 230). 1948, bei meinem ersten, mich tief erschütternden Besuch im zerstörten Nachkriegsdeutschland, war ich der Theologin Maria Weigle begegnet. An einer Freizeit in einem württembergischen Tagungszentrum, wo ich über ein von mir völlig vergessenes Thema zu reden hatte, erlebte ich zwei Bibelarbeiten mit ihr über die Schöpfungsgeschichte. Inhaltlich könnte ich heute nichts mehr darüber sagen, aber ich spüre noch die Bewunderung und Beglückung, daß da eine so souveräne, gütige Frau ein Bibelgespräch mit Frauen führte. Es ging ihr zentral um den biblischen Text, aber sie liebte auch die Frauen, die vor ihr saßen, sie nahm sie ernst, sie nahm sie mit auf einen Weg, auf dem es schließlich nicht mehr nur Lehrende und nur Lernende gab, sondern eine Gemeinschaft, die miteinander eine Botschaft hörte. So hatte ich noch nie Bibelarbeit erlebt. Der Generation nach hätte Maria Weigle meine Mutter sein können. Daß sie mir und Else Kähler dann Freundin und Schwester wurde, daß sie uns immer als Ebenbürtige akzeptierte, war fast unbegreiflich. Hier leuchtete etwas von dem auf, was wir heute Schwesterlichkeit nennen.

Maria Weigle war damals Leiterin der sogenannten Bibelschule in Stein bei Nürnberg (später Gemeindehelferinnen-Seminar genannt). Sie war mit Dr. Antonie Nopitsch befreundet, der Gründerin des Bayerischen Mütterdienstes. Aus der Einsicht heraus, daß es richtiger und wichtiger wäre, überlasteten und verbrauchten Müttern zur körperlichen und seelischen Erholung zu helfen, als später ihre verkümmerten und verwahrlosten Kinder zu betreuen, hatte sie bereits 1932 den Mütterdienst gegründet – Erholungsheime, Betreuung, Schulung für Mütter. Diese Frauen mußten zunächst entgegen allen gängigen Vorstellungen, daß eine Mutter immer unentbehrlich sei, dazu motiviert werden, sich zu erholen. Im Rahmen dieses Kapitels ist es interessant, ihre eigene Schilderung des Anfangs dieses Weges zu lesen. Ihre eigene Mutter war gestorben, erst 59 Jahre alt, und Antonie Nopitsch schreibt:

»Keine Geschwister, keine Verwandten, nur ein paar gute Freunde gingen mit mir hinter ihrem Sarg. Wieder sollte ich spüren: der Mensch ist für den fremden Menschen da, der Ferne wird mein Nächster sein. Und noch eine bittere Mahnung brannte sich mir bei diesem Abschied ein: rechtzeitig helfen, nicht warten, bis der arme Leib nicht mehr zu retten ist, alles zu tun, um dem Unheil zuvorzukommen.

Allein war ich nun, aber auch ganz unabhängig und sollte es bald noch auf andere Weise werden. Die Arbeitslosigkeit stieg immer mehr an und mit ihr die Not. Der Schülerinnenbestand unserer Sozialen Frauenschule ging zurück, immer weniger junge Mädchen konnten sich eine längere Fachausbildung leisten. Man brauchte mich nicht mehr, ich war selbst arbeitslos geworden. Ich überschlug meine Ersparnisse und stellte fest, daß ich bei bescheidener Lebensführung ein Jahr durchhalten könne. In diesem Jahr wollte ich versuchen, einen Traum Wirk-

lichkeit werden zu lassen, auf die Gefahr hin, nachher mittellos zu sein und meinen Unterhalt in einer Fabrik verdienen zu müssen. Was mich so lange bedrückt und gelähmt hatte, fiel von mir ab, ich sah einen Weg vor mir, den ich gehen konnte, eine Aufgabe, die meine werden sollte.« [*]

So kam es zur Gründung des Bayerischen Mütterdienstes, der auf bescheidenste Weise begann und durch den Krieg gerettet wurde, bis schließlich nach Kriegsende das ehemalige Hitlerjugend-Heim in Stein bei Nürnberg von der amerikanischen Besatzungsmacht für diese Arbeit freigegeben wurde. Toni Nopitsch holte Maria Weigle, die in Potsdam Leiterin einer Bibelschule war, nach Stein, und so entstand das dortige Seminar.

Die dritte im Bunde war Liselotte Nold, ebenfalls eine Freundin von Toni Nopitsch. Sie war Witwe, ihr Mann, Studentenpfarrer, war während des Krieges gestorben. Sie kam aus einer sehr früh geschlossenen, glücklichen Ehe nach Stein, war schriftstellerisch hoch begabt und dadurch besonders beteiligt am Laetare-Verlag. In ihren letzten Jahren war sie Leiterin des Gesamtwerks.

Durch meine Begegnung mit Maria Weigle wurde ich im Januar 1949 zu einer Tagung der Evangelischen Frauenarbeit in Deutschland nach Stein eingeladen. Ich erinnere mich noch an meinen Grund-Eindruck: Im grauen, trüben, schmutzigen Nachkriegs-Deutschland wirkte Stein wie eine Oase – eine Frauen-Insel? Einer jener Freiräume, von denen wir heute oft reden und die wir auf andere Art in der Friedens- und in der Frauenbewegung erleben? Es wäre wohl der Mühe wert, hier Zusammenhänge aufzudecken, und ich habe mich schon manchmal gefragt, warum in der Geschichte der deutschen Frauenbewegung »Stein« fehlt. Vermutlich wohl darum, weil es ein kirchliches Werk war und weil Kirche ja leider meist nur unter dem Stichwort »Unterdrückung« vorkommt und erlebt wurde von denen, die heute die Frauenbewegung bestimmen.

1949 jedenfalls war Stein eine Oase des Friedens, aber auch der Auseinandersetzung, und gerade so ein Ort der Schönheit,

[*] Toni Nopitsch: Der Garten auf dem Dach. Erinnerungen, Laetare 1970

der sorgfältigen Liebe zum Kleinen, zum einzelnen Menschen, zu all den Frauen, die sich hier erholen durften, zu den Bibelschülerinnen im großen Schlafsaal, die neben ihrer Ausbildung mithalfen, wo es nötig war. Aber Stein war auch und wurde immer mehr ein Zentrum selbständigen, lebenbezogenen Nachdenkens. Heute würde ich sagen: In Stein wurde feministische Theologie betrieben, lange bevor es diesen Namen gab. Frauen dachten kritisch nach über Themen und Bibelworte, die sie angingen, und sie taten es gemeinsam, in einer schöpferischen Arbeitsgemeinschaft. Die Kritik an der Kirche war da, aber die Auseinandersetzungen fanden im zähen Ringen um Selbständigkeit und auch um die genügenden Mittel für das Werk statt. In den Arbeitsgemeinschaften über die Jahresthemen für die Frauen- und Mütterkreise war Liselotte Nold tonangebend, und die jährlichen herbstlichen Arbeitstagungen in Stein, an denen die Themen für das nächste Arbeitsjahr gefunden und durchdacht wurden, gehörten für Else Kähler und mich zu den Höhepunkten des Jahres.

So kam es auch, daß 1959 in Gesprächen der Plan entstand, uns beide nach Stein zu rufen. Else Kähler sollte Maria Weigles Nachfolgerin in der Leitung des Gemeindehelferinnen-Seminars werden und ich Liselotte Nolds Mitarbeiterin in der ökumenischen Arbeit. Da wir beide uns in dieser Vision sehr gut verstanden, verzichteten wir großzügig auf die genaue Umschreibung dieser Arbeit. Wichtig war die Zusammenarbeit von uns allen. Das Angebot war verlockend. Vom Studentinnenhaus weg wollten Else Kähler und ich auf alle Fälle. Der Abstand zwischen uns und den Studentinnen war zu groß geworden, und wir spürten gut, daß etwas zu Ende ging. So kam dieser Ruf gerade zur rechten Zeit, und er galt uns beiden.

Doch die Entscheidung fiel anders. Freunde von uns, Männer und Frauen, hörten von unseren Plänen, und einige kamen zum Schluß: »Die beiden Frauen können wir nicht gehen lassen.« Seit 1948 gab es die »Reformierte Heimstätte Boldern« in Männedorf am Zürichsee, ein reines Männerwerk. Dort führten wir »Gasttagungen« für berufstätige Frauen durch und hatten auch an anderem teilgenommen. Else Kähler hatte ihre Dissertation »Die Stellung der Frau in den Briefen des Apostels Paulus« im Gotthelf-Verlag in Zürich publizieren können. Außerdem waren wir durch Bibelarbeiten und Vorträge beide bekannt. So kam es zu Briefen von einflußreichen Frauen und von Frauengruppen an die Leitung und zum tatkräftigen Einsatz einiger Männer im Arbeitsausschuß von Boldern (dieser bestand nur aus Männern!), und das Wunder geschah: Boldern startete einen Gegen-Ruf, und der »Verein Reformiertes Studentinnenhaus« war bereit, uns das Haus, in dem wir lebten, als Tagungszentrum in der Stadt mitzugeben und das Studentinnenhaus zu verlegen.

Wir standen vor einer schweren Entscheidung. Deutschland oder Schweiz? Ursprünglich stammten wir ja beide aus Deutschland. Ganz neu anfangen oder Begonnenes weiterführen? In ein reines Frauenwerk gehen, mit dessen Leiterinnen wir zwar befreundet waren, dessen Struktur wir aber nicht kannten, oder uns in ein bisher reines Männerwerk begeben, das uns aber viel Freiraum versprach? Es war die Zeit, wo das Wort Partnerschaft auch über den Bereich der Ehe hinaus aufkam. Brauchten nicht gerade wir als ledige Frauen auch das Gespräch mit Männern? Wir entschieden uns für Boldern, und dieser Gedanke war eins der Motive. Stärker war das andere: Wachsendes in unserer Arbeit mit Frauen nicht gewaltsam zu beenden. Wir haben die Entscheidung nie bereut. Daß die Freundschaft mit »Stein« darüber nicht zerbrach, war ein zusätzliches Geschenk.

Doch im Zusammenhang mit dem Thema »Ledig, aber nicht alleinstehend« darf eine Episode auf dem Weg unserer Berufung nach Boldern nicht fehlen. Der Gründer und erste Leiter von Boldern, Dr. Hans Jakob Rinderknecht, gehörte nicht zu den Promotoren unserer Berufung. Ihm lag die Arbeit mit Männern der Wirtschaft, mit Juristen, mit Ärzten, mit Schriftstellern am Herzen. Sie, die eine Stellung in der Gesellschaft hatten, wollte er miteinander ins Gespräch bringen, und er wollte sie »zu Christus führen«. Ich glaube, wir waren ihm unheimlich. Zwei selbständige Frauen mit einem eigenen Programm, mit eigener Lebens- und Glaubenserfahrung in sein Männerwerk eingliedern? In einem Gespräch mit Vertretern des Arbeitsausschusses von Boldern machte er den Versuch eines Kompromisses. Er schlug vor, was rein sachlich gesehen durchaus möglich und einleuchtend war, Else Kähler könnte doch nach Stein gehen und Marga Bührig in Zürich bleiben. Unsere Antwort kam blitzschnell, ohne Abwägen und Überlegen, eindeutig und unmißverständlich: Entweder beide oder keine. Wir wurden beide auf Halbtagsbasis angestellt, mit einem Gehalt, das uns fürstlich erschien im Vergleich zu dem, was wir damals hatten, und mit der Möglichkeit, im vertrauten Zürcher Haus wohnen zu bleiben, was wir auch bis zu unserer Pensionierung, 22 beziehungsweise 24 Jahre später, wahrnahmen.

Heute frage ich mich, was die Männer wohl dachten, die damals diesen Beschluß faßten. Offenbar waren wir durch unsere langjährige gemeinsame Arbeit und durch den Ruf nach Stein so gut ausgewiesen, daß niemand offen nach unserer persönlichen Beziehung zu fragen wagte. Spielte sie wirklich keine Rolle? Ich meine, daß das heute anders wäre. Heute würde »man« offen oder versteckt fragen: Sind die beiden lesbisch? Ich zweifle auch daran, daß die Unbefangenheit, mit der wir ohne nähere Begründung sagten: »Entweder beide oder keine«, heute möglich wäre. Wie würden wir heute antworten, und wie würden wir mit dem Wort »lesbisch« umgehen? Im Grunde genommen weiß ich das nicht so genau. Ich habe immer noch Mühe mit diesem Wort, vor allem damit, daß es in unserem Kulturkreis so stark sexuell geprägt ist. Else Kähler und ich haben während unserer Arbeit auf Boldern zehn Jahre lang Tagungen über und gegen die Diskriminierung »homosexueller Männer und Frauen« veranstaltet, und wir haben dabei sehr viel gelernt. Mit den Männern hatten wir es sehr viel leichter, mit den Frauen – Frauen einer anderen Generation auch – taten wir uns schwerer. Viele ihrer Probleme waren uns fremd. So waren und blieben wir sehr schweigsam über uns selbst, und unsere Stellung als Tagungsleiterinnen machte das auch möglich. Wir verhielten uns genau so, wie es im Katalog einer Berliner Ausstellung zum Thema Homosexualität formuliert wird:

»Der Prozeß des Sichtbarmachens von Frauen, die Frauen lieb-
ten, beinhaltet für die forschende Frau selbst im doppelten Sinn
Sichtbarwerden. Geschichtliche Existenzen von frauenlieben-
den Frauen und ihre Zusammenhänge untereinander werden ihr
erkennbar.
Sie selbst wird für sich – und andere – in ihrer Tradition sicht-
bar. Schmerzhaft wird der Prozeß, wenn Frauen, die ›privat‹
über ihr Leben mit Frauen erzählen, mit dem Argument
›Frauenliebe lebt man, man stellt sie nicht aus‹, die von uns in sie
gesetzte Hoffnung auf ein solidarisches gemeinsames Öffentlich-
werden enttäuschen...
Wer waren und wie lebten die Freundinnen, Frauenpaare, die
dreißig oder vierzig Jahre ihr Leben teilten, sich ›liebes Herz‹,
›meine theure Geliebte‹ nannten und die Bezeichnung homose-
xuell oder lesbisch verständnislos oder als Beleidigung aufgefaßt
hätten?« *

Das »th« in »theure Geliebte« verrät, daß die Verfasserin in eine
viel entferntere Vergangenheit als die unsere blickte. Trotzdem
kann ich meine/unsere Reaktion mit diesen Zitaten gut umschreiben. Wir lebten in einer irgendwie selbstverständlichen
gegenseitigen Geborgenheit von Wärme und Zärtlichkeit, die
nach außen sicher ausstrahlte, aber nicht öffentlich sichtbar
wurde. Da mir bis heute Zärtlichkeit und Intimität in der Öffentlichkeit unverständlich sind, gleichgültig, ob das Frauen und
Männer oder Frauen mit Frauen oder Männer mit Männern
betrifft, habe ich einen weiten Weg zurücklegen müssen, bis ich
begriff, daß dies ja nicht *die* Form von Öffentlichkeit ist, die in
den oben zitierten Sätzen gemeint ist, sondern daß es um eine
Solidarisierung der »Frauen-identifizierten Frauen« geht, auch
um Solidarität mit einer Lebensform, die immer noch von der
Gesellschaft (und erst recht in der Kirche) geächtet wird. Unterdessen sind mir so viele jüngere Frauen begegnet, die ich schätze
und achte, die mir nah sind, ohne daß ich sie begehre, deren
dauernde oder oft wechselnde Beziehungen ich beobachte oder

* Eldorado, Homosexuelle Frauen und Männer in Berlin 1850–1950, Geschichte, Alltag und Kultur, 1984, S. 126 f.

miterlebe, daß sich immer wieder Solidarisierung ereignet. Und doch brächte ich das Wort »lesbisch« in bezug auf mich selbst nicht über die Lippen, obschon ich weiß, daß ich von diesen Frauen ganz selbstverständlich als eine der Ihren betrachtet werde.

Was aber ist aus all dem am Anfang dieses Kapitels Beschriebenen geworden? Heute – kurz nach meinem 70. Geburtstag – kann ich nicht mehr so direkt über Ehelosigkeit als »Stand« reden, wohl aber über »ledig, aber nicht alleinstehend«, und dies noch auf Grund einer anderen Lebensform als damals. Unsere Zweierbeziehung hat sich erweitert, schon vor 25 Jahren ist eine dritte, 15 beziehungsweise 13 Jahre jüngere Frau in unser Leben getreten. 20 Jahre gemeinsam verlebte Wochenenden und Ferien, gemeinsames Engagement in vielen Tagungen für Frauen, einige gemeinsame Urlaube in Kalifornien, seit 13 Jahren der gemeinsame Besitz einer kleinen Ferienwohnung und heute ein Haus zu dritt – das Wagnis, drei sehr verschiedene Frauenleben auch äußerlich zu verbinden, ein gemeinsames Leben auf Dauer anzulegen, eine ältere Zweierbeziehung auf drei zu erweitern. Geht das? So haben viele und auch wir selbst uns gefragt. Und: Wie konnte es dazu kommen?

Diese Dritte im Bunde, Elsi Arnold, ist Lehrerin und Psychologin in Basel. Vor 25 Jahren kam sie für einige Monate als Praktikantin zu uns nach Zürich. Sie suchte in einem Urlaub Distanz von ihrem Beruf als Lehrerin. Unser Haus, schon damals Teil der Akademie, bot ihr die Gelegenheit, dort zu wohnen, im Hause mitzuarbeiten und als Volontärin in einer Kirchengemeinde zu arbeiten. Was nicht geplant und von niemand erwartet wurde, geschah. Es kam zu einer Begegnung und Freundschaft zwischen Else Kähler und ihr und dann zwischen Elsi Arnold und mir. Wie geht »frau« damit um? Jede von uns und jede mit jeder mußte sich dieser Frage stellen, und sie zu beantworten war nicht leicht. Jede Beziehung hat ihre eigene Geschichte, ihr Gewicht, ihre Ausdrucksformen. Es war und ist oft schwierig, einander Freiheit zu lassen, das heißt, es ist relativ leicht, jeder die Freiheit zu lassen, die sie für sich braucht, aber schwieriger, innerhalb einer Lebensgemeinschaft zu dritt den beiden anderen die Freiheit zu ihrer Beziehung zu lassen. Schließlich sind wir von einer Gesellschaft, in der die Ehe und ehe-ähnliche Beziehungen das einzige Muster für »öffentliches« Zusammenleben sind und wo andererseits der Partner/innen-Wechsel selbstverständlich ist, nicht gut darauf vorbereitet, ein solches Wagnis einzugehen.

Gesellschaftlich gesehen sind wir ein Kuriosum. Das wurde uns zum erstenmal ganz deutlich, als wir zu dritt eine kleine Ferienwohnung im Schwarzwald kauften und darauf bestanden, daß sie auch juristisch allen dreien gehören sollte. Drei Frauennamen, Namen von je allein für sich verantwortlichen Frauen, auf einem Kaufvertrag, das war fast zu viel für den Notar im Schwarzwald. Ungläubig, leicht amüsiert, etwas skeptisch, aber dann doch auch mit einer gewissen Bewunderung schaute er uns an. Ähnliches wiederholte sich beim Kauf eines Hauses in Binningen bei Basel. Aber da waren wir es schon gewohnt. Schwieriger, das heißt zum Scheitern verurteilt war unser Versuch, unser sonstiges Eigentum als gemeinsames zu erklären. Eine Juristin belehrte uns, wir seien rechtlich eine »einfache Gesellschaft«. Außer Familie und geschäftlichen Zusammenschlüssen gibt es wenige oder keine rechtlichen Formen. Im Grunde wollten wir einander vor der Belastung durch unverhältnismäßige Erbschaftssteuern sichern. Für unsere Beziehung brauchen wir keinen rechtlichen Schutz. Jedenfalls haben wir ihn bis jetzt nicht vermißt.

Trotzdem bleibt, daß wir nicht recht einzuordnen sind. Um uns herum wohnen lauter »ordentliche« Familien. Zu ihnen gehören wir nicht, auch wenn wir gute nachbarliche Beziehungen pflegen. Juristisch gehören wir zu den Alleinstehenden, gefühlsmäßig aber nicht. Dazu ist unsere Beziehung zu verbindlich. Frauen ohne Mann, ob einzeln, zu zweit, zu dritt oder zu mehreren, sind auf alle Fälle eine Ausnahme. Sie können bewundert oder mißtrauisch beäugt werden – je nachdem. Und das hat Auswirkungen auf das eigene Verhalten.

So zum Beispiel: Ich war allein in unserer Ferienwohnung und morgens im Schwimmbad. Außer mir war nur noch eine Frau da. Sie suchte ein Gespräch – über das Wetter, das Schwimmen, die glatten Straßen, der erste Schnee war gefallen. Aus ihren Erzählungen wurde mir rasch klar, daß sie verheiratet war. Was in aller Welt veranlaßte mich zu sagen, ich sei

hier, um etwas zu schreiben? Wollte ich mein Alleinsein rechtfertigen? Ich glaube ja. Ich mußte einen einleuchtenden – oder
beeindruckenden? – Grund dafür finden, daß ich allein hier
war. Sehr befreit und sehr solidarisch mit all denen, die keine
solchen Gründe angeben könnten!

Aber andererseits: Wenn ich einen Lebenslauf verfassen
muß, was ab und zu vorkommt, schreibe ich jetzt bewußt, daß
ich mit zwei Frauen zusammenlebe. So stehe ich auch in der
Kartothek des Ökumenischen Rates der Kirchen, und einige
Leute haben mich schon gefragt, warum ich das getan hätte. Ja,
warum eigentlich? Ich will zeigen, daß es andere Formen
menschlicher Gemeinschaft gibt als die Familie. Ich will nicht
einfach allein gesehen werden, ich will dazu stehen, daß ich
eine andere Art von Familie habe. Aber wenn ich dieses Wort
schreibe, dann zögere ich innerlich. Will ich denn wirklich
»auch« eine Familie haben wie all die anderen? Auf einer Reise
mit einem Team des ÖRK habe ich kürzlich die Fotos meiner
beiden Freundinnen hervorgeholt, als zwei Männer ihre Fami-
lienfotos zückten. Sie schauten mich etwas perplex an. Meine
eigenen Gefühle waren gemischt. Einerseits wollte ich provo-
zieren, was mir auch gelang, andererseits wollte ich in einem
Augenblick von Vertrautheit meinen Reisegefährten Anteil an
meinem wirklichen Leben geben. Betroffen machte mich die
Reaktion eines nicht verheirateten hohen Kirchenmannes: »So
bin ich der einzige, der allein ist.« Hatte er mich zwar, wenn
auch nicht für seinesgleichen, so doch für eine Frau gehalten,
wie ich selbst sie früher beschrieben habe – ehelos »um des
Himmelreichs willen«? Ich weiß es nicht, es war eine Moment-
aufnahme. Und doch stellte mir dieser Satz eine Frage.

Was ist übriggeblieben von all dem in früheren Jahren so
überzeugt Geschriebenen und Geredeten? Sicher ist für mich,
daß ich heute theologisch an einem anderen Ort stehe als damals. Was damals hilfreiche Entdeckung war, wirkt heute auf
mich als zu »steil«, zu lebensfremd auch. Geblieben ist der
Glaube an Gottes gute Schöpfung, und verstärkt hat sich die
Liebe zu dieser Schöpfung. Je mehr sie von Menschen – meist
Männern, Technokraten – zerstört und verschandelt wird, desto tiefer werden Liebe und Protest. Der Weg zu den ersten

Kapiteln der Bibel ist für mich weiter geworden. Er ist verstellt durch so viele Auseinandersetzungen, verbaut durch die Kirchen- und Theologiegeschichte. Die Wirkungsgeschichte dieser Texte hat unser Leben stärker geprägt als das »eigentlich Gemeinte«, das wir damals so klar zu sehen glaubten. Psalmen, in denen Schönheit und Reichtum der Schöpfung gepriesen werden, sind mir näher. Wichtig ist mir allerdings immer noch die Aussage von der Gottebenbildlichkeit der Frau. Ich sage das so und nicht einfach »jedes Menschen«. Ich betone der *Frau*, weil ich heute zu viel weiß vom Machtgefälle zwischen Mann und Frau. Zwar zweifle ich nicht daran, daß auch der Mann zu Gottes Ebenbild geschaffen ist, aber ich, eine Frau, muß das nicht betonen. Wichtig geblieben und immer wichtiger geworden ist mir der Glaube an eine Gemeinschaft der Liebe und nicht der Gewalt, die Gott will. Mit etwas mehr Zögern als früher nenne ich sie auch heute noch Reich Gottes, aber sehe sie stärker auf der Erde als damals. Wichtig geblieben oder wichtiger geworden ist mir Jesus und der je und je ergehende Ruf zu ganzem Einsatz, zum eigenen Risiko in konkreten Situationen.

Es ist aber nicht nur etwas »geblieben«, auch Neues ist dazu gekommen. Neu ist, daß ich gerne eine Frau bin, neu auch die bewußte Kritik am Patriarchat und von da her auch neu die Freude, nicht an einen Mann gebunden zu sein. Hier haben Frauen-identifizierte Frauen trotz allem Un- und Mißverständnis der Gesellschaft wirklich ein leichteres Gepäck. Von hier aus führt eine Spur zurück zu den Aussagen des Paulus in 1. Korinther 7 über die Unverheirateten. Nicht neu, aber vertieft ist die Ehrfurcht vor dem Leben, auch vor der Lebensgeschichte jedes einzelnen Menschen. Die Verflochtenheiten zu sehen, weniger zu werten, bewußt ich selber zu sein und immer mehr zu werden und doch gerade so engagiert zu sein für das Leben aller Benachteiligten, das ist mir wichtig. Das könnte der oben beschriebenen »Verfügbarkeit« nahe kommen, aber ich brauche solche Worte nicht mehr gerne, auch wenn wohl viel von dem früher Gedachten und Gelebten noch stärker vorhanden ist, als mir bewußt ist.

Haben wir zu früh von Partnerschaft geredet?

So kam ich in die Frauenbewegung

Schon manchmal bin ich gefragt worden, wie ich eigentlich zur Frauenbewegung gekommen sei. Rein äußerlich gesehen war das sehr einfach. An einem Samstag im Herbst 1945 läutete das Telephon. Am anderen Ende des Drahts eine Frauenstimme, die mich bat, an einer Vorbereitungssitzung für den Dritten Schweizer Frauenkongreß teilzunehmen, der im September 1946 in Zürich stattfinden sollte. Ich hatte weder Lust noch Zeit – ich war Hilfslehrerin für Deutsch und Geschichte, studierte noch Theologie und lebte im Studentinnenhaus. Was sollte ich an so einem Kongreß? Aber die Anruferin ließ mich nicht so rasch los. Ihre Argumentation: Auf diesem Kongreß sollte es eine Sektion »Das Christentum im Wirken der Frau« geben, zum erstenmal an so einer »weltlichen« Veranstaltung. Die katholischen Frauen seien bestens organisiert, aber auf der protestantischen Seite gebe es nichts. Die Katholikinnen hätten auch schon einen Referenten (!) für uns vorgeschlagen, wir müßten uns unbedingt auch organisieren. Diese Argumentation zündete. Es ging mir weniger um die Frauen und ihre Rechte als darum, daß die Botschaft von Christus wirklich zum Zuge komme. Daß das von Katholikinnen allein geschehen sollte, kam doch nicht in Frage. So sagte ich »Ja, ich komme«, schwang mich auf mein Fahrrad, um zu der Besprechung zu fahren, und damit war »es« passiert. Die Frauenbewegung hatte mich erreicht, und ich kam nie mehr von ihr los, und auch die Verbindung von christlichem Glauben und Frauenbewegung blieb ein Leitmotiv durch mein weiteres Leben.

Auf jenem Frauenkongreß wurde die Studiengruppe »Das Christentum im Wirken der Frau« zu einem unerwarteten Erfolg. Wir brauchten die größten Räume und mußten unsere Veranstaltungen wiederholen. Ich – als damals 31jährige ledige Frau – hatte die Ehre, eines der Referate zu halten. Mich schaudert, wenn ich den Text heute lese. So viel theologische Theorie und so wenig Konkretes! Dabei war es mir heiliger Ernst, es war ein »Auftrag«, eines meiner damaligen Lieblingswörter, und es kam offenbar an, denn nach dem Kongreß folgten viele Anfragen von Frauengruppen in Gemeinden, das Referat zu wiederholen oder zu einem anderen Thema zu sprechen. Wo die schweizerische Frauenbewegung damals stand, mögen ein paar Zeilen aus der Einleitung zum Kongreßbericht sagen:

»Noch immer kommen die Frauen als Stimmlose im Schweizerstaat zusammen. Aber nicht mutlos oder gar gedemütigt! Beschwingt folgen sie aus allen Teilen der Schweiz dem Ruf zum Kongreß! Nicht zum Kampf geht es, vielmehr ist es ein freudiges Zusammentreten, frei vom Druck der Kriegsjahre, voll tiefen Dankes für die Erhaltung der Heimat, der Freiheit...«

Und ein Mann, ein Vertreter der Regierung, der mit den Frauen sympathisierte, sagte in der Eröffnungssitzung:

»Der böse Geist, der immer wieder zum Kriege führt, lebt und wirkt in uns allen, in den Männern wie in den Frauen. Wohl aber hat uns die dunkle Zeit der letzten Jahre klarer und ausdrücklicher als bisher zur Erkenntnis geführt, daß die Rettung nicht aus dem Wissen, sondern aus dem Gewissen kommen muß und daß auch unser Vaterland aufs schwerste gefährdet ist, wenn es nicht gelingt, unser Volk wiederum zurückzuführen zu den Lehren christlicher Gotteskindschaft und brüderlicher Liebe (sic!). Und hiezu sind die Frauen in ganz besonderer Weise berufen!...«

Die Frauenbewegung – jedenfalls der größte Teil der bürgerlichen – verstand sich nicht als Kampfgemeinschaft, sondern erklärte ihre Bereitschaft zur Zusammenarbeit mit den Männern, mit den gleichen Rechten wie die Männer, aber doch dem »eigenen Wesen treu«, und von uns Christinnen her gesehen noch mit der besonderen Aufgabe, in diesem Chor der vielen verschiedenen Frauenstimmen die Stimme des Evangeliums nicht untergehen zu lassen. So entstand als eine Folge des Kongresses die Dachorganisation der evangelischen Frauengruppen und -vereine, der Evangelische Frauenbund der Schweiz.

Aber fing es wirklich so an? Ich sagte es schon: rein äußerlich ja. Wenn ich aber zurückdenke in mein eigenes Leben, dann stimmt es nicht. Die ersten Informationen über die Frauenbewegung gab mir meine Mutter in die Hand. Als Mittelschülerin und Studentin las ich Bücher von und über Malwida von Meysenbug, Helene Lange, Gertrud Bäumer und Lily Braun – lauter deutsche Bücher übrigens. Meine Mutter war Polin, mein Vater Balte und deutscher Staatsangehöriger. In der Schweiz lebten wir seit meinem zehnten Altersjahr, weil er lungenkrank aus dem Ersten Weltkrieg zurückgekommen war und ein Klima brauchte, in dem er leben konnte. Davos, wo er lange zur Kur gewesen war, sollte es nicht sein – sein einziges Kind sollte nicht im »Zauberberg« aufwachsen. So wurde es Chur, die Hauptstadt von Graubünden. Meine Mutter war eine starke und leidenschaftliche Frau, sehr klug, weitgehend Autodidaktin. Sie litt ein Leben lang darunter, daß sie nicht hatte studieren können, Philosophie hätte es sein sollen. So fing sie zu schreiben an, Rezensionen von Büchern zuerst, dann Märchen für ihre kleine Tochter, dann Reflexionen über das, was ihr im Grunde so schwer fiel: die Hausarbeit. Dieser Arbeit, die sie zu Hause nicht gelernt hatte und die sie nach dem Krieg und der deutschen Inflation doch tun mußte, von innen her einen Sinn zu geben, lag ihr am Herzen. So entstand ihr erstes Büchlein im Furche-Verlag unter dem Namen »Hausfrauen-Brevier«.

In diesem und einigen folgenden ist nichts von Auflehnung oder Anklage zu spüren, sondern der Kampf mit sich selbst. Sie war ja keine geborene Hausfrau, sie, die »Frau Gräfin«, wie spätere Verehrerinnen sie gerne nannten, sie fühlte sich auch nicht erniedrigt, weil sie vieles tun mußte, wovon ihr nicht an der Wiege gesungen worden war; sie wollte nur immer sich selbst treu bleiben, nein: sie war immer sie selbst. Von mir wollte sie schon sehr früh, daß ich das auch sein sollte. Ich erinnere mich an einen Sonntag in meiner Kindheit – ich war ein Einzelkind –, wo ich zu nichts Lust hatte, wo ich mich schlicht und einfach langweilte. Ich sehe noch meine Mutter ins Zimmer, in mein Zimmer treten und die Lage mit einem Blick erfassen und höre noch, wie sie die Tür zuschlug mit den Worten: »Ein intelligenter Mensch langweilt sich nicht.« Da hatte ich es. Sie wollte und konnte mir die Einsamkeit nicht abnehmen, sie traute mir zu, daß ich selber einen Weg finden würde, und sie behielt recht.

Sie hatte freilich auch ganz andere Seiten, sie war auch weich und zärtlich, aber vor allem nahm sie mich von allem Anfang an als eigenständigen Menschen ernst. Daß ich »ich selbst« sein und immer mehr werden sollte, war ihr Erziehungsziel. Dabei war ganz klar, daß ich, was immer ich auch tun würde, immer nach Hause zurückkehren könnte. Das habe ich auch erprobt. Ich konnte sowohl meine Liebe zu einem verheirateten Mann als auch ungewöhnliche Wege in der Lebensgestaltung – Aussteigen aus einer scheinbar gesicherten Karriere, Verlängerung eines Studienaufenthaltes in Berlin, Freundschaften mit Frauen – zu Hause besprechen. Zwar stieß ich auf kritische Rückfragen, aber nie auf Verweigerung einer für mich immer fraglosen Liebe. Das war so, obschon meine Mutter mich nie darüber im Zweifel ließ, daß für sie die Liebe zu meinem Vater wichtiger war als die Beziehung zu ihrer Tochter. Meine Eltern haben mir das Bild von Ehe als einer ein Leben lang dauernden, alle Einzelheiten des Alltags prägenden Beziehung zwischen zwei sehr verschiedenen Menschen vermittelt. Dabei spielte sicher die Krankheit meines Vaters, die ihn zu Hause festhielt, eine große Rolle. In diese Mischung von selbstverständlicher Offenheit und gleichzeitiger Distanz, die aus dem Respekt vor der Persönlichkeit des anderen Menschen wuchs, wurde ich als Tochter in zunehmendem Maße hineingenommen. Ich hatte – so sehe ich es heute – die Möglichkeit, mich mit meiner Mutter als einer starken Frau zu identifizieren, aber ich übernahm auch ihre Liebe zu meinem Vater. Vor allem in den frühen Kindheitsjahren war er auch fraglose Autorität. Wenn er nein gesagt hatte, brauchte ich kein zweites Mal zu fragen, aber auch hier waren grundsätzliche Bejahung und Zärtlichkeit immer vorhanden.

Als ich noch nicht ganz zehn Jahre alt war – wir wohnten damals in der Nähe von Tübingen auf dem Lande –, sollte ich ins Gymnasium und mußte darum die Woche über in Tübingen wohnen. Die Schule war kein Problem, sie machte mir Spaß, aber das Wegsein von zu Hause und die Konfrontation mit dem völlig anderen Lebens- und Erziehungsstil meiner »Pflegemutter« führten zum Konflikt. Kurzum, ich lief davon und nahm den 18 Kilometer langen Weg auf einer durch den Wald – den Schönbuch – führenden Straße im Winter unter die Füße, gejagt von Phantasievorstellungen von möglichen Räubern, aber noch mehr gejagt von der Angst, daß »Tante Else« mir nachfahren könnte. Ich hatte Glück, ich war schneller und begegnete in dem Dorf, wo wir wohnten, meinem Vater, der mich suchte. Er hatte mich von weitem gesehen, und ich stürzte ihm buchstäblich in die Arme, stammelte: »Sie hat doch so mit mir geschimpft«, und erhielt sofort als Antwort: »Du darfst jetzt zu Hause bleiben.« Ohne Frage, ohne Bedingung. Meine Mutter hatte am nächsten oder übernächsten Tag die nicht gerade beneidenswerte Aufgabe, nach Tübingen zu fahren und meine Sachen zusammenzupacken. »Sie müssen den Trotz dieses Kindes brechen«, so lauteten die Ratschläge ringsum. »Wir wollen das Vertrauen unserer Tochter nicht brechen«, war die Antwort meiner Eltern. Ich war glücklich und stolz und ging gerne zu meinem geliebten Volksschullehrer zurück. Die Folge war dann unser Umzug in die Schweiz.

Doch was hat das alles mit Frauenbewegung zu tun? Vermutlich mehr, als mir vordergründig bewußt war. Die Erziehung zu einem eigenen Weg, die Respektierung als eigener Mensch bestimmten mein ganzes weiteres Leben. Sie machten mich auch einsam, abhängig von den im Elternhaus geltenden Wertvorstellungen, die sich gerade dadurch, daß wenig äußerer Zwang, aber hohe Erwartungen bestanden, sehr tief einprägten. Rebellion schien unnötig und unmöglich, und die Anpassung an die sehr andersartigen Vorstellungen der Umwelt in einer schweizerischen Kleinstadt gelang nur bedingt. Ich war stolz und anspruchsvoll gerade im Blick auf menschliche Beziehungen, aber auch schüchtern und unsicher. Nur zu Hause fühlte ich mich ganz frei. Das verhinderte unkomplizierte Beziehungen im Kreise von Klassen- und Studienkameraden und -kameradinnen. Briefe, die meine Eltern aufbewahrt haben, und Tagebücher sprechen oft von Einsamkeit und Hemmungen, von der Erwartung der »großen Liebe« und der Unfähigkeit, mich so zu verhalten, wie ein Mädchen, eine junge Frau meiner Generation sich hätte verhalten sollen. – Heute denke ich, daß mich das dazu geführt hat, einen unkonventionellen, eigenen Weg zu gehen und nicht zu heiraten.

Wie weit aber der Weg in die Frauenbewegung tatsächlich

war, zeigt meine allererste Begegnung mit wirklichen Schritten zur Emanzipation der Frau. Als ich in der vorletzten Klasse des Gymnasiums war, wurden wir sieben Mädchen zusammen mit denen der Klasse über uns zu einer jungen Pfarrerin eingeladen. Sie war verheiratet und hatte vor kurzem ihr erstes Kind geboren, und sie kämpfte um das volle Pfarramt für die Frau, was damals – Anfang der dreißiger Jahre – noch sehr schwierig war. Der Zweck der Einladung war, uns davon zu überzeugen, daß Beruf und Familie sich vereinbaren ließen und daß wir unbedingt studieren sollten. Kurzum, sie wollte uns mit missionarischem Eifer für die Frauenbewegung gewinnen, eigentlich ein vernünftiger Gedanke. Aber bei uns allen gelang ihr das nicht. Voll Empörung kehrten wir heim, fanden alles blöd und beteuerten einander und natürlich unseren Kameraden, das einzig Gute an dem Nachmittag sei der »Z'Vieri« gewesen – ich erinnere mich noch an Kuchen mit viel Schlagrahm. Warum diese Reaktion? Daß ich studieren wollte, war für mich ohnehin klar. Daran gab es nichts zu rütteln, darauf war ich auch von klein auf »programmiert«. Schon als ich noch kaum wußte, was das war, wollte ich Germanistik studieren und – wie mein Vater, der zwar Ökonom war – »Assistentin« werden. Bis zur Professur verstiegen sich interessanterweise die Erwartungen meines Vaters nicht, geschweige denn meine eigenen. Dabei ist Assistentin ja wirklich kein Lebensberuf. Aber heiraten wollte ich eigentlich auch, natürlich nur einen Mann wie meinen Vater. Wie beides in der Realität zu kombinieren wäre, darüber machte ich mir durchaus Gedanken, aber das Beispiel jener Pfarrerin entsprach offenbar meinen Wunschbildern nicht. Außerdem wollte ich in dieser Frage auf keinen Fall anders reagieren als meine Kameradinnen. Wenn ich recht sehe, bin ich als einzige von uns sieben den Weg der emanzipierten Akademikerin – was immer das sein möge – zu Ende gegangen, allerdings ohne Heirat, was für mich sicher richtig war und was übrigens den Idealen der alten Frauenbewegung entsprach, die für die Wahl zwischen Ehe und Mutterschaft einerseits und Beruf andererseits eintrat.

Geistige Arbeit und Frau-Sein

Einige Jahre später, als Studentin, schon gegen Ende meines Studiums und stark unter dem Einfluß der Freundschaft mit einem Mann, machte ich mir Gedanken über *den* Weg *der* Frau. Heute kommt mir dieses Reden sehr undifferenziert vor, ich sehe trotz aller Gemeinsamkeiten Frau*en* und nicht *die* Frau, Wege und nicht *den* Weg. Aber diese Art zu denken gehörte zum Stil der Zeit. In meinem Tagebuch vom Anfang des Jahres 1939 fand ich einen Artikel mit der Überschrift »Vom Schöpfertum der Frau«. Außer mir selbst hat noch niemand diese hochtrabenden Gedanken gelesen, aber weil sie mir aufschlußreich erscheinen, will ich einen Ausschnitt weitergeben:

»Es ist eine Frage, die immer wieder auftaucht in unserer Zeit, wo die Frau sich auf allen, früher nur Männern zugänglichen, Gebieten betätigt, ob sie damit ihrem wahren Wesen treu bleibt. Und noch drängender fragt man sich: Gibt es oder gab es ›geniale‹ Frauen? Die Antwort auf diese Frage steht und fällt vielleicht mit der Definition des Begriffes ›Genie‹...

Es geht nicht wohl an, der Frau schöpferische Kräfte abzusprechen, ...und wer spürte nicht zuzeiten dunkel und drängend in sich den Wunsch und Willen zu schaffen? Wer auch nur einmal vor einer Aufgabe, einem Stoff erlebt hat, wie sich die Kräfte gestalten, wie zu dem toten Stoff ein Eigenes tritt und ihn beseelt und lebendig macht, der wird es nie mehr vergessen. Und doch scheint die höchste Potenzierung schöpferischer Kräfte, die wir Genie und Genialität nennen, der Frau versagt zu sein. Dies muß wohl irgendwie mit ihrem Geschlecht zusammenhängen, so wie dies ja überhaupt tief ins geistige Leben eingreift, viel tiefer als heute gerne zugegeben wird.

Genie fordert letzte und intensivste Hingabe an das ›Werk‹, von welcher Art dies auch immer sei, es fordert den ganzen Menschen mit allen seinen Kräften, es verschlingt das Leben seines Schöpfers...

Und die Frau? Ihre naturgewollte Aufgabe ist nicht – und wenn wir das auch leugnen wollten – ein außer ihr liegendes

80

Werk..., sondern ich möchte fast sagen: das Leben. Sie ist in einem viel höheren Maß als der Mann dem Urgrund alles Seins verhaftet. Nicht ein objektives, zu schaffendes, sondern subjektives Sein... ist ihre Aufgabe und ihr Schöpfertum... Also schrankenloser Egoismus? Merkwürdige Auffassung vom Wesen der Frau, werden nun manche einwenden. Bis jetzt sah man das Wesen der Frau im Geben, in der Hingabe. Gewiß, im höchsten Sinn ist es auch so, unbedingt. Aber – kann man etwas geben, das man nicht hat, kann man geben, wenn man arm ist? Etwas sein, das der Hingabe wert ist, zuerst etwas werden und sich dann verschenken, frei und restlos, nicht nur in der ›großen Liebe‹, sondern überhaupt an andere Menschen, sei es in Haus und Familie, sei es – und dies wird der schwerere Weg sein – in einem Beruf – darin liegt der Weg der Frau und ihr Schöpfertum.«

Ich hatte diesen Text und seine Existenz völlig vergessen. Als ich ihn auf der Suche nach den Anfängen meines Weges fand und las, spürte ich wieder die Atmosphäre, in der er geschrieben wurde: in meiner bescheidenen Studentenbude, mitten in der Arbeit am Abschluß meiner Doktorarbeit, sehr oft allein, aber erfüllt von meiner »großen Liebe«. Ich wollte Frau sein und spürte doch etwas von meiner eigenen Zwiespältigkeit. Es kränkte mich, daß es keinen weiblichen Goethe gab, ich suchte nach einer Erklärung, ich deutete Frau-Sein nach den mir zugänglichen Mustern der Erklärung und der Erfahrung. Von der Last einer patriarchalen Tradition und davon, daß das »Wesen« der Frau keineswegs einfach von Natur gegeben ist, sondern daß sie, daß ich, unter bestimmten Bedingungen so geworden war, wußte ich nichts. Aber wenn ich das alles abziehe und auch den Stil der Zeit bedenke, dann bleiben ein paar Sätze, zu denen ich auch heute noch stehen kann: Zuerst etwas werden, das hinzugeben sich lohnt, sich frei und restlos verschenken, dem Urgrund des Seins tiefer verbunden sein, und das durchaus nicht abgespalten vom Geist. Ich meinte eine ganzheitliche, erotische Lebendigkeit. Für mich selber lag aber für viele Jahre der Schleier oder Schatten eines zu eng verstandenen Christentums über diesen Aussagen. Um eins beneide ich heutige junge

81

Frauen: um die Existenz der heutigen Frauenbewegung, um Möglichkeiten des offenen Austauschs, um Bücher und Veranstaltungen, welche die eigene Erfahrung klären helfen und Zusammenhänge erschließen. Daß das Leben dadurch nicht einfacher wird, ist mir allerdings auch klar, und ich möchte wiederum meine eigenen einsamen Versuche nicht missen.

War es 1939 die Genialität oder eben Nicht-Genialität der Frau, die die junge Studentin beschäftigte, so lautete ihr Vortragsthema 1950/1951 »Die geistige Arbeit der Frau«. Doktor- und Staatsexamen, Jahre erster Versuche als Lehrerin und als Verfasserin sehr »grundsätzlicher«, das heißt theoretischer Artikel für kleine Zeitungen lagen hinter mir. Mein Alltag war bestimmt durch die nahe Freundschaft und Lebensgemeinschaft mit Else Kähler, die an ihrer Doktorarbeit saß, und das Zusammenleben mit Studentinnen. Ich wurde mit den Erfahrungen sehr verschiedener junger Frauen konfrontiert, die meine eigenen ergänzten. Ich erlebte sowohl die Faszination durch das Studium als auch das Verzagen und Versagen, die Kämpfe um Weitermachen oder Aufgeben, die wechselnden Beziehungen. Es waren gute Voraussetzungen, um über die eigene Art, geistig zu arbeiten, nachzudenken. Wenn ich mich recht erinnere, hielt ich auf der Jahresversammlung des Vereins, dem unser Studentinnenhaus gehörte, einen Vortrag. Die Zuhörerinnen waren sowohl die Studentinnen – ich spüre noch ihre kritischen Blicke – als auch Frauen und wenige Männer meiner eigenen Generation. Wiederum lautete der Titel des Vortrags: »Die geistige Arbeit *der* Frau«. Heute hätte er vielleicht ein Fragezeichen, Frauen kämen wohl in der Mehrzahl vor, und das Ganze würde als eigene Erfahrung, eigene Beobachtung erzählt. Damals redete ich von »uns Frauen« oder eben von *der* Frau.

Wenn ich heute diesen Text lese, überrascht mich die Mischung von »feministischen« Ansätzen (das Wort war mir damals unbekannt) und einem sehr starren christlichen Weltbild. Dabei wirken die Aussagen über die Frauen sehr viel echter als die theologischen. Klar wird, daß ich schon damals davon überzeugt war (was ich heute noch bin), daß Frauen anders, das heißt auf eine andere Art, denken und arbeiten als Männer.

Das war keine angelesene Ansicht, das beruhte auf eigener Erfahrung, auf eigener Auseinandersetzung mit dem Klima der Hochschule, aber auch auf dem positiven Erlebnis der Lebensgemeinschaft mit Frauen.

»Man sagt uns Frauen immer wieder nach, wir seien unsachlich. Man wirft uns auch vor, wir könnten nicht logisch denken... Es ist klar, man kann das alles einfach leugnen mit dem Hinweis darauf, daß es auch Männer gibt, die nicht logisch denken können und unsachlich sind, und daß viele Frauen sehr logisch denken können und durchaus sachlich sind. Aber vielleicht ist es fruchtbarer, sich zu fragen, ob nicht doch etwas Wahres dran ist und ob nicht nur die negative Deutung falsch ist. Unsere ganze geistige Welt ist ja so stark vom Manne bestimmt, daß alles, was seiner Art nicht entspricht, negativ bewertet wird (hervorgehoben von MB 1986). Vielleicht gibt es aber auch eine positive Sicht dieser Dinge? Vielleicht verstecken sich hinter diesen Vorwürfen wirkliche Eigenheiten der Frau, die man auch positiv sehen kann? Sie klar zu sehen ist freilich heute nicht leicht, vielleicht sogar unmöglich, weil wir Frauen noch zu kurze Zeit Zugang zu allen Möglichkeiten der Bildung und Ausbildung haben und weil wir deshalb unseren Weg noch nicht gefunden haben...«

Im weiteren Verlauf des Textes ist dann davon die Rede, daß wir »durch viel Irren und viel falsche Auflehnung« unseren Weg suchen müßten. Die »falsche Auflehnung« bezieht sich auf Simone de Beauvoir, deren Buch »Le deuxième sexe« (Das andere Geschlecht) 1949 erschienen war und mit deren Thesen wir uns persönlich und auf Tagungen auseinandersetzten. Auflehnen wollte ich mich damals als gute Christin nicht, das wäre ja Hybris gewesen. Aber einen eigenen Weg finden und andere dazu ermutigen, ihren Weg als Frauen zu finden, das wollte ich, und ich lehnte es ab, daß die Arbeit von Frauen abgewertet wurde.

Die für mich damals wesentlichen Punkte waren: Die Lebenssituation hat größere Bedeutung für die Frau (also zum Beispiel die Tatsache, ob sie verheiratet und Mutter ist oder nicht), sie ist auch durch ihre Leiblichkeit stärker beeinflußt (die »zyklischen Schwankungen« deutete ich damals als Schwäche und ermahnte mich und andere, zu dieser Schwäche und »geringeren Arbeitskraft« zu stehen), die geistige Arbeit der Frau sei intuitiver, vom Mann her gesehen ärgerlich sprunghaft (was mich dazu führte, eine innere Disziplinierung zu verlangen), Frauen seien lebensnäher, stärker verbunden mit den Menschen, darum sei eine »rein geistige« Arbeit für Frauen schwieriger (dahinter stand meine eigene Entscheidung, in einer Wohngemeinschaft zu leben und mich oftmals am Tag stören zu lassen durch kleine und größere Anliegen der Studentinnen, aber auch meine Ablenkbarkeit durch Persönliches), ein Wechsel von praktischer und geistiger Arbeit sei günstig (also doch Hausfrau!), aber damit auch der Verzicht auf Vollkommenheit und Geschlossenheit nötig. Das entsprach dem, was ich schon 1939 geschrieben hatte, und ich merkte immer noch nicht, daß ich trotz der Versuche, die Arbeit und das Denken von Frauen aufzuwerten, doch die von Männern gesetzten Normen übernahm und zum Beispiel nicht wahrnahm, wie das völlige Aufgehen von Männern in ihrer Arbeit, in einem »Werk« zu Lasten von Frauen ging.

Interessant von heute her ist der Hinweis, daß Frauen auf das Gespräch angewiesen sind, »in dem in Rede und Gegenrede Dinge sich klären«. Ein berühmtes Zitat aus der heutigen amerikanischen Frauenbewegung heißt: »to listen each other into speech« – einander so intensiv zuhören, daß daraus die Möglichkeit zum Sprechen wächst. Das ereignet sich ja heute in den unzähligen Frauengruppen viel bewußter, als wir es damals sahen. Frauen seien in allem, was sie tun, also auch in ihrer geistigen Arbeit, stärker persönlich beteiligt als Männer, sagte ich. Dieses Beteiligtsein sah ich positiv und negativ, als Stärke, aber auch als Schwäche:

»Wenn man uns immer wieder rät, sachlicher zu werden, ist das meiner Meinung nach darum keine Lösung, weil wir das gar nicht können. Die Lösung ist nicht eine Imitation der männlichen Sachlichkeit..., sondern das gereinigte und geheiligte Persönlich-Sein der Frau, die sich von Gott in seinen Dienst stellen läßt. Unter dem Kreuz stirbt das falsche Beteiligtsein: Empfindlichkeit, die alles ›persönlich‹ nimmt, Neid, Eifersucht, Rivalität, und aufersteht das neue Beteiligtsein: die Liebe, die helfende, tragende, schenkende Liebe...«

84

Heute frage ich mich: Habe ich das wirklich geglaubt? Die genannten Empfindlichkeiten stammten durchaus aus dem alltäglichen Erfahrungsbereich, und geglaubt habe ich sicher, daß in der Beziehung zu Gott Neu-Anfänge möglich wurden. Aber die Sprache war nicht meine. Es war ein Versuch, christlichen Glauben und Alltagserfahrung zusammenzubringen, allerdings auf eine Art, die mir heute Mühe macht. Im Grunde hatte ich ein theologisches Konzept übernommen und über meine mir eigentlich wichtigen Gedanken gestülpt, um diese zu rechtfertigen. Daher kommt wohl auch die wiederholte Versicherung, daß nur in der Begegnung und Auseinandersetzung mit der Arbeit des Mannes geistige Arbeit der Frau möglich sei. Das war im Grunde genommen ein Glaubensbekenntnis, nicht Ausdruck eigener Erfahrung. Es beruhte auf der Schöpfungsordnung, wie ich sie damals verstand, dem von Gott gewollten Gegenüber von Mann und Frau. Das bestehende Ungleichgewicht war mir durchaus bewußt, hatte ich doch selbst als Studentin erlebt, daß ich mich an ein mir Fremdes anpassen mußte. Aber das erschütterte die Glaubensaussage nicht.

SAFFA 1958

»Schweizerische Ausstellung für Frauenarbeit«, das bedeutet die Abkürzung. Sie war übernommen von einer Ausstellung, die 30 Jahre vorher, in der Zeit von Krise und Arbeitslosigkeit, gestaltet worden war und darum den Hauptakzent auf die Erwerbsarbeit der Frau gelegt hatte. 1958 wollte man zwar den Namen übernehmen, aber die Zeit hatte sich geändert. Es war der wirtschaftliche Aufschwung der Nachkriegszeit, vieles schien selbstverständlich geworden zu sein, auch wenn die politische Gleichberechtigung der Frau noch immer nicht erreicht war. Hätte man die Forderung nach dem Stimmrecht nicht in den Mittelpunkt der Ausstellung stellen sollen? Die Thematik der Ausstellung lautete: »Die Schweizerfrau, ihr Leben, ihre Arbeit«, und in der Einleitung zum Berichtband stehen die Sätze:

»Viele kritische Betrachter erwarteten als einzige Aussage die Forderung nach politischer Gleichberechtigung der Frau. Diese Forderung hatte jedoch in das große umfassende Programm eingereiht werden müssen. Auf die Stellung der Frau ganz im allgemeinen sollte hingewiesen werden, ihre Aufgabe im öffentlichen Leben, im Beruf, in der Familie. Dabei ging es nicht nur um die Gleichberechtigung der Frau auf allen Gebieten – für alle, die an der SAFFA 1958 mitwirkten, eine Selbstverständlichkeit –, sondern es ging darum, zu zeigen, daß Gleichberechtigung nicht Gleichheit bedeutet. Die Frau ist anders geartet als der Mann. Daraus ergeben sich die besonderen Aufgaben der Frauen, Aufgaben, die sich je nach den Zeitumständen ändern.«

Im vorbereitenden Komitee der Ausstellung war der Plan entstanden, eine Straße mit Bildern aus der Frauen-Geschichte und mit Texten und Bildern aus der unmittelbaren Vergangenheit und Gegenwart zu gestalten. Die Künstlerin, Malerin und Graphikerin war gefunden – Warja Honegger-Lavater, eine Tochter der bekannten Schriftstellerin und Biographin bedeutender Frauen, Mary Lavater-Sloman. Gesucht wurde eine Frau, die Texte formulieren, die eine Linie von der Vergangenheit zur Gegenwart und Zukunft ziehen konnte. Ich hatte das Glück, diese Frau zu sein.

Wie ich dazu kam, weiß ich nicht mehr. Ich erinnere mich, daß auf irgendwelchen Wegen eine Art Preisausschreiben in meine Hände kam. Mich reizte die Aufgabe, ich schrieb eine Skizze und schickte sie ein. Zu meiner großen Überraschung wurde ich zu einem Gespräch eingeladen, an dem die Malerin dabei war, und ich erhielt den Auftrag, mit ihr zusammen die sogenannte »Linie« zu gestalten (s. Anhang »Einleitung zur ›Linie‹ an der SAFFA 1958«, S. 233). Zunächst ging es darum, Texte zu den von ihr ausgesuchten und gemalten historischen Frauengestalten zu schreiben, kurze Texte, die das Wesentliche aus ihrem Leben aussagten, in einer Form, die allgemein verständlich war. Ich vertiefte mich in alte Biographien, grub ein Stück unbekannter Frauengeschichte aus. Aber dann ging es auch darum, unsere unmittelbare Vergangenheit und die Probleme unserer Gegenwart in Bild und Text einzufangen – ein spannendes Unternehmen. Alles, was ich wußte, dachte und wünschte, konnte ich formulieren, und es wurde tatsächlich aufgenommen. Nach außen hin wurden zwar die Bilder als wichtiger erklärt – gerade auch von den Veranstalterinnen, für die ich eine wenig bekannte Einzelgängerin war, während die bildende Künstlerin einen »Namen« hatte. Aber interessanterweise setzten die Texte sich trotzdem durch. Offenbar war unser Weg im kleinen Studentinnenhaus und in den sich erweiternden Kreisen und Arbeitsgemeinschaften, das Nachdenken über die eigene Lebenssituation und die kritische Auseinandersetzung mit den Büchern bedeutender zeitgenössischer Frauen wie Simone de Beauvoir, Gertrud von Le Fort und Esther Harding zeitgemäßer, als wir selber gedacht hätten.

Einige Schwerpunkte aus diesen Texten will ich herausgreifen:
– die große Bereitschaft, eine Welt, die »anders geworden war«, mitzugestalten, zusammen mit den Männern,
– die an die Frauen gerichtete Ermunterung, die Herausforderung anzunehmen und aus der »Welt« eine »Wohnstube« zu machen,
– das Ernstnehmen der verschiedenen Lebensphasen der Frau.

Unter den für »die Frau« wesentlichen Punkten nannte ich in der Einleitung zur »Linie«:

»Die Verwirklichung der Partnerschaft von Mann und Frau auf allen Gebieten des Lebens. Die Stunde der Frauenbewegung ist vorbei, diejenige der Zusammenarbeit aber kaum angebrochen. Hier warten große Aufgaben für Mann und Frau.«

Und im gleichen Sinn heißt es in den Texten selbst:

»Die Frau von heute ist erwacht. Sie erkennt und bejaht ihre veränderte Situation, ihre Möglichkeiten, ihre Verantwortung und ihre Aufgabe im Kleinen wie im Großen.

Gemeinsam mit dem Manne wendet sie sich der Gestaltung ihres Lebens zu. Sie sucht:
Ergänzung, nicht Wettstreit.
Partnerschaft, nicht Emanzipation des einen vom andern.

Arbeitsgemeinschaft, nicht Trennung durch starre Arbeitstei-
lung.
Nicht: die Frau gehört ins Haus, der Mann ins öffentliche Leben,
sondern: gemeinsame Verantwortung beider auf allen Lebensge-
bieten.«

Und zum Thema Frauenstimmrecht heißt es:

»Die eidgenössischen Räte haben sich für das Stimmrecht aller
Erwachsenen ausgesprochen – sind wir Frauen bereit?«

Vorausgesetzt wurde also immer eine Situation, in der die Türen
offenstehen und es an den Frauen liegt, ob sie eintreten wollen.
Diese Einschätzung entsprach dem, was die SAFFA wollte. Sie
sollte Frauen Mut machen, darum sollte sie schön und festlich
sein, und das war sie auch, und sie sollte zeigen, wie vielgestaltig
das Leben und die Arbeit von Frauen waren. Wie tüchtig die
Frauen waren, zeigte sich am Ende der Ausstellung, die wie ihre
Vorgängerin vor 30 Jahren nicht mit einem Defizit, sondern mit
einem Überschuß abschloß, was ihr keine von Männern geplante Ausstellung nachgemacht hat. Wie falsch die Einschätzung der Situation war, wurde am 1. Februar 1959, weniger als
ein halbes Jahr nach Schluß der Ausstellung, schlagartig sichtbar: An diesem Tag lehnten die stimmberechtigten Schweizer
Männer das Frauenstimmrecht mit einer Zweidrittelmehrheit
von Nein-Stimmen ab. Ich war so enttäuscht, daß ich auswandern wollte, was ich dann allerdings doch nicht tat. Aber es war
wie eine Ohrfeige, die mir zum wirklichen Erwachen half.

Doch nochmals zurück zu meinen Texten. Sie kamen folge-
richtig aus meinem theologischen Denken: Mann und Frau ne-
ben- und miteinander, beide von Gott geschaffen, einander zur
Ergänzung, gleichwertig, aber nicht gleichartig. Diese Zusammengehörigkeit, diese Partnerschaft sollte sich nun in der gemeinsamen Gestaltung der Welt, der Gesellschaft erweisen.
Der vorletzte Text der »Linie« war übrigens Galater 3,28: »Da
ist nicht Jude noch Grieche, da ist nicht Sklave noch Freier, da ist
nicht Mann noch Weib; denn ihr alle seid eins in Jesus Christus.«
Darauf folgte ein Zitat aus der Charta der Vereinten Nationen.

Weil ich davon zuinnerst überzeugt war (und es auch im Trend der Zeit lag), glaubte ich, daß die »Stunde der Frauenbewegung vorbei« sei. Immerhin war ich realistisch genug, zu sehen, daß die Zusammenarbeit von Männern und Frauen, die ich meinte, noch ganz am Anfang war. Heute weiß ich, daß die Frauenbewegung erst im Kommen ist und daß noch längst nicht alle schlafenden Frauen erwacht sind, wie es in einem amerikanischen Frauenlied heißt, dessen erste Strophe aus dem Jahr 1911 und dessen folgende Strophen aus dem Jahr 1978 stammen: »Der Tag, der Berge bewegt, ist im Kommen, alle schlafenden Frauen erwachen...« Mich stimmen die Sätze, die ich damals schrieb, heute sehr nachdenklich. Nicht so sehr darum, weil ich mich geirrt habe, sondern ich frage mich, wieso ich zu dieser falschen Einschätzung kam.

Rückblickend sehe ich zwei Gründe. Nach dem Krieg war die Schweizer Wirtschaft dank der völlig erhaltenen Infrastruktur und der nicht zerstörten Industrieanlagen im Aufschwung. Diese Wirtschaft brauchte Frauen als Mitarbeiterinnen. Frauen hatten mehr Möglichkeiten als früher, mindestens scheinbar. Im Grunde genommen war die Zahl derer, die echte Aufstiegschancen hatten, sehr klein, aber uns kam es vor, als stünde uns die Welt offen. Zudem wurde dieser Aufschwung auch als Auf- und Ausbau eines freiheitlichen Gemeinwesens verstanden. Der Spuk der Kriegszeit schien überwunden, ganz besonders für uns, die wir nicht direkt betroffen gewesen waren. Durch die »alte« Frauenbewegung war auch vieles erreicht, für viele meiner Generation waren Schulbildung, Studium oder eine vergleichbare Ausbildung als Sozialarbeiterin, Lehrerin, Sekretärin und so weiter bereits selbstverständlich gewesen. Die verheirateten Frauen der Mittel- und Oberschicht genossen die Freiheit zu ehrenamtlicher Mitarbeit an vielen Orten (ich denke, daß ohne sie die SAFFA nicht mit einem Überschuß abgeschlossen hätte!). Es war eine Stimmung von good will und Gemeinsamkeit, in der alles offen zu sein schien.

Für mich als Christin kam noch dazu, daß auch Männer – Theologen – die Gleichwertigkeit oder »Gleichbegnadung« der Frau vertraten. Daß sie nicht daran dachten, diese Sicht in konkrete, kirchenpolitische Schritte zu übertragen, fiel uns damals nicht auf. Wir glaubten daran, daß die Einsicht in für uns absolut zwingende Zusammenhänge »von selbst« zu Konsequenzen führen würde, und auch nach der Ablehnung des Frauenstimmrechts im Jahre 1959 ließen wir uns damit trösten, daß es sicher kommen würde (was 1971 auch geschah, allerdings mit großem Einsatz der Frauenverbände). Daß die Hindernisse für eine wirkliche Partnerschaft viel tiefer lagen und liegen, sahen wir nicht. Darum brauchte es, wie wir meinten, keine kämpferische Frauenbewegung. Darum mochte ich auch das Wort »Emanzipation« nicht.

War ich eine emanzipierte Frau?

In einem Artikel von mir aus dem Jahre 1939 steht das Wort »emanzipiert« in Anführungszeichen. Es bezeichnete Frauen, die nicht mehr so sein konnten, wie ich mir damals die »richtige« Frau vorstellte, als eine, die harmonisch mit ihrer eigenen Tiefe verbunden war, sondern solche, die »nach Erkenntnis und Wissen streben, auf welchen Gebieten auch immer« und doch zwiespältig waren. Die Beschreibung paßte haarscharf auf mich selber, aber emanzipiert wollte ich nicht sein. Damals standen mir wohl die persönlichen Bindungen im Wege, später war es mein christliches Bild von Mann und Frau, zu dem dieses Wort nicht so recht passen wollte. An die Stelle des »wahren Wesens« der Frau trat ihr in Gottes Schöpfung gegebener Platz, die Abwehr jeder Gleichmacherei von Mann und Frau und die Anerkennung des von Gott gewollten Gegenübers, der immer vorhandenen gegenseitigen Zuordnung von Mann und Frau. Darum ist immer wieder von der »sogenannten Emanzipation« die Rede, oder in einem Artikel für eine deutsche Zeitschrift über »Die Stellung der Frau in der Schweiz« (geschrieben nach der Ablehnung des Frauenstimmrechts im Jahre 1959!) stehen die Sätze:

»In der Existenz der Frauenverbände sehe ich persönlich eine der großen Möglichkeiten in unserer Situation, solange sie jedenfalls nicht in den Dienst einer wildgewordenen Emanzipation der Frau gestellt werden (was aufs Ganze gesehen kaum der Fall ist).«

Unter »wildgewordener« Emanzipation stellte ich mir vermutlich eine Lösung aus allen Bindungen vor, die ich nicht als wirkliche Befreiung anerkannt hätte. Da drohte doch die Sünde der Auflehnung gegen heilige, von Gott selbst gesetzte Ordnungen, die ich damals nicht als unterdrückend erlebte. Vielmehr zeigt ja das, was ich oben über die SAFFA geschrieben habe, daß diese Maßstäbe auch Kraft und Mut machten, eine bestimmte Linie durchzuziehen und zu halten. In einem Artikel aus der Zeit um die SAFFA heißt es zu diesem Thema: Die Frau

»ist schon durch Christus und nicht erst durch die sogenannte Emanzipationsbewegung (nebenbei bemerkt: es ist sicher kein Zufall, daß diese Bewegung in Ländern mit christlicher Tradition aufgebrochen ist) grundsätzlich befreit von den ›Elementarmächten der Welt‹ (Galater 3 und 4), also herausgeholt aus der Beschränkung auf das bloße Gebären und Aufziehen von Kindern, auf die leibliche Mutterschaft und die Gestaltung des engsten Familienkreises. Sie ist hineingestellt in einen Auftrag, der größer ist als ihr natürlich auch für sie immer noch bestehender Pflichtenkreis, ja als ihr ganzes Leben.«

Interessant ist hier die Klammer. Die Bemerkung, daß die Emanzipationsbewegung in Ländern mit christlicher Tradition aufgebrochen sei, findet sich wiederum Jahre später, 1966, in einem Artikel für »Student World«, wo es heißt, daß die Stellung der Frau in der Gesellschaft sich überall geändert habe.

»Von dieser Entwicklung konnten auch die Kirchen nicht unberührt bleiben, auch wenn sie – jedenfalls in Europa – nirgends aktiv an diesem Prozeß mitgewirkt, ja ihn vielfach verzögert und gehemmt haben. Trotzdem ist es natürlich kein Zufall, daß sowohl die Industrialisierung als auch die modernen Emanzipationsbewegungen sich in Ländern abgespielt haben, die durch die jahrhundertelange Verkündigung des Evangeliums geprägt

*waren. In Bezug auf die Frau kann man sicher sagen, daß ihre
Emanzipation eine späte, säkularisierte Frucht des Evangeliums
ist, die von den Kirchen und ihren offiziellen Vertretern leider
erst spät erkannt und – teilweise – anerkannt worden ist.«*

»Partnerschaft ist ein Programm«

Dieses Zitat stammt von einer holländischen Soziologin, die im
Frühling 1959, an einer Studientagung des europäischen Lei-
terkreises der Akademien, auf Boldern einen Vortrag hielt.
Else Kähler und ich waren zu dieser Tagung eingeladen, obschon wir noch nicht Mitarbeiterinnen der Akademie waren. In
einem nachdenklichen Nachwort zur Tagung stellt der damalige Sekretär fest, es hätten wenige Männer und viele unverheiratete Frauen an der Tagung teilgenommen, die eigentlichen
Veranstalter, das heißt die Akademie-Direktoren, hätten zum
großen Teil durch Abwesenheit geglänzt, aber es sei trotzdem
beschlossen worden, an diesem Thema weiterzuarbeiten.

Der Satz, daß »Partnerschaft ein Programm und keine Gegebenheit« sei, ist in meinem Gedächtnis haften geblieben. Ich
selber hielt an jener Tagung eine Bibelarbeit über Galater
3,21–4, 9 – meinen biblischen »Lebenstext« sozusagen. Dem
Verfasser des oben zitierten Nachworts ist daraus folgendes als
besonders wichtig geblieben:

*»In der Bibelarbeit unter Leitung von Fräulein Dr. Bührig
wurde versucht, die Frage nach der Partnerschaft von Mann und
Frau einmal nicht aus der Genesis oder den Pastoralbriefen zu
beantworten, sondern zu zeigen, daß das Leitbild menschlichen
Miteinanders, also auch der Partnerschaft von Mann und Frau,
die Gemeinde ist und nicht umgekehrt die Ehe das Leitbild der
Partnerschaft.«*

Else Kähler setzte sich – ebenfalls mit einer Bibelarbeit – mit der Unterscheidung der Begriffe »untertan sein« und »sich unterordnen« auseinander – den Ergebnissen ihrer Doktorarbeit folgend, deren Erscheinen in Buchform damals in Vorbereitung war. Als Psychologe wirkte Dr. Theodor Bovet mit, für den die Ehe das Leitbild für alle Partnerschaft von Mann und Frau war. Ich erinnere mich noch dunkel an eine leidenschaftlich geführte Plenardiskussion. Wir, Else Kähler und ich, müssen sehr bedrohlich gewirkt haben, obschon wir uns selbst nicht als »emanzipiert« verstanden. Jedenfalls berichtete ein junger Studienleiter aus einer deutschen Akademie von zwei schrecklichen »Emanzen«. Eine Schweizerin traf ihn viele Jahre nach dieser Tagung in Griechenland, und selbst in dieser südlich gelösten Atmosphäre – oder vielleicht gerade dort – erzählte er ihr von dem Schrecken, der ihn bei dem Gedanken erfaßt hatte, seine junge Frau könnte allenfalls unter den Einfluß solcher unmöglichen, das heißt unweiblichen Frauen geraten. Wir selbst hatten von dieser Wirkung keine Ahnung. Dazu hatten wir viel zu viele Minderwertigkeitskomplexe!

Mit dem Eintritt in die Boldern-Arbeit, also in ein männlich geleitetes Werk, hatten wir die Möglichkeit, unser Verständnis von Partnerschaft dem Test der Realität auszusetzen. »Wollen Sie Unabhängigkeit oder Integration?« fragte uns der damalige Leiter. Unsere Antwort: »Integration.« Wir wollten zwar auch Freiheit zu eigener Gestaltung, aber vor allem wollten wir ganz dazugehören. Unter Integration verstanden wir damals nicht das völlige Aufgehen in der Institution, sondern eben: ernst genommen werden, mit-reden und mit-bestimmen können. Unter Partnerschaft stellten wir uns vor, daß Partner an derselben Sache engagiert waren, und zwar mit verschiedenen Gaben, die einander ergänzten. Naturgemäß interessierte uns weniger die Partnerschaft in der Ehe als diejenige in Arbeitsverhältnissen und im Bereich der Kirche, obwohl wir durch die Tagungsarbeit sehr bald auch mit den Problemen von verheirateten Frauen (und Männern) konfrontiert wurden. In einem Artikel zur Festschrift zum 70. Geburtstag des Gründers von Boldern, Dr. H. J. Rinderknecht, aus dem Jahre 1963 formulierten wir unsere ersten Erfahrungen so:

»Wer die Situation ernst nimmt, stößt auf den Partner... Die Situation der Frau in der heutigen Zeit ist weder zu verstehen noch zu gestalten, ohne daß die des Mannes mitgesehen wird. Dies gilt nicht nur für den Bereich von Ehe und Familie, sondern ebenso für Beruf und Öffentlichkeit. Wir haben auf Boldern anläßlich der Abstimmung über das Frauenstimmrecht im Februar 1959 eine Tagung veranstaltet, zu der wir Vertreter aus der Kirche und Vertreterinnen der Frauenbewegung einluden, und wir haben eine europäische Tagung mit dem Thema »Partnerschaft von Mann und Frau« mitgestaltet und beherbergt. Wir haben vom Boldernhaus aus versucht, unter Sekretärinnen zu erheben, ob und wie in ihrem Beruf Partnerschaft von Mann und Frau ins Blickfeld tritt und verwirklicht wird, und wir haben, ebenfalls im Boldernhaus, zu offenen Gesprächsabenden über diese Fragen eingeladen. Dabei haben wir die Erfahrung gemacht, daß unter den Frauen *(hervorgehoben von MB 1986) der Wunsch nach Gespräch und die Bereitschaft, den Partner ganz einzubeziehen, sehr groß ist. Es ist vielen deutlich, daß die eigene Situation, und zwar nicht nur und nicht in erster Linie die rein persönliche, nur in Gegenwart und im Gespräch mit dem Mann als Partner erhellt werden kann. Ob das ebenso für die Männertagungen gilt? Oder ob man dort die Frau in Gestalt der eigenen Ehefrau oder der persönlichen Mitarbeiterin zwar schätzt und sieht, sie aber unbedingt in diesem ganz persönlichen Bereich festhalten will? Boldern hat einige Schritte in Richtung Partnerschaft getan, auch indem es sie im Team der Mitarbeiter verwirklichte. Daß wir erst ganz am Anfang stehen, ist uns bewußt.«**

Ja, es waren die Frauen, die nach Partnerschaft verlangten, die wußten, daß sie nicht die ganze Wahrheit hatten, auf Ergänzung angewiesen waren, aber auch Ergänzung zu geben hatten. Die Erfahrung war aber immer dieselbe: Aus Tagungen, die für Männer und Frauen geplant waren, wurden solche mit einer großen Mehrheit von Frauen. Dem war nur abzuhelfen, wenn wir Ehepaare einluden. Dann gelang es den Frauen manchmal, ihren Ehepartner zur Teilnahme zu bewegen. Das bedeutete

---

* Boldern, Haus der Begegnung, Zwingli Verlag, Zürich 1963

aber auch, daß das alte Bild von der Rolle der Frau in der Gesellschaft bestätigt wurde. Sie war bestenfalls im privaten Bereich – und nur in diesem – Partnerin. Dort fanden auch Auseinandersetzungen und Verhaltensänderungen statt, aber Partnerschaft unter nicht persönlich, nicht durch Ehe oder andere erotische Beziehungen gebundenen Menschen stand noch gar nicht zur Diskussion.

Wir versuchten trotzdem, das Unthema zu thematisieren. Dem Nachfolger des Gründers, Paul Frehner, war es gelungen, eine kleine Anzahl von Männern aus der Wirtschaft zum Thema Partnerschaft von Mann und Frau einzuladen. Er wollte das wirklich mit uns – und uns zuliebe – durchführen. Aber das Gespräch war stockend, belastet von einer merkwürdigen Verlegenheit und Hilflosigkeit, unsere Theorien und Utopien verfingen nicht. Unser Thema war nicht ihr Thema, und auch der Kollege, der es wirklich versuchen wollte und voll guten Willens war, verstand im Grunde nicht, was wir meinten.

Das galt nicht für alle Männer, mit denen wir zusammenarbeiteten. Die von uns gewünschte »Integration« vollzog sich schrittweise. Zuerst hatten wir einfach großen Freiraum, wir nannten das selbst gelegentlich »Narrenfreiheit«. Wir konnten als Frauen mit und für Frauen veranstalten, was wir wollten, vor allem im kleineren Boldernhaus in Zürich, aber auch in der Akademie selber. Tagungen für berufstätige Frauen, für Hausfrauen, für Frauen in leitender Stellung, für Arbeiterinnen, für Verkäuferinnen. Themen wie »Die Frau in der Welt von heute«, »Wo steht die moderne Frau?«, »Die Macht des Angebots im modernen Wirtschaftsleben«, »Denk- und Arbeitsweise der Frau«, »Was erwartet der Mann von der Frau heute in Beruf und Öffentlichkeit?« lassen erkennen, daß es uns darum ging, zur Orientierung in einer sich verändernden Welt zu helfen. Entsprechend dem Muster der Akademie-Arbeit setzten wir bei sogenannten »Sachfragen« ein, aber im Gegensatz zu den Männertagungen trennten wir nicht zwischen persönlichen und sachlichen Fragen. Der Kollege, der uns in unseren ersten Boldernjahren wirklich zum Partner und Freund wurde, Theophil Vogt, hat in seiner Dissertation auch über unsere Arbeit mit berufstätigen Frauen nachgedacht und dort geschrieben:

»Es wird nicht zufällig sein, daß eine Ausgliederung ›persön- licher Fragen‹ bei den Frauentagungen erheblich schwieriger vorzunehmen ist als bei den vergleichbaren Tagungen mit Män- nern. Vermutlich ist gerade dieser Aspekt für die Frau wesentlich integriert in den Gesamtvollzug ihres Lebens in der Gesellschaft, so daß jedes alternative Auseinanderrücken von ›personalem‹ und ›sachlichem‹ Bereich hier zu schweren Fehlschlüssen führen müßte.« **

Wir selbst gebrauchten dafür den Ausdruck »Situation« und meinten damit den Menschen – in unserem Fall meist die Frau – in seinem/ihrem ganzen Umfeld. Wir merkten relativ bald, daß wir dazu mehr Kenntnisse in Soziologie brauchten, und wehr- ten uns doch, Tagungen zu stark von Experten oder Expertin- nen bestimmen zu lassen. Wir setzten schon damals auf die Er- fahrung von Frauen, die in einer bestimmten Situation lebten, und auf das Gespräch, in dem diese Erfahrungen geäußert wer- den konnten. Ich sage: schon damals, weil heute diese Ansätze in der feministischen Theologie und der feministischen For- schung erst richtig zum Tragen kommen.

Und wie ging es uns selbst? Wir waren glücklich über den Freiraum, und um uns entstand, was eine jüngere Kollegin spä- ter eine »bürgerliche Frauenbefreiungsbewegung« genannt hat. Da wir mit unserer Arbeit recht viel Erfolg hatten (zu den meisten Themen kamen die Frauen oft in großen Scharen), war unser Arbeitsbereich wenig umstritten. Es gab auch im Mitar- beiter-Team selten Differenzen. Dieses Team bildete sich unter dem zweiten Leiter von Boldern, Pfarrer Paul Frehner, immer mehr heraus. Als es am größten war, waren wir sieben, wir bei- den Frauen und fünf Männer, dazu für kurze Zeit eine dritte Frau in einer Teilzeitverpflichtung. Wir besprachen sowohl die Grundlinien der Boldernarbeit als auch einzelne Tagungspro- gramme, aber es zeigte sich sehr deutlich, daß wir Frauen stär- ker an den Programmen der Männer und an der Gesamtarbeit von Boldern teilnahmen als die Mehrheit unserer Kollegen an

---

* Theophil Vogt, Herausforderung zum Gespräch. Die Kirche als Partner im gesellschaftlichen Dialog, Zwingli Verlag, Zürich 1970

unseren Tagungen. Es ging also nach dem oben beschriebenen Muster: Frauen wollten Partnerschaft, Männer bestenfalls Ergänzung.

Aber wollten wir diese Partnerschaft wirklich?

So frage ich heute. Ich erinnere mich an zwei ganz verschiedene Gefühle: an den fast kindlichen Wunsch, dazuzugehören und teilzuhaben, aber auch an die Sorge um und für das »eigene Gärtlein«. Der erste Wunsch wurde in immer steigendem Maße erfüllt. Ich wurde sehr rasch in den Vorstand des Trägervereins der Akademie gewählt, und wir hatten volle Gleichberechtigung in der Gestaltung der Zusammenarbeit. Wir waren als Menschen voll akzeptiert. Zu einer immer näheren Zusammenarbeit kam es, als Boldern gemeinsam mit Kollegen aus anderen Zweigen kirchlicher Arbeit und anderen vergleichbaren Häusern sich mit Problemen der »Laienschulung« befaßte. Da war ein ganz neues Arbeitsfeld im Aufbau, die Weltkirchenkonferenz von Neu-Delhi (1961) hatte sich intensiv mit dieser Frage befaßt, und durch einen glücklichen Zufall hatten zwei Boldern-Mitarbeiter, ein junger Kollege und ich, daran teilgenommen. Auf Boldern fand eine Planungs-Retraite statt, an der Else Kähler als einzige Frau teilnahm und wo der Plan einer schweizerischen »Arbeitsgemeinschaft für kirchliche Schulung« geboren wurde. Später sprach man von kirchlicher Erwachsenenbildung. Wir waren von Anfang an sowohl als Kursleiterinnen als auch in den Gremien, in denen geplant und entschieden wurde, voll dabei. Für uns waren diese Arbeits- und Denkgemeinschaften etwas von dem, was wir unter Partnerschaft verstanden. Wir waren begierig zu lernen, gerade auch von Theologen einer nächsten Generation, die näher an der Hochschule waren als wir, die anders dachten, als »man« zu unserer Zeit gedacht hatte. Es war Glück, Bereicherung und Erfüllung, am Aufbau eines neuen Zweigs kirchlicher Arbeit voll beteiligt zu sein. Eine direkte Beziehung zu unserer

Frauenarbeit gab es eigentlich nicht, und ich kann mich auch nicht daran erinnern, daß wir uns sonderlich darum bemüht hätten, weitere Frauen, die dann freilich nach und nach dazukamen, beizuziehen oder unsere Themen ins Gespräch zu bringen.

Und das »eigene Gärtlein«? Es profitierte natürlich durchaus von dem, was wir lernten, aber irgendwie war dieser Sektor unserer Arbeit eine Welt für sich, und es gelang uns schlecht, etwas von den Erfahrungen aus unserem eigenen Leben und Arbeitsgebiet »hinüber«, über die Mauern, den Zaun, den wir gar nicht als Zaun erlebten, zu bringen. Ich denke an die vielen jüngeren und auch älteren Kolleginnen, die heute, im Zeichen der Frauenbewegung, wenn sie nach Diskriminierung oder Unterdrückung befragt werden, strahlend sagen: »So etwas habe ich nie erlebt, ich war immer voll akzeptiert, ich weiß nicht, wovon ihr redet.« Möglicherweise hätten wir damals, Anfang der sechziger Jahre, ähnlich reagiert. Jedenfalls empfanden wir es nicht als Diskriminierung, daß unser Arbeitsbereich »Die Frau in Kirche und Gesellschaft« irgendwie abseits lag. Partnerschaft war eben wirklich ein Programm und keine Gegebenheit.

Dazu noch ein sprachliches Kuriosum. Im Jahresbericht 1962 des Boldernwerks stehen folgende von Else Kähler und mir unterzeichneten Sätze:

»Die in jeder Hinsicht erfreuliche Zusammenarbeit zwischen Boldern Männedorf und Boldernhaus Zürich hat sich noch vermehrt und vertieft. Die regelmäßigen Teambesprechungen mit den drei Herren von Boldern (hervorgehoben von MB 1986!) bieten nicht nur gegenseitige Information, was ›oben‹ und ›unten‹ geschieht, sondern sie bedeuten vor allem Beratung über Tagungen und Veranstaltungen, über deren Gestaltung und die Beteiligung der einzelnen Mitarbeiter.«

»Oben« und »unten« sind nicht etwa hierarchische, sondern geographische Bezeichnungen. Das Haupthaus der Akademie befindet sich hoch über dem Zürichsee in Männedorf, und das Boldernhaus liegt in der Stadt Zürich. Aber auch wenn man das abzieht, bleiben immer noch die »drei Herren von Boldern«, und sie waren nicht einmal in Anführungszeichen gesetzt. Ich glaube nicht, daß sie sich als Herren über uns fühlten, aber die Formulierung zeigt sehr deutlich, daß wir nicht empfanden, was wir sagten. Wie verräterisch die Sprache doch ist! Es fehlte uns nicht nur das Bewußtsein sprachlicher Aussagekraft, sondern es fehlte uns auch die Möglichkeit, die »gegebenen« gesellschaftlichen Situationen von Frauen und Männern zu durchschauen und zu analysieren. »Patriarchat« war für uns ein Ausdruck, der in der Zeit, in der das Neue Testament geschrieben wurde, eine Bedeutung hatte, der aber nicht mehr in unsere liberale Gegenwart paßte. Zwar hatten wir gelernt, die Bedeutung der »Situation«, des Umfelds von uns und anderen ernst zu nehmen, aber wir waren nicht imstande, das gesellschaftliche Ungleichgewicht von Männern und Frauen, das bestehende Machtgefälle zwischen ihnen als generelles Problem zu erkennen. Dazu fehlte uns der Denk-Rahmen. Darum waren wir so leicht bereit, von Partnerschaft zu sprechen und die Verwirklichung von Partnerschaft als ein individuell lösbares Problem zu verstehen.

Haben wir zu früh von Partnerschaft geredet? 1973 hatte eine jüngere Kollegin von uns, Marianne de Mestral, die Gelegenheit, nach den USA zu einem Kongreß von Feministinnen zu fahren. Von diesem kam sie, wie uns schien, etwas verwirrt zurück. Sie hatte etwas vom Aufbruch der »Women's Lib«, der amerikanischen Frauenbefreiungsbewegung, erlebt und hatte Mühe, ihre eigenen widersprüchlichen Eindrücke an uns weiterzugeben. Einige Sätze aus ihrem Bericht illustrieren das sehr anschaulich:

»Frauengruppen seien ein Überbleibsel aus der Zeit, als die Schweizerin noch kein Stimmrecht hatte, sie hätten höchstens noch die Aufgabe, für die gesetzliche Gleichberechtigung der Frau zu arbeiten. Dies ist im allgemeinen die Auffassung von vielen Frauen und Männern in der Schweiz. In den USA werden die Frauengruppen nicht als eine Sache der baldigen Vergangenheit angesehen, sondern für die Frauen als Chance der Zukunft betrachtet...

Es ist schwierig zu sagen, ob diese Konferenz tatsächlich ein-

mal als bedeutungsvoll in die Geschichte der internationalen Bewegung des Feminismus eingehen wird. Haben wir, das heißt rund 250 Frauen aus 28 Ländern, den Beginn einer neuen weltweiten Bewegung für die Befreiung der Frau miterlebt und mitgestaltet? Geht es um die Befreiung der Frau, oder geht es um die Befreiung des Menschen? Ist der Feminismus überhaupt lebensfähig? ...

Und immer wieder brach die große Frage auf, ob Männer an solchen Konferenzen erwünscht und einzuladen seien. Auf uns zwei Schweizerinnen wirkte die heftige Kontroverse, ob Männer speziell einzuladen, zu tolerieren oder gar ausdrücklich von einer nächsten Konferenz auszuschließen seien, unverständlich und eher komisch ...

Wurde hier nicht eine früher gegen Frauen gerichtete Diskriminierung einfach umgekehrt?«

Im gleichen Jahr veranstalteten wir gemeinsam eine Tagung auf Boldern mit dem Titel »Sind wir wirklich emanzipiert?« Marianne berichtete von der Konferenz in den USA, ein Historiker hielt ein Referat über Emanzipationsbewegungen und ich eins über »Frauenbewegung als Emanzipationsbewegung«. Die Tagung war offen für Frauen und Männer, aber es kamen nur sehr wenige Männer. Wenn ich mich recht erinnere, wurde im Zusammenhang mit dieser Tagung zum erstenmal die kritische Frage gestellt: »Haben wir vielleicht zu früh von Partnerschaft geredet?« (s. Anhang »Frauenbewegung...«, S. 236.)

Wie schon aus dem Tagungstitel hervorging, wollten wir jetzt emanzipiert sein, und wir versuchten, unsere Beziehung zur alten Frauenbewegung in einen historischen Zusammenhang zu stellen. Wir spürten etwas Neues kommen, und darum fragten wir uns: Haben wir recht gehabt, in den zurückliegenden Jahren möglichst viel gemeinsam zu organisieren? Haben wir uns nicht selbst am konsequenten Weiterarbeiten an unseren eigenen Fragen gehindert? Ja, Partnerschaft war noch immer ein Programm, aber lag die Realisierung dieses Programms nicht in einer viel größeren Ferne, als wir gemeint hatten? Ging es wirklich nur um unsere Beteiligung an der sonst völlig unveränderten, von Männern gestalteten und beherrschten Welt? Wollten wir nicht mehr als nur das? Aber was wollten wir wirklich?

Das hätten wir kaum auf eine kurze Formel bringen können, aber auf diese Tagung folgte in den Jahren darauf eine ganze Reihe von *Frauen*tagungen: »Alte und neue Frauenbewegung«, »Das Geduldspiel der Gleichberechtigung« – Versuche, eher traditionelle Frauenverbände zu einer klaren Standortbestimmung zu bewegen – und die Auseinandersetzung mit einer wissenschaftlichen Studie über die Stellung der Frau in Familie und Gesellschaft, die im Auftrag der Schweizer UNESCO-Kommission von zwei jungen Soziologen erarbeitet worden war. Frauenwochen für junge Frauen mit kleinen Kindern und für Frauen in der Lebensmitte, mit viel Gruppenarbeit und Selbsterfahrung, getragen von einem Team von verheirateten Frauen, die jünger waren als wir, wurden ein fester Bestandteil des Boldern-Programms. Wir suchten auch nach »Neuen Zugängen zu alten Aussagen«, das heißt unseren eigenen Zugängen zur Bibel und zu unserer eigenen christlichen Tradition. In Lesekreisen besprachen wir die ersten Bücher von Elisabeth Moltmann, Dorothee Sölle und anderen, und im größeren Kreis stellten wir unsere eigenen Erfahrungen den Wertvorstellungen der »antiautoritären Erziehung« gegenüber. Wir waren unterwegs zum Feminismus, obschon es uns mit diesem Wort ähnlich ging wie mit dem Wort »Emanzipation«. Wir mochten es nicht. Unser eigener innerer Aufbruch hatte noch keinen Namen.

Eine Ökumene
der Frauen

Erste Schritte in der weltweiten Männerkirche

Es war im Herbst 1953. Die Jahresversammlung des »Evangelischen Frauenbundes der Schweiz« (der Dachorganisation der evangelischen Frauenverbände) tagte in Zürich. In der Vormittagssitzung gab die Präsidentin eine Einladung nach Princeton/USA bekannt. Dort sollte im Sommer 1954 die Vollversammlung des Reformierten Weltbundes stattfinden, und dieser wollte eine Frauenabteilung gründen. So eine Reise überstieg die finanziellen Möglichkeiten der noch jungen Dachorganisation natürlich, aber – so meinte die Präsidentin – vielleicht kenne ja eine der Anwesenden eine Schweizerin, die ohnehin zu dieser Zeit in den USA sei und Interesse hätte. Doch niemand wußte Rat. In der Mittagspause kam eine gute Freundin von mir, die mit mir zusammen im Vorstand saß, auf mich zu und sagte: »Ich weiß, was ich tun muß. Du mußt gehen, und ich werde es bezahlen.« Es war wie ein Märchen. Ich nach Amerika? Mir das vorzustellen war ebenso verlockend wie unwahrscheinlich. Aber der Vorschlag war ernst gemeint und fand allgemeinen Anklang in der Nachmittagssitzung. Mit Jubel wurde ich delegiert. Ich meinte zu träumen und war doch gleichzeitig fest davon überzeugt, daß das richtig war. Es stimmte für mich, ohne Wenn und Aber.

Als es um die Verwirklichung ging, zeigte es sich, daß in der offiziellen Schweizer Delegation noch ein Platz frei war und daß ich als Frau (!) diesen einnehmen durfte. Von sich aus wären die Männer natürlich nicht auf die Idee gekommen, eine Frau zu delegieren und dieser gar die Reise zu bezahlen. Aber auf eigene Kosten der Frauen wurde ich akzeptiert, allerdings nur für den Reformierten Weltbund. An der kurz danach, ebenfalls in den USA, geplanten Vollversammlung des ÖRK sei leider kein Platz mehr verfügbar, so wurde uns mitgeteilt, aber als »accredited visitor«, als Besucherin, dürfe ich teilnehmen. Erst viele Jahre später erfuhr ich, daß diese Auskunft nicht gestimmt hatte. Für das gewichtigere Gremium wollten die verantwortlichen Männer eben doch noch keine Frau als Delegierte. Es war gut, daß ich das damals nicht wußte.

So fuhr ich also im Sommer 1954 nach Amerika, an meine erste Weltkonferenz, mit minimalen Kenntnissen der ökumenischen Situation, mit meinem armseligen Schulenglisch, mit viel Neugier und Angst. Wie würde ich das Abenteuer bestehen? Die Schiffsreise zusammen mit den anderen Schweizer Delegierten besserte meine Kenntnisse in Sachfragen auf. Die Einfahrt in New York, bekannt von vielen Bildern, erschien mir überwältigend, die Fahrt durch die Stadt war ernüchternd – so schmutzig hatte ich mir New York nicht vorgestellt. Die Konferenz fand auf dem imponierenden Campus von Princeton statt. An Unterbringung und Mahlzeiten kann ich mich nicht mehr erinnern, nur an ein kleines Café, wo wir abends gelegentlich hingingen, weil es als einziges »Air condition« hatte, denn es war drückend heiß in jenen Hochsommertagen.

»Väter und Brüder«, das war die normale Einleitungsformel vieler Redner in der Konferenz. Sie störte mich schon damals, und ich hätte gerne »Mütter und Schwestern« hineingerufen. Aber wir waren wenige Frauen, und ich hätte mich nicht getraut. Außerdem war auch hier die Freude, dabeisein zu dürfen, stärker als der Protest. Damals habe ich sicher »dürfen« gesagt.

Lebendig in der Erinnerung geblieben sind mir zwei ganz verschiedene Eindrücke. Es gab eine Diskussion über das Abendmahl und die Erklärung, daß nach reformierter Auffassung Jesus selbst der Einladende sei, und darum hätten wir kein Recht, irgend jemand auszuschließen. Wir waren ja selbst nur Gäste und nicht die Gastgeber. So klar hatte ich das noch nie gehört. Es machte mich stolz und froh, daß »meine« Kirche so offen war. Gleichzeitig aber diskutierte diese so aufgeschlossene Kirche über die Stellung von uns Frauen. Ich höre noch den leidenschaftlichen Zwischenruf einer Frau, einer Schottin: »Wir haben es satt, daß über uns geredet und befunden wird. Wir können selbst reden.« Frauen konnten damals in der schottischen Kirche noch nicht einmal als »Älteste« gewählt werden, bei uns ebensowenig in Kirchenvorstände, und die Diskussionen über die Ordination der Frau zum Pfarramt waren im Gang, mit all den so gut bekannten Gegenargumenten. In einer Sitzung fand eine Probeabstimmung statt, das heißt, es ging nicht um die Entscheidung, ob ja oder nein, sondern nur darum herauszufinden, wer und wie viele welche Meinung vertraten. 66 Delegierte stimmten dafür, 65 dagegen. Interessanter als die Zahlen war die Verteilung der Stimmen: Alle stimmberechtigten Frauen, verheiratete und ledige, Theologinnen und Nichttheologinnen, stimmten dafür, ebenso die meisten Vertreter der sogenannten jungen Kirchen (der Kirchen in der Dritten Welt) und viele nordamerikanische Delegierte. Geschlossen dagegen stimmte die überwältigende Mehrheit der europäischen Männer. Eine Studiengruppe für diese Fragen wurde gebildet.

Unbeeinflußt von diesen Erfahrungen stand mein eigenes Selbstbewußtsein auf sehr wackligen Beinen. Ich kannte außer den Schweizer Kollegen niemand, und ich empfand die Wände der vielerlei bestehenden »Männerbünde« als undurchdringlich. Dazu kam die Übermacht der englischen Sprache, die mich trotz Simultan-Übersetzung noch sprachloser machte, als ich es sonst gewesen wäre. Ohne institutionellen kirchlichen Hintergrund daheim (ich kam ja »nur« aus der Frauenarbeit), ohne Auslandserfahrung, ohne Verwurzelung in einer der internationalen Organisationen wie dem Christlichen Studentenweltbund oder dem YWCA (dem Christlichen Verband junger Frauen) fühlte ich mich recht einsam. Ich kam mir wieder einmal, wie so oft in früheren Zeiten, wie das häßliche kleine Entlein vor. Alleinstehende Frau in einer Gesellschaft fremder Männer! Die anderen Frauen, wenige Delegierte und mehr begleitende Ehefrauen von Delegierten, konnten so viel leichter und besser mit dieser Situation und mit den Männern umgehen. So kam es mir jedenfalls vor.

Um so erstaunter war ich, als ich plötzlich für den natürlich unbezahlten Posten einer Europa-Sekretärin der neu gegründeten Frauenabteilung des Reformierten Weltbundes vorgeschlagen und gewählt wurde. Als jemand die berechtigte Frage nach meiner Eignung stellte, rief einer der Schweizer Delegierten: »Elle est Suisse« – sie ist Schweizerin und als solche natürlich geeignet. Für diesen Mann war klar, daß eine Schweizerin auf alle Fälle besser wäre als eine Frau anderer Nationalität. Ein Mann kam ja für diesen Posten ohnehin nicht in Frage. Ich wurde also mit dieser Empfehlung gewählt und nahm an, ohne zu wissen, was ich tat. Ich wollte gerne »dabei« bleiben, und tief in mir spürte ich das grundsätzliche Anliegen eines Netzwerks von Frauen. Vermutlich hätte ich die Aufgabe besser gelöst, wenn ich weniger grundsätzlich und dafür politischer gedacht hätte. Aber das sage ich heute. Damals war dieser Alibi-Posten eine Bestätigung, ein Rückhalt, und er bot die Möglichkeit, an Sitzungen des Exekutiv-Komitees teilzunehmen. Wozu eigentlich, das war mir nicht klar, aber mir hat diese Wahl später weitere Reisen ermöglicht und Kontakte vermittelt. Wieviel sie für die reformierten Frauen gebracht hat, weiß ich nicht. Für mich waren es jedenfalls die Begegnungen mit Frauen, die meinen weiteren Weg in der Ökumene bestimmten: Madeleine Barot, Margaret Shannon, Liselotte Nold.

Von weitem hatte ich verschiedentlich Dr. Madeleine Barot, damals Sekretärin der 1948 in Amsterdam geschaffenen Kommission des ÖRK »Für Leben und Arbeit der Frau in der Kirche« gesehen und hatte gehört, daß sie während des Krieges zur französischen Widerstandsbewegung gehört hatte und freiwillig in die deutschen Konzentrationslager in Gurs gegangen war, um bei den inhaftierten Juden zu sein, daß sie aber nach dem Krieg in denselben Lagern französischen Kollaborateuren beigestanden hatte. Ich bewunderte diese Frau, und als ich sie eines Tages in Princeton mit anderen plaudern sah und hörte, daß alle sie mit ihrem Vornamen anredeten, wagte ich den Versuch einer Annäherung und rief ebenfalls fast überlaut »Madeleine, Madeleine«. Ich gebrauchte einfach ihren Vornamen, ohne sie zu kennen. Sie musterte mich kritisch von oben bis unten und stellte, so kam es mir vor, Distanz zu dieser ihr unbekannten, wenig jüngeren Frau her. Ich spürte, daß ich eine Grenze verletzt hatte, und kam mir wie ein Elefant im Porzellanladen vor. Das Ende dieser für einen Augenblick peinlichen Szene war die Einladung zu einer von Madeleine Barot organisierten Konsultation mit dem Thema: »Die Zusammenarbeit von Mann und Frau in Kirche und Gesellschaft«, die vor der Weltkirchenkonferenz stattfinden sollte. Ich war glücklich und noch glücklicher, als eine amerikanische Delegierte, Margaret Shannon, mich einlud, zusammen mit ihr und einer Neuseeländerin im Auto von New York nach Evanston zu fahren.

Diese Reise, von der Ostküste bis nach Chicago, war ein erster Eindruck von der Weite des Landes, aber auch von einer mir fremden Gleichförmigkeit. Ich erinnere mich noch an die immer gleichen rosaroten Flamingo-Pärchen aus Plastik, die durch ganz Ohio hindurch in jeder Raststätte zum Kauf angeboten wurden, amerikanische Gartenzwerge sozusagen. Der eine Vogel stand aufrecht auf einem Bein, der andere beugte sich zum Fressen oder Trinken zu Boden. Drei Tage lang mit dem Auto unterwegs zu sein, das hatte ich noch nie erlebt, und ich genoß es. Weite, viel Himmel, fahren und das in Begleitung von zwei Frauen, die so viel mehr von der weltweiten Kirche wußten als ich selber. Margaret Shannon war eine der führenden Persönlichkeiten der großen Dachorganisation evangelischer Frauen in den USA. Sie war für mich eine Verkörperung des Besten, was die USA der Welt zu geben hatten, einer Vision weltweiter, von christlichen Werten getragener Menschlichkeit, von Liberalität und Offenheit für Neues. Ihre Freundschaft öffnete mir den Zugang zu Amerika, auch wenn ich höchstens die Hälfte ihrer Worte verstand, denn sie sprach schnell, als liefen ihre Gedanken der Sprache voraus, was auch tatsächlich der Fall war. In ihrem Buch »Just because«, der spannenden Geschichte von »Church Women United«, beschreibt sie diese Organisation mit Worten, die ich zur Charakterisierung ihrer selbst brauchen möchte:

*»Wenn man ›United Church Women‹ von ihrer besten Seite beschreiben wollte, müßte man sagen: sie hatten eine klare Vision, lebendige eigene Gedanken und Antworten auf die Gedanken anderer, in denen diese sich spiegelten, die Gabe zärtlicher Zuwendung zu ihren Freunden und die Welt in ihrem Herzen.«**

In Lake Forest, einem College nicht weit von Evanston, wo dann die Vollversammlung des ÖRK stattfinden sollte, trafen sich Frauen, die »im kirchlichen Dienst« standen, und einige (wenige) Männer, vor allem Referenten und andere, die zu der

* Margaret Shannon: Just Because, the Story of the National Movement of Church Women United in the USA 1941 through 1975, Omega Books, Corte Madera, California

Kommission von Madeleine Barots Dienststelle gehörten. Für mich war es die erste einer langen Reihe ähnlicher ökumenischer Veranstaltungen, an denen es letztlich immer darum ging, die »Zusammenarbeit von Mann und Frau in Kirche, Familie und Gesellschaft« zu klären. So hieß später die entsprechende Abteilung des ÖRK, und der umständliche Titel sagt etwas vom damaligen Selbstverständnis. Es ging um Frauen und Männer, um ihre Zusammengehörigkeit im Leibe Christi, der Kirche. Was genau wir damals diskutierten, weiß ich nicht mehr. Nur an eine Debatte erinnere ich mich sehr genau. Für Madeleine Barot, die nicht aus der Frauenarbeit kam, ging es in erster Linie um die Ganzheit der Kirche, wenn von christlichen Frauen die Rede war. Von Frauenorganisationen wollte sie damals nicht viel wissen. Viele Frauen waren aber nur dank dem Umstand, daß diese ihnen die Reise ermöglicht hatten, anwesend. In einer Gesprächsrunde wurde schließlich die Frage gestellt, welche Frauen von ihrer Kirche ganz normal, das heißt wie die Männer delegiert und wie viele von uns durch kirchliche Frauenorganisationen geschickt worden waren. Wie erwartet, überwog die zweite Gruppe, und das bewies einmal mehr, daß die kirchliche Wirklichkeit den schönen Reden von der vollen, gleichberechtigten Teilhabe der Frauen am Leibe Christi nicht entsprach. Diese Thematik ist ja bis heute nicht überholt, leider, auch wenn sie mit anderen Worten und vor allem mit stärkerem Protest erörtert wird. Wie es damals geschah, zeigt ein aus der unmittelbaren Erinnerung geschriebener Text (vgl. Anhang »Lake Forest und Evanston«, S. 238). In diesem ist auch die dritte Frau erwähnt, Liselotte Nold vom Bayerischen Mütterdienst. Die Begegnung mit ihr führte zu einer Freundschaft durch viele Jahre und zu vielen gemeinsamen ökumenischen Erfahrungen.

Begegnungen mit dem Katholizismus

In der Schweiz ist das Zusammenleben von Katholiken und Protestanten das eigentliche ökumenische Problem. Aus meiner Kindheit und Jugend brachte ich für diese Begegnung nicht viele Voraussetzungen mit. Meine Mutter war – als Polin – katholisch erzogen worden, aber nach ihren Äußerungen über diese Erziehung ging sie bei ihr nicht sehr tief. Als sie einen Protestanten heiratete, trat sie zum Protestantismus über, aber weniger aus Überzeugung als aus ihrem Wunsch nach Zusammengehörigkeit. Sie fand es nicht gut, zwei verschiedene Konfessionen in einer Familie zu haben. Zudem war und blieb sie eine Suchende. Radikal, wie sie war, ließ sie den Katholizismus kompromißlos hinter sich, und das änderte sich erst in viel späteren Jahren. Von ihr habe ich mehr Negatives als Positives über die katholische Kirche gehört. Während meiner Schulzeit ging es mir ähnlich. Damals waren in Chur, einem Bischofssitz, zwei Fünftel der Bevölkerung katholisch, drei Fünftel protestantisch, ein unglückliches Zahlenverhältnis – fast und doch nicht ganz halb und halb. Die meisten katholischen Kinder gingen in die katholische Schule. Wir verachteten sie irgendwie als Außenseiter, und sie taten vermutlich dasselbe. Im staatlichen Gymnasium hatten wir nur wenige Katholiken, denn viele katholische Familien schickten ihre Kinder lieber in katholische Internate. Dafür hatten wir aber den politischen konfessionellen Kampf bei Lehrerwahlen. Unabhängig von den Schülerzahlen und – nach unserer Meinung – auch unabhängig von Qualifikationen mußte ein bestimmter Prozentsatz von Lehrern katholisch sein. Die unter diesem politischen Druck gewählten Lehrer hatten einen schweren Stand an unserer Schule.

Schön fanden wir natürlich die katholischen Feiertage, weil wir frei hatten. Unsere Schule lag unmittelbar neben der Kathedrale und dem bischöflichen Schloß. Besonders in Erinnerung geblieben ist mir der Fronleichnams-Tag. Mit einer Freundin ging ich zum »Hof« hinauf, um die Prozession zu sehen. Alles mutete uns fremd an, nicht recht in unsere Zeit passend, die Gewänder, die streng hierarchische Reihenfolge, die Bilder und der Weihrauch. Wenn dann in einem bestimmten Augenblick alle am Rande Stehenden niederknieten, blieben wir stehen. Wir als aufrechte Protestantinnen konnten doch nicht auf die Knie fallen! Das war unser, wie wir meinten, urprotestantisches Bekenntnis. Ich fühle die Mischung von Stolz, Trotz und Beschämung noch heute.

Und doch gab es schon damals eine andere Seite. Die Churer Kathedrale ist ein sehr schöner und interessanter Bau, schon von ihrer Lage auf der felsigen Anhöhe über der Plessur, dem Churer Stadtbach, aber auch durch ihre Architektur. Sie stammt aus romanischer Zeit und hat eine nie eindeutig erklärte Eigenheit: Die Achse vom Eingang zum Hauptaltar ist leicht geschwungen. Der Raum wirkt geheimnisvoll lebendig. Meine Mutter liebte diese Kirche. Sie kannte sie von Grund auf. Alle Besucher, die zu uns nach Chur kamen, wurden in die Kathedrale geführt. Sie war auch sonst oft das Ziel gemeinsamer Spaziergänge. Wir hatten unsere Lieblinge, die wir immer besuchten: die Apostelgestalten am Hochaltar, eine holzgeschnitzte gotische Marienfigur an der Seite des Chorgestühls, einen aus romanischer Zeit stammenden Dämon, der einen Menschenkopf umklammerte, die dunkle Krypta, einen steinernen Löwen an der Außenwand gegen den Friedhof hin. War es wirklich nur Interesse an Kunstgeschichte? Das sagten wir so, aber ich meine, daß etwas anderes im Spiel war, ein faszinierendes Geheimnis. Im Vergleich zu dieser Kirche wirkte die protestantische Martinskirche, ein schlichter gotischer Bau, wie ausgeräumt, kahl und leer. Dort bin ich konfirmiert worden, aber nichts zog mich dorthin. In der katholischen Kathedrale konnte man verweilen, man konnte still in einer Bank sitzen, nachdenken, die Atmosphäre auf sich wirken lassen. In »unserer« Kirche lockte nichts zum Verweilen. Mit diesen wenig reflektierten und auch durch das Theologiestudium nicht grundsätzlich veränderten Voraussetzungen ging ich in eine neue Erfahrung hinein, in eine neue ökumenische Dimension. Es war an der SAFFA 1958, jener großen Frauen-Ausstellung, von der schon in anderem Zusammenhang die Rede war (vgl. S. 85). Einige Frauen, die der evangelischen Schwesternschaft von Grandchamps nahestanden, hatten in der Vorbereitungsphase der Ausstellung die Idee, einen Raum der Stille zu schaffen. Im Trubel der Ausstellung würden manche Besucherinnen und Besucher das Bedürfnis haben, zur Besinnung zu kommen, zu sich selbst zurückzufinden, vielleicht auch sich für Gott zu öffnen. So entstand der sogenannte »Gottesdienstraum an der SAFFA« (vgl. Anhang »Die Kirche an der Straße der Welt«, S. 241). Kirche sollten wir ihn offiziell nicht nennen, aber inoffiziell hieß er natürlich das SAFFA-Kirchlein. Die Katholikinnen sorgten dafür, daß jeden Morgen eine Messe gelesen wurde, wir Protestantinnen hielten jeden Abend eine kurze Abendandacht, von Laiinnen gehalten, an den Sonntagen fanden Gottesdienste aller Konfessionen statt. Das größte ökumenische Ereignis aber war das gemeinsame Mittagsgebet. Es folgte einer immer gleichen Liturgie, die um die Seligpreisungen kreiste, und in die Responsorien konnten alle einstimmen. Dieses Mittagsgebet war der stärkste Anziehungspunkt in unserem Kirchlein. Viele kamen zufällig dazu, mehr und mehr planten ihre Teilnahme, weil es sich herumgesprochen hatte, daß da alle gemeinsam beteten. »Seid ihr endlich soweit?!« Das war die Reaktion vieler. Wenigstens einmal am Tag wurde im Gebet der Graben übersprungen, der die Konfessionen immer noch trennte, und es waren Frauen, die das taten.

Am tiefsten war der Eindruck für uns, die wir regelmäßig dabei waren. Frauen aus den verschiedenen Kirchen waren im Vorraum des Kirchleins präsent, gaben Auskünfte, empfahlen Bücher, führten Gespräche. Wir sprangen füreinander ein – Katholikinnen verteilten unsere Gesangbücher, wenn wir Abendandacht hielten, und wir am Morgen ihre Meßtexte. Wir kamen miteinander ins Gespräch. Katholikinnen saßen in den hinteren Bänken, wenn wir Abendmahl feierten, was jede Woche geschah, und wir verfolgten von der kleinen Sakristei aus sehr häufig die Messe. Sie wurde schon damals (vor dem Zweiten Vatikanischen Konzil) zum größten Teil deutsch gesungen. Wir lernten die Melodien und Texte. Sie gingen uns nach. »Wenn das katholisch ist, was trennt uns dann eigentlich?« Wir begegneten einander nicht nur als freundliche, hilfsbereite Menschen, sondern in der Tiefe unseres Glaubens. Wir erfuhren, was die Einheit ist oder sein könnte, welche die offiziellen Vertreter unserer Kirchen mit komplizierten theologischen Argumenten suchen und verhindern.

Am letzten Abend in der Ausstellung saß ich mit einer Katholikin, die mir sehr nah gekommen war, in dem kleinen Café gegenüber der Kirche. Wir waren wehmütig gestimmt, aber es war kein Abschied. Wir wußten, daß wir miteinander verbunden bleiben würden. »Hinter diese Erfahrungen können wir nie mehr zurück«, das versprachen wir einander und hielten es auch bis auf den heutigen Tag. Warum unsere Kirchen nicht zur vollen Einheit finden konnten, begriffen wir nicht mehr. Trotzdem war die Schwelle zu einer gemeinsamen Eucharistiefeier noch zu hoch. Noch waren wir zu gehorsame Töchter unserer Kirchen, und für mich, als Protestantin, war der Respekt vor dem Glauben meiner katholischen Schwestern zu groß. Die Einladung mußte ja von ihnen ausgehen. Wir meinten, freier zu sein. Wir glaubten doch, daß Jesus selbst der Einladende war. Konnten wir – konnte ich – ihn aber wirklich auch in einer katholischen Meßfeier so erleben?

Vorläufig blieben wir in Freundschaft und Schwesterlichkeit, in offiziellen und inoffiziellen Gruppierungen und in der Weiterführung des ökumenischen Mittagsgebets beisammen. Dieses wurde einige Jahre lang immer am Freitagmittag in drei Kirchen in Zürich gehalten, mit der gleichen Liturgie und wechselnden Fürbitten. Der tragende Kreis war ökumenisch, aber unsere Konzession an die kirchliche Realität war, daß es in je einer protestantischen, einer römisch-katholischen und einer christkatholischen Kirche stattfand, bis es sich schließlich totlief. Für mich waren Gespräche und ökumenische Tagungen wichtiger, wobei sich bei jedem Zusammensein die Frage der gemeinsamen Eucharistie stellte. Es brauchte mehr als zehn Jahre, bis die gehorsamen Töchter den Schritt über die kirchenrechtlichen Grenzen und die eigenen tiefsitzenden emotionalen Hindernisse hinweg wagten, zuerst in einem kleinen privaten Kreis, dann an einer großen Tagung.

Während ich dies schreibe, liegt ein kleines hellblaues Blatt vor mir, das Deckblatt für die Liturgie dieser ersten Eucharistiefeier. Es trägt neun Unterschriften, diejenige des Priesters, eines Jesuiten, und die von acht Frauen, vier Katholikinnen und vier Protestantinnen, dem innersten Kern derer, die nach der SAFFA zusammengeblieben waren. Wir hatten das dringende Bedürfnis, einen Schritt weiterzugehen. Das Zweite Vatikanische Konzil hatte in der Zwischenzeit so viele Hoffnungen geweckt, und doch ging alles so entsetzlich langsam. Wir wollten uns nicht mehr fügen.

So saßen wir am Abend des 8. November 1969 in der Wohnung von einer der Katholikinnen zusammen, erwartungsvoll und doch auch etwas ängstlich. Vor uns stand der Tisch mit Brot und Wein, und ich spüre noch mein ur-protestantisches Erschrecken, als der Priester in seinem vorgeschriebenen liturgischen Gewand an diesen Tisch trat. Die Liturgie war uns zuliebe so vereinfacht worden, daß wir sie mitbeten konnten, aber es war eine katholische Eucharistiefeier. Trotz Befangenheit und innerer Unfreiheit war es ein starkes Erlebnis. Unsere Gemeinschaft wurde vertieft. Auch hinter diese Erfahrung würden wir nie mehr zurückgehen können. Es war wirklich ein »point of no return«. Das sollten auch die Unterschriften auf dem Deckblatt der Liturgie bezeugen. Jede von uns nahm so ein Blatt mit allen Unterschriften mit. Es war mehr als ein Andenken, es war ein Zeichen der Hoffnung, aber auch eine Verpflichtung. Seither glaube ich noch weniger an die vielen ökumenischen Formulierungen, die angeblich näher an die Einheit heranführen sollen. Seither leide ich aber auch tiefer an der Unmöglichkeit gemeinsamer Abendmahlsgottesdienste. Bei allem Respekt vor dem tief in den verschiedenen christlichen Traditionen verwurzelten unterschiedlichen Verständnis und der Gebundenheit des Gewissens von Brüdern und Schwestern in anderen Kirchen kann ich nicht verstehen, daß die Gemeinsamkeiten nicht stärker als die Unterschiede sind, daß das Leben die Theorie nicht besiegen kann.

Nochmals ein Jahr später trugen wir unsere persönliche Erfahrung in einen größeren Kreis. Auf einer Frauentagung mit dem Thema »Im Wandel leben« fand am Sonntagmorgen ein Gottesdienst mit einer gemeinsamen Eucharistiefeier statt, gehalten von einem katholischen Priester und einer reformierten Pfarrerin. Sie hielt die Predigt, er sprach die entscheidenden Einsetzungsworte, und sie teilten sich in die Verteilung von

Brot und Wein. Kirchenrechtlich war es eine katholische Eucharistiefeier, aber das störte die Teilnehmerinnen nicht. Wir erlebten den Gottesdienst als Stärkung auf unserem Wege »im Wandel«. Er war auch eine Bestätigung des Ziels, das für viele von uns noch gültig war: die Einheit der Kirche.

Eine Gruppe befaßte sich speziell mit dem Thema »Interkommunion«. Sie verfaßte eine Erklärung (vgl. Anhang »Interkommunion«, S. 243), die von den meisten Tagungs-Teilnehmerinnen unterschrieben wurde und die wir an unsere Kirchenleitungen, an den ÖRK und an die offiziellen ökumenischen Gesprächsgruppen weiterleiteten. Die Antworten darauf waren dürftig. Sie enthielten väterliche Ermahnungen, wir sollten nicht vergessen, daß natürlich zuerst ein Einverständnis darüber zu erreichen sei, was unter Offenbarung, Kirche, Bekenntnis, Amt und Amtsnachfolge zu verstehen sei. Sie enthielten auch das Versprechen, das nie eingelöst wurde, man(n) werde das in diesem Dokument Ausgedrückte ernst nehmen und sich zu gegebener Zeit daran erinnern.

Was wollten wir zum Ausdruck bringen? Wenn ich heute diesen Text lese, spricht er mich immer noch an. Er ist natürlich in der offiziellen Kirche völlig verschwunden wie so vieles, das Frauen gedacht und getan haben. Er setzte beim Leben an, er nahm Bezug auf das, was auch an der Tagung diskutiert worden war, auf die Weltsituation, die nach Wiederherstellung der Einheit der Menschheit schrie, und auf die immer zahlreicher werdenden konfessionell gemischten Ehen. Wir begründeten unsere Forderungen mit unserer gemeinsamen Erfahrung, mit einer unter uns gewachsenen Gemeinschaft, die »nach dem sichtbaren Ausdruck in der Eucharistie« verlangte. Wir erklärten, daß wir uns stärker der Zukunft als der Tradition verpflichtet fühlten, und wir sprachen den Konflikt zwischen unserer Mündigkeit und der Loyalität gegenüber unseren Kirchen offen an. Wir wollten diese Belastung nicht mehr länger ertragen. Darum baten wir »die Kirchenleitungen, diesem unwürdigen Zustand so rasch wie möglich ein Ende zu bereiten«. Im Grunde genommen war der Text ein Notruf von Frauen, die ihre Kirche liebten. Ihre Stimme wurde auch damals nicht gehört. Was verstanden wir schon von den großen dogmatischen

Aussagen, von den heiligen Traditionen? Was ging diese so sicher in unseren Kirchenleitungen sitzenden Männer die Lebenserfahrung von Frauen an? Was kümmerte sie unser Leiden an der Kirche und das Glück, die Freude der von uns erlebten und gefeierten Einheit? Wir hätten damals nicht zu sagen gewagt, daß diese Kirche uns unterdrückte. Wir empfanden es auch nicht so, aber irgendwie spürten wir, daß dieses Leiden tiefere Wurzeln hatte, als wir damals erkennen konnten, und wir stellten uns an die Seite derer, die nach vorne drängten. Ich erinnere mich noch lebhaft an die Auseinandersetzung darüber, ob wir uns für die »Alten« oder für die »Jungen« entscheiden sollten. Als »Mütter« dachten wir an die Jungen. Die »Väter« hätten sich sicher für die Alten, für die Tradition entschieden.

Dem Text fehlt jeder Hinweis auf die Situation der Frauen in der Kirche und damit auch eine grundlegende Kritik an der Männerkirche, am Patriarchat. Dabei war es doch die Zeit, in der in den USA die neue Frauenbewegung im Aufbruch war. In einer Publikation des ÖRK, die nur ein Jahr später erschien und den provozierenden Titel trug »Gladly we rebel«[*] (Wir rebellieren freudig), findet sich der Satz einer Amerikanerin:

»Seit dem ersten Jahrhundert der christlichen Geschichte ist die Kirche einer der Haupt-Unterdrücker der Frauen gewesen, und zwar weil sie Hand in Hand mit der Welt ging.«

Diese Rebellion lag uns noch fern. Der Text über Interkommunion ist innerkirchlich, obschon sich bei den jüngeren Teilnehmerinnen innerhalb unserer Organisation der Unwille über diese Kirche auch regte, nach ihrer Stellung in der Welt gefragt wurde und die Frage nach der Einheit der Kirche an Wichtigkeit verlor gegenüber den drängenden Problemen um Gerechtigkeit in der Welt und um Einheit der ganzen Menschheit. Als christliche Frauen waren wir aber dazu erzogen worden, daß wir eher die Ungerechtigkeit gegenüber den Völkern der Dritten Welt wahrnahmen als diejenige gegenüber uns selbst.

Festzuhalten ist trotzdem: Die 120 Frauen, die den Text zur

[*] Gladly we rebel, Risk, Volume 7, Number 1, 1971, WCC

Interkommunion unterschrieben, hatten vorher einen wichtigen Schritt getan. Im bewußten Ungehorsam gegenüber der kirchlichen Lehre, und das heißt doch: als mündige Menschen der eigenen Erfahrung folgend, hatten wir miteinander Eucharistie gefeiert. Daß die angesprochenen Kirchen ausweichend und de facto nicht reagierten, hätte uns noch deutlicher zeigen können, welchen Stellenwert wir hatten. Was wir aus tiefster Glaubenserfahrung sagten, bewegte die offiziellen Kirchen nicht. Heute würde ich sagen: *Wir waren* damals Kirche, ohne das so sagen zu können, und sind wir heute wirklich weiter?

Dazu einige Bemerkungen und Erlebnisse aus der neuesten Zeit. Im Schweizer Evangelischen Pressedienst vom 3. 10. 1985 steht unter dem Titel »Warnung vor ökumenischem Wildwuchs« folgender Bericht:

»Einen übertriebenen Optimismus hinsichtlich des ökumenischen Bemühens der Kirchen hält der Ratsvorsitzende der Evangelischen Kirche (EKD) Landesbischof Eduard Lohse für verfehlt. ›Der entscheidende Durchbruch ist bisher noch nicht da‹, erklärte Lohse in einem Interview in der Zeitschrift ›Weltbild‹. Lohse rät davon ab, daß Gläubige und Kirchengemeinden ohne Rücksicht auf die offizielle Kirchenlinie ihre eigene Ökumene praktizieren. Die ökumenische Praxis der Gemeinden und der einzelnen Gläubigen vor Ort müsse von den Kirchenleitungen mitgetragen werden, damit nicht aus Spontaneität ein ›ökumenischer Wildwuchs‹ entstehe.«

Nun weiß ich wenigstens, was wir waren: ökumenischer Wildwuchs! Eigentlich gefällt mir das Bild, und ich glaube und sehe es auch mancherorts, daß solcher Wildwuchs gedeiht und nicht umzubringen ist. Vielleicht läßt er sich nicht zurechtschneiden, vielleicht durchwächst er die sorgfältig gezogenen und beschnittenen Hecken der ordentlichen Kirchen?

Im Juni 1984 besuchte der Papst die Schweiz. Am Fernsehen verfolgte ich sein Treffen mit der Jugend. Junge Mädchen und Burschen lagerten auf einer Wiese. Sehr aufmerksam schienen sie nicht zuzuhören, sie waren mehr mit sich selbst, miteinander beschäftigt. Plötzlich war ich fasziniert. Ich hörte die Stimme einer jungen Frau. Sie wagte es, an dieser Stelle von ihren Träumen von der Kirche zu sprechen, einer Kirche, die alle Stimmen hört, die auch die Frauen braucht, die ihre Mitarbeiterinnen nicht versteckt und vertröstet. Als sie vom Priesteramt der Frau sprach, wurde sie von Buh-Rufen unterbrochen. Es klang, als wären diese organisiert, sie kamen nicht von den vergnügten jungen Menschen auf der Wiese, sondern aus den vordersten Reihen. Doch tapfer fuhr die Unbekannte fort:

»Plötzlich erwachte ich aus meinem Traum. Eine große Heilige, die vor 400 Jahren gelebt hat, kam mir in den Sinn. Teresa von Avila, die einmal sagte: ›Allein der Gedanke, daß ich eine Frau bin, reicht aus, mir die Flügel zu lähmen.‹ Wie vertragen sich gelähmte Flügel mit der Aufforderung, Salz der Erde, Licht der Welt zu sein? Nun, wer träumt, der hofft.«

Ich bewunderte diese Unbekannte, ich wollte sie suchen und fand sie auch. Sie hatte mir meine eigene, scheinbar so andersartige und doch so ähnliche Situation noch bewußter gemacht. Wenige Tage zuvor war ich selbst am Fernsehen zu sehen gewesen als eine der Präsidentinnen des ÖRK in einem ökumenischen Gottesdienst, neben dem Papst. Es war ein sonderbares Gefühl. Viele Frauen, die mich kannten, sagten, sie seien stolz gewesen, mich dort zu sehen, die einen meinten mir anzusehen, daß ich mich nicht wohl fühlte, die anderen glaubten, die innere Abwehr des Papstes zu erkennen. Die Verantwortlichen im ÖRK hatten dafür gesorgt, daß wir Frauen sichtbar waren. Der Gottesdienst war so gestaltet, daß der Papst nicht Leiter des Gottesdienstes war. Es war eine besondere Situation, aber natürlich keine Eucharistiefeier. Oft bin ich gefragt worden, was ich empfunden habe. Das ist schwer zu sagen. Es war ein Stück mit festgelegten Rollen. Für uns Frauen kommt bei solchen Anlässen immer noch die Frage dazu: Was ziehe ich an? Was entspricht mir und dem Anlaß, oder ist es umgekehrt: dem Anlaß und doch auch mir, und »telegen« muß es auch noch sein. Nicht zu geistlich und nicht zu weltlich, nicht zu auffallend und doch auch nicht einfach »graues Mäuschen«. Solche Sorgen haben wir Frauen, auch wenn wir noch so befreit sind! Männer haben es leichter, und das Beten ist schwierig in solchen Situationen.

Nach dem offiziellen Gottesdienst gab es im Zentrum des

ÖRK noch ein internes Gespräch mit dem Papst. Am Vormittag hatten die von unserer Seite Beteiligten es miteinander vorbereitet. Frauen sollten unbedingt auch zu Wort kommen, aber als es soweit kam, redeten nur Männer, und sie redeten so lange, daß die Zeit plötzlich vorbei war. Ich war gleichzeitig erleichtert und wütend. Erleichtert, weil ich mich nicht hatte exponieren müssen, wütend über meine Kollegen. »Die Zeit arbeitet immer gegen uns Frauen«, schleuderte ich dem verantwortlichen Gesprächsleiter entgegen. Er meinte beschwichtigend, ich solle an Bilder, an Zeichen glauben. Das Nebeneinander von Frauen und Männern im Gottesdienst habe über das Fernsehen eine viel größere Wirkung als ein paar Sätze im geschlossenen Kreis. Das ist wahr und falsch zugleich, es ist keine Entschuldigung dafür, daß auch dort die alten Rollen siegen, wo an und für sich der gute Wille grundsätzlich vorhanden ist, sie zu ändern.

Am Tag nach diesem Besuch des Papstes beim ÖRK hatte ich die Ehre, den Ökumenischen Rat an einer der feierlichen öffentlichen Messen zu vertreten, als Gast auf der Tribüne, ganz nah vom Hauptaltar. Ich war die einzige Frau unter den ökumenischen Gästen. Mir den Weg zu meinem Ehrenplatz zu erkämpfen war schwierig. Keiner der Aufseher konnte sich offenbar vorstellen, daß ich auf die Tribüne sollte und durfte, und was der ÖRK war, wußten sie schon gar nicht. Schließlich riß der Faden meiner Geduld, und ich verlangte energisch nach irgendeinem »Höheren« – für etwas sollte die Rangordnung von oben und unten doch nützlich sein. Und siehe da, ich wurde plötzlich freundlich durch die Menge auf meinen sonnigen Tribünenplatz geleitet – es war einer der heißesten Tage des Sommers. Dort traf ich verschiedene Männer, die ich aus der ökumenischen Arbeit kannte. Der Vertreter einer protestantischen Freikirche wollte mich unbedingt auf den vordersten, am besten sichtbaren Platz bringen. Ich sei die Rang-Höchste, was wohl stimmte. Sollte ich ihm folgen? Als ich mich dazu entschlossen hatte, stellten zwei orthodoxe Brüder schnell ihre Stühle weiter nach vorn. So war doch die Kirche wieder richtig: Männer im gut erkennbaren geistlichen Gewand mit den dazu gehörenden ebenfalls gut sichtbaren Kopfbedeckungen ganz vorne. Ich mochte mich nicht wehren. Sollten sie doch, wenn es ihnen wohl tat. Oder hätte ich mich wehren sollen? Ich kann das nicht immer und schon gar nicht, wenn es nur um Repräsentation geht. Müssen wir da überhaupt mitspielen? Vielleicht sollten wir besser für unseren Wildwuchs Sorge tragen.

Ökumene der Frauen auf »höchster Ebene«

Ich muß nochmals um fast zwanzig Jahre zurückschauen, in die Zeit des Zweiten Vatikanischen Konzils (1962–1965), das so viele Hoffnungen auf Erneuerung der (katholischen) Kirche weckte und damit verbunden auch auf Änderung der Stellung der Frauen. Eine Schweizerin, Dr. jur. Gertrud Heinzelmann, reichte eine Petition ein, endlich Frauen zum Priesteramt zuzulassen – natürlich ohne Erfolg (vgl. Anhang »Frau und Konzil – Hoffnung und Erwartung«, S. 244). Andere Frauen bemühten sich darum, wenigstens in derselben Funktion wie die dreizehn Männer aus dem Laienstand zugelassen zu werden, die in der Zweiten Session von Papst Paul VI. als »Auditores« (wörtlich übersetzt: Zuhörer) ernannt worden waren. In der Dritten Session war es endlich soweit: Siebzehn Frauen, Laienfrauen und Ordensschwestern, wurden als »Auditrices« eingeladen. Eine katholische Journalistin bemerkte dazu, es sei keine verheiratete Frau dabeigewesen, nur Ledige und Witwen, und weiter schreibt sie:

»Da saßen diese Frauen mit ihren schwarzen Schleiern, neben den männlichen Laien-Auditoren, auf der Tribüne links vorne, ganz nah vom päpstlichen Altar. Bischöfe und Experten kamen, um sie zu begrüßen, ihnen die Hand zu drücken, um die neue Verbundenheit und Solidarität auszudrücken. Einige Sprecher redeten sie zu Beginn ihrer Rede als ›pulcherrimae auditrices‹ oder ›sorores admirandae‹ (›allerschönste Auditorinnen‹ oder ›bewundernswerte Schwestern‹, MB) an. Eine Extra-Snack-Bar wurde rechts vom Petersdom für sie eingerichtet, damit sie sich nicht unter die

Marga Bührig (Foto: Vera Isler)

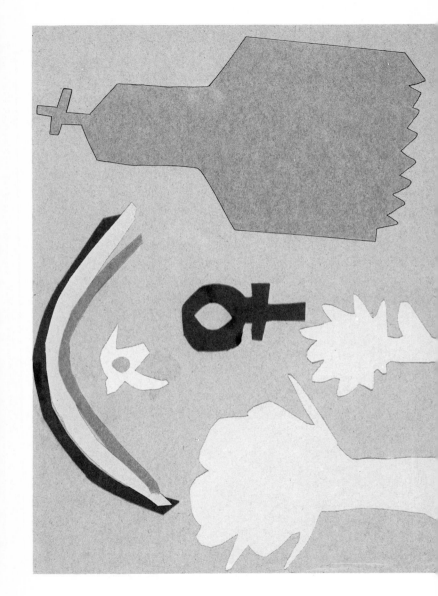

Wilhelm Bührig (1952)

Wanda Maria Bührig (1952)
geb. von Weyssenhoff

Wanda Maria Bührig von Weyssenhoff und Marga Bührig, 1927

Marga Bührig, 1942

Menge in den beiden anderen Cafés mischen mußten. In ihrer eleganten, mit gelber Seide ausgeschlagenen Bar konnten sie plaudern, sich erfrischen und so viele Kuchen und Sandwiches essen, wie sie mochten – alles auf Kosten des Konzils...« *

Das durften sie, aber reden durften sie nicht. Wie so viele Frauen vor und nach ihnen mußten sie sich still anhören, was Männer über sie sagten, und selbst als die männlichen Auditoren wünschten, daß eine Frau in der Diskussion über »Die Kirche in der heutigen Welt« das Wort ergreifen sollte, wurde das nicht erlaubt. Männer, Bischöfe und Laien, machten sich zu Sprechern für die Frauen, und diese Frauen selbst empfanden ihr Dabeisein-Dürfen schon als großen Schritt vorwärts. Heute frage ich mich, warum nicht mehr Frauen protestierten, warum zum Beispiel Gertrud Heinzelmann von so wenigen Frauen unterstützt wurde. Auch ich war damals bei denen, die ihre Eingabe als ein von vornherein zum Scheitern verurteiltes »Vorprellen« empfanden und sich von kleinen Schritten innerhalb der gegebenen Grenzen mehr versprachen.

Einen solchen für mich wichtigen Schritt tat Madeleine Barot, die Kontakt zu den Auditorinnen aufnahm, speziell zu der Spanierin Pilar Bellosillo, der Präsidentin des Weltverbands Katholischer Frauenorganisationen (Union Mondiale des Organisations Féminines Catholiques, UMOFC). Aus dieser Begegnung entstand der Plan, eine kleine Gruppe von katholischen Frauen, meist Auditorinnen, mit einer entsprechenden Zahl von Frauen aus den Mitgliedkirchen des ÖRK zum Austausch von Erfahrungen zusammenzubringen. Ich war eine der Glücklichen, die eingeladen wurden. Ende Oktober 1965, während der letzten Session des Konzils, trafen wir uns in einem kleinen Frauenkloster in Vicarello in der Nähe von Rom, je zwölf Frauen und ein offizieller kirchlicher Berater von beiden Seiten. Wir verbrachten drei reich gefüllte Tage miteinander, und anschließend waren wir Nicht-Katholikinnen nach Rom eingeladen, um am Rande des Konzils dessen Anlie-

* Zitiert aus einem vom ÖRK vervielfältigten Text, der ursprünglich in »The Catholic World« erschienen war.

gen besser kennenzulernen. Wir konnten an einer öffentlichen Sitzung teilnehmen und erlebten ein Rom, das von kirchlichem Aufbruch und ökumenischen Erwartungen sprudelte.

Das Kloster, wo wir zusammenkamen, wurde von einem süddeutschen Frauenorden geführt. Ich sehe noch die Kreuzstichdeckchen in unseren Zimmern, Symbole durch die Jahrhunderte tradierter weiblicher Handfertigkeit, und ich rieche noch die ganz bestimmte Atmosphäre von sorgsam behüteter kleinbürgerlicher Wohnlichkeit. Wir hatten es gut dort, und eigentlich dämmert es mir erst jetzt, daß diese Frauen, die uns so freundlich aufnahmen und bedienten, im wahrsten Sinne des Wortes auch unsere Schwestern waren. Aber das nahmen wir nicht wahr.

Wir hatten genug mit uns selbst zu tun, um einander ein wenig kennenzulernen und herauszufinden, wo Gemeinsamkeiten oder Gegensätze waren. Um das Resultat vorwegzunehmen: Die gemeinsame Frauenerfahrung war schon damals stärker als alles, was uns trennte. Wir kamen entweder aus Frauenorganisationen (besonders auf der katholischen Seite waren diese stark und sehr vielfältig) oder aus verschiedenen kirchlichen Berufen. Allen gemeinsam war der Wunsch nach stärkerer und sinnvoller Integration der Frauen in ihren Kirchen und das Interesse an ökumenischer Zusammenarbeit, das auch durch das Konzil neu geweckt worden war. Eine Katholikin meinte, dieses Treffen zur Zeit des Konzils sei eine nicht einmal in Träumen für möglich gehaltene Chance der ökumenischen Öffnung. Sie, die selbst Auditorin war, erzählte uns auch, bei welcher Thematik die Frauenfrage im Konzil aufgekommen war: nicht bei der Diskussion über die Kirche und nur am Rande, als über die Sendung der Laien gesprochen wurde, sondern bei der Besprechung der Situation in der Welt. Dort kam man auf die veränderte Stellung der Frau, und erst von dort blickte man sozusagen zurück auf die Kirche. Diese Aussage habe ich damals notiert. Sie kam mir bekannt vor. Die Anstöße zur Veränderung mußten offenbar von außen kommen, und ich hätte doch so gerne gehört, daß sie von innen gekommen wären, daß die Frage nach Stellung und Auftrag der Frau eine Konsequenz des Evangeliums gewesen wäre.

Unser Thema in Vicarello lautete: »Die verschiedenen Formen des Dienstes von Frauen in den Kirchen. Information über die heutige Situation und über Studien, die heute in den Kirchen über die Rolle von Frauen unternommen werden.« Die Information über die heutige Situation geschah durch die ausführliche persönliche Vorstellung jeder einzelnen Frau. Ein großer Reichtum kam zutage, aber auch die Beschränkung der Frauen auf sogenannte Frauenfragen und andererseits der dringende Wunsch, am Leben der ganzen Kirche stärker beteiligt zu sein. Eine Ordens-Oberin aus den USA sagte, die Frauen seien zuerst nur zu den Sessionen des Konzils eingeladen worden, von denen man dachte, daß sie speziell von deren Thematik betroffen seien. Sie hätten aber bald gemerkt, daß diese Abgrenzung falsch sei und daß alles sie angehe. Sie trat für eine engere Zusammenarbeit zwischen Ordens- und Laienfrauen ein. »Hier müssen die Regeln geändert werden«, sagte sie energisch, und diese Änderungen sollten die Öffnung zur Ökumene, die persönlichen Kontakte, die Dialogfähigkeit, die Offenheit für soziale Nöte, die Ausbildung der Laien und die aktive Beteiligung an der Seelsorge der Kirche betreffen. Daß sie Änderungen nicht nur geistig verstand, demonstrierte sie am Abend zusammen mit einer jungen Schwester, die eine elegante modernisierte Ordenstracht vorstellte. Diese geistliche Modeschau ist mir lebhaft in Erinnerung geblieben. Sie zog mich an und verwirrte mich, aber die Anziehung war stärker. Sie stand in befreiendem Gegensatz zu dem, was wir so oft gehört und auch selbst gesagt hatten, nämlich daß nicht das Äußere, sondern nur das Innere wichtig sei.

Ich selbst hatte den Auftrag, von seiten des ÖRK über das »heutige Nachdenken über die Rolle von Frauen in der Kirche« zu sprechen. Nach gut reformatorischem Verständnis fragte ich zuerst: Was sagt die Bibel? Dann folgte die Feststellung, daß es keine eindeutige biblische Lehre über die Frau und über ihre Stellung in Kirche und Gesellschaft gebe, sondern nur gelegentliche Aussagen zu bestimmten Fragen (zum Beispiel in 1. Korinther 11 und 14), andererseits bestimmte anthropologische Grundlinien wie die Erschaffung des Menschen als Mann und Frau (1. Mose 1,27).

»Wir haben die alten Texte in einer neuen Situation zu hören. Diese ist geprägt von außen: gesellschaftliche und kulturelle Elemente spielen hinein. Sie ist auch geprägt von der Verkündigung des Evangeliums, das uns heute in säkularisierter Form aus der Welt entgegenkommt.«

Überraschend findet sich mitten in meinen fragmentarischen Notizen der Satz »Gott ist nicht männlich«, und der Schlüsseltext des Ganzen war Galater 3,28 mit der Bemerkung: »Im Neuen Testament werden Mann und Frau in den Leib Christi hineingenommen.« Als Folgerung stellte ich zur Diskussion:

»Die durch die veränderte Welt gestellten Fragen nach der Stellung von Mann und Frau sind ernst zu nehmen. Das bedeutet Gleichwertigkeit und Partnerschaft.

Dies läßt sich nicht lösen von der Frage nach der Erneuerung der Kirche. Es geht nicht um Emanzipation, sondern um ein verantwortliches Miteinander im Dienste Christi an der Welt.«

Diese Sätze entsprachen dem, was im ÖRK zu jener Zeit gedacht wurde, jedenfalls in der speziell für diese Fragen zuständigen Abteilung. Interessant und Hoffnung erweckend war die Reaktion unseres katholischen Begleiters. Er erinnerte daran, daß es die große Rolle der Frau sei, zu dienen, aber er verstand diesen Dienst sehr weit:

»Sie hat die Kirche, die Bischöfe daran zu erinnern, daß das Dienen das erste ist. Ihr Dienst gegenüber den Bischöfen ist, ihnen zu sagen, Christus ist auferstanden... Ein erster Schritt heute ist es, den Frauen all die Rollen zu geben, die jetzt möglich sind: Beitrag der Frauen zur Theologie, einer Theologie der Ganzheit und der Intuition. Sie sollten nicht nur ›auditrices‹ (Zuhörende) sein, sondern wirkliche Beraterinnen. Die sakramentale Anerkennung (gemeint ist das Priesteramt, MB) ist der letzte Schritt.«

Voller Hoffnungen verließen wir Vicarello. Das vielleicht wichtigste Ergebnis dieser Tage war unser fester Entschluß, beisammenzubleiben. Wir waren einander sehr nah gekommen und hatten gespürt, wie ähnlich und nur gradweise verschieden (zum Beispiel in der Frage nach der Ordination der Frau) unsere Stellung und Möglichkeiten in den Kirchen waren. Diese Erfahrungen waren eine starke Motivation, gemeinsam weiterzugehen. Aber wie war das zu verwirklichen? Wer waren wir schließlich, wir vierundzwanzig Frauen, die so bald wieder als einzelne in ihre weit voneinander entfernten Herkunftsländer zurückkehren würden? So suchten wir eine Verankerung unserer Gemeinschaft in der Kirche und erbaten von den zuständigen kirchlichen Stellen – dem ÖRK und dem Sekretariat für die Einheit der Christen beim Vatikan – die Einsetzung einer Frauenkommission. In ihr sollten Ordens- und Laienfrauen vertreten sein, und wir sprachen den Wunsch aus, daß Teilnehmerinnen am Treffen von Vicarello auf alle Fälle dabeisein sollten. Unsere Erfahrungen sollten nicht verlorengehen.

Es war gut, daß die unter uns gewachsene Gemeinschaft in sich selbst stark genug war, um auch ohne diese Autorisierung weiterzuleben, denn bis zur offiziellen Bildung der gewünschten Arbeitsgruppe dauerte es drei Jahre, und ohne den Druck einer letztlich doch nicht von den kirchlichen Gremien abhängigen Gemeinschaft unter christlichen Frauen wäre es möglicherweise nie dazu gekommen. Zum Glück hatten wir starke Frauenorganisationen (vor allem auf katholischer Seite) hinter uns und beim ÖRK eine Abteilung, die innerhalb eines gewissen Rahmens sehr selbständig war und ihrerseits Kontakte zu nationalen Frauenorganisationen hatte. So kam es 1966 und 1967 zu weiteren Zusammenkünften christlicher Frauen. Verantwortlich für die Auswahl der Teilnehmerinnen waren diesmal die Frauenorganisationen, und ihr Gewicht war sehr spürbar. Sie hatten zum Teil eine lange Tradition und wenig ökumenische Erfahrungen, waren aber andererseits aufgeschlossen und neugierig. Es kam zu vielen Begegnungen. Zwei Themen gingen ständig ineinander über: die Diskussionen über die Rolle(n) der Frau in Kirche und Gesellschaft und die Suche nach einem lebensnahen, von realen Situationen ausgehenden ökumenischen Dialog. In einer Zusammenfassung der Gespräche an der zweiten Tagung, die in Taizé stattfand, heißt es:

»Es ist wesentlich, daß wir den Dialog gemeinsam leben und daß unser alltägliches Leben Teil dieses Dialogs ist. Der ökumenische Dialog ist oft wahrhaftig mühsame Arbeit, die Zeit und Mut braucht sowie Ausdauer und einen gewissen Sinn für Realität. Er muß Schritt für Schritt gelebt werden, so wie der Heilige Geist ihn schenkt. Er trägt in sich zugleich Leiden und Freuden und lebt aus der Dynamik der Hoffnung und des Vertrauens in Gott, der die Einheit will und auch schenkt.«

Die geschraubten Sätze verraten, daß wir unseren eigenen Stil und unsere eigene Identität noch nicht gefunden hatten. Nur eins wußten wir ganz sicher: Wir wollten nicht aufgeben, und so wurden vier Frauen nach der zweiten Tagung beauftragt, für die Weiterführung zu sorgen.

In der Zwischenzeit hatte unser Gesuch, eine offizielle Frauengruppe einzusetzen, den Weg durch die Institutionen angetreten. Wer für uns zuständig war, war unklar. Nach dem Konzil hatte sich eine »Gemeinsame Arbeitsgruppe der Römisch-katholischen Kirche und des ÖRK« gebildet, natürlich aus Männern bestehend. Bei ihr landete unser Gesuch, und es beanspruchte in einem 13seitigen Bericht ganze 13 Zeilen. Wir Frauen kamen unter »ferner liefen« vor. Immerhin empfahl diese Arbeitsgruppe 1966 den entsprechenden Gremien die Bildung einer Kommission von zehn Frauen, die sie folgendermaßen charakterisierten:

»... eine gemischte Gruppe von zehn Personen, fünf von jeder Seite, welche die Frauen der Kirchen vertritt und den Auftrag hat, Projekte zu entwickeln und zu koordinieren, die im Gange sind, und dies im Blick auf eine gemeinsame Studie und Aktion der christlichen Frauen auf sozialem Gebiet.«

»Frauen der Kirchen« – von den Frauenorganisationen war nicht mehr die Rede. Wiederum ein Jahr später, im Dezember 1967 und nicht zuletzt unter dem Eindruck der Zahl von Frauen, die in Taizé zusammengekommen waren, empfahl die »Gemeinsame Arbeitsgruppe« rasches Handeln, fügte aber bei, daß das Mandat der zu schaffenden Frauengruppe nur experimentellen Charakter habe und begrenzt sei. 1968 wurden von beiden Seiten je fünf Vertreterinnen ernannt, dazu kamen je zwei Mitarbeiterinnen aus dem Stab des Laienrats beim Vatikan und des ÖRK. Wir waren also vierzehn Frauen, und die von der »Basis« beauftragten Frauen, die alle Erfahrungen von Vicarello her bis jetzt hatten, waren dabei. Zu diesen gehörte ich. Die Gruppe wurde »Women's Ecumenical Liaison Group« (WELG), auf deutsch »Ökumenische Frauen-Verbindungsgruppe« genannt.

WELG – ein Spielplatz für Frauen?

WELG ist für mich ein Eigenname geworden, und ich möchte die Gruppe auch hier so nennen, denn so lebt sie in meiner Erinnerung. Sie war eines meiner Lieblingskinder, darum schmerzte ihr Tod auch so und trug dazu bei, mein altes Mißtrauen gegen kirchliche Strukturen wieder zum Leben zu erwecken. Natürlich war WELG nicht »mein« Kind, aber als eine der beiden Ko-Präsidentinnen habe ich sehr viel Initiative, sehr viel Nachdenken und unzählige Entwürfe in WELG investiert. Andere haben das auch getan. Es würde sich lohnen, diesem Stück Frauengeschichte ausführlicher nachzugehen, als ich es hier tun kann, wo ich mehr von meiner Auseinandersetzung, meiner Liebe und meinen Enttäuschungen berichten will.

Wir waren vierzehn Frauen, mit einer Ausnahme alle aus der westlichen Welt stammend. Ich erinnere mich nicht mehr an alle, aber meine beiden katholischen Ko-Präsidentinnen, die einander ablösten, stehen mir noch lebendig vor Augen. Maria de Lourdes Pintasilgo aus Portugal war eine feurige Denkerin, die etwas von der Ungeduld der neuen Frauenbewegung, einen tiefen Glauben und ein konsequentes theologisches Denken in unsere Gruppe brachte. Ihre Gedanken waren im Augenblick meist nicht realisierbar, aber immer anregend und weitertreibend. Sie schied vorzeitig aus, zuerst wegen Krankheit und dann wohl auch, weil wir ihr zu langweilig waren. Ich denke an ihr 1981 erschienenes Buch über einen neuen Feminismus und an ihre politische Karriere – sie war 1979 einige Monate lang Ministerpräsidentin von Portugal.* Ihre Nachfolgerin war die Holländerin Maria Vendrik, Mitglied des Laienrats beim Vatikan und eigentlich zur Aufsicht in unsere vielleicht allzu autonome Gruppe gesetzt. Aber sie war schwesterlich offen, fair und gerecht, klar in ihrem Denken und frei in ihrem Handeln.

Vierzehn so verschiedene Frauen von verschiedener Herkunft – die einen geprägt durch ihre Stellung im ÖRK oder im Laienrat, die anderen verwurzelt in den Frauenorganisationen, zum Beispiel den amerikanischen, die damals das Eindringen der neuen Frauenbewegung erlebten, oder in der katholischen Arbeiterbewegung in Europa, dazu die Vertreterin der Ordensschwestern, die sich bei uns isoliert fühlte. Es gab Spannungen zwischen der alten Kerngruppe und den neu Dazugekommenen, und die Unklarheit des Auftrags und der Verantwortlichkeiten machten es der Gruppe nicht leicht, sich zu finden. Daß es trotzdem in vier Jahren mit je einer jährlichen Zusammenkunft von drei Tagen möglich war, zusammenzubleiben, ist fast ein Wunder, und daß die kirchlichen Männer-Gremien, denen wir einen umfassenden Bericht nicht nur über unsere Tätigkeit, sondern auch über die Situation der Frauen in der Welt und in der Kirche vorlegten, dieses Potential nicht besser zu nützen verstanden, schmerzte tief.

Im Dezember 1968 fand unser erstes offizielles Treffen in Rom statt, in einem großen, kalten, steinernen Gebäude, das einer katholischen Laieninstitution gehörte. Es war am Ende eines bewegten Jahres, der Ruf nach einer neuen, dynamischen, nicht auf Gesetz und Ordnung aufgebauten Gesellschaft war laut erklungen. Wir waren alle nicht mehr jung, alle »in der Mitte« des Lebens oder darüber hinaus. Ich selbst ging mit einer Mischung von Stolz und Freude einerseits, Unklarheit über unsere Möglichkeiten andererseits an diese neue Aufgabe heran. Es war spannend und anregend, zusammenzusein, es

---

* Maria de Lourdes Pintasilgo: Les nouveaux féminismes, Editions Cerf, 1980. Dazu die Schilderung ihrer Regierungstätigkeit in: Roger Garaudy: Der letzte Ausweg. Feminisierung der Gesellschaft, Walter-Verlag, Olten und Freiburg i. Br. 1982

war auch immer wieder so, als faßten wir »die Sache, um die es eigentlich ging«, am Schopf oder am Schwanz, und dann entwischte sie uns wieder. Wenn ich heute unsere Protokolle durchlese, kommt es mir so vor, als hätten wir verzweifelt nach Themen und Aufgaben gesucht und auch immer wieder Projekte gefunden, so zum Beispiel »Das Bild der Frau in den Massenmedien« und »Frauen und Frieden«, wirklich wichtige Themen, aber die Konferenzen zeitigten doch nicht viele Ergebnisse. Heute denke ich, wir haben nicht klar genug wahrgenommen, daß wir selbst, wir Frauen, das Thema waren, unser Vorhandensein oder eben Nicht-Vorhandensein in den offiziellen Kirchen. Oder anders gesagt: Wir haben nicht gewagt, uns selbst zum Thema zu machen, aufzubegehren, nach Befreiung zu rufen, uns selbst aus den uns gegebenen Strukturen zu lösen. Wir waren zu gut domestiziert und zu glücklich, ein Forum, einen Platz in der Kirche gefunden zu haben. War es wirklich einer, von dem Veränderungen hätten ausgehen können?

Bei unserem ersten Treffen befaßten wir uns mit möglichen Studienthemen. Mir selbst schwebten nicht theoretische Forschungsthemen vor, sondern ein Prozeß gemeinsamen Nachdenkens. Dabei sollten Denken und Handeln, Aktion und Reflexion miteinander verbunden sein. Aber sollte es um Dienst und Platz der Frauen in der Kirche oder um ihre Beteiligung an gesellschaftlichen Veränderungen gehen? Wir sahen beides und fühlten uns doch ohnmächtig. In einem von mir verfaßten Entwurf eines Briefes, den die beiden Präsidentinnen nach dieser ersten Zusammenkunft an die Frauen-Organisationen schreiben sollten, heißt es:

»Man hat den Eindruck, daß das Problem der Beteiligung der Frau in der Gesellschaft und in der Kirche von allen Seiten studiert worden ist, daß wir aber jetzt eine Art gemeinsamer Strategie finden sollten, um das in Kraft zu setzen, was wir schon wissen.«

Dieser Punkt fehlt in der definitiven Fassung. Das ging offenbar zu weit. »Strategie« wurde – mit meiner Zustimmung! – geändert in »Information« über schon existierende Studien und die Anregung, bestimmte Themen aufzugreifen, vor allem die

Frage nach der Beteiligung von Laien und lokalen Gruppen an der Erneuerung der Kirche.

Interessant ist die Reaktion einer Empfängerin des Briefes, die ehrlich schrieb, sie wisse eigentlich immer noch nicht, was wir wollten. Sie habe gemeint, wir seien eine Gruppe von Expertinnen, die ihre Einsichten und Erfahrungen austauschen, selbst einen Lernprozeß durchmachen und diesen mit einer größeren Gruppe teilen würden. So verstanden wir selbst uns tatsächlich auch. Aber dann schreibt sie:

»Es scheint mir fast, daß das wichtigste Wort im Namen Eurer Gruppe nicht länger ›Ökumenische Verbindung‹, sondern ›Frauen‹ ist.«

Sie hatte ganz recht, aber das konnten wir nicht zugeben, weil wir selbst es noch nicht so sahen. Mit ganzer Schärfe wurde uns die Frage nach dem Sinn unserer Arbeit ein Jahr später gestellt. Es ging um die Beteiligung von WELG an der Verbreitung eines Textes des ÖRK und um unsere Stellungnahme dazu. Ein Gast aus Argentinien kritisierte die völlige Abwesenheit von Frauen in den Strukturen der Gesellschaft und der Kirchen und betonte, es gehe nicht um die Mitarbeit der Frauen innerhalb von bestehenden Strukturen, sondern um die volle *Zusammenarbeit* Gleichgestellter. Dazu hätten wir Strategien gebraucht!

In derselben Sitzung verteilte Margaret Shannon, USA, das Manifest einer informellen Gruppe christlicher Frauen, das diese an eine Versammlung der offiziellen großen Frauenorganisation »Church Women United« gerichtet hatten. Darin heißt es:

»Wir werden erst imstande sein, eine neue Kirche und eine neue Gesellschaft zu schaffen, wenn Frauen voll beteiligt sind. Wir beabsichtigen, voll Beteiligte zu sein. Viele, die hier sitzen, sind sich der Unruhe nicht bewußt, die unter denkenden Frauen zunimmt und die sich in mehr oder weniger organisierter Form im ganzen Lande ausdrückt. In vielen Publikationen von avantgardistischen bis zu Familienblättern wird das Thema formuliert, daß ›die Frauen in diesem Lande sich zu einer Art ziviler Revolte sammeln und daß die Bevölkerung im allgemeinen überhaupt

nicht wahrzunehmen scheint, was da vor sich geht, oder daß da wirklich etwas vor sich geht...‹ Wir möchten, daß Ihr folgendes erkennt: wenn wir über die Befreiung von Frauen im Leben der Kirche sprechen, denken wir an das, was sowohl in der Römisch-Katholischen als auch in Protestantischen und Orthodoxen Kirchen vor sich geht. Wir sprechen sowohl über das, was in schwarzen als auch über das, was in den vorwiegend weißen Kirchen vor sich geht.«

Sie versicherten uns, daß Frauen im Begriff seien, sich zu erheben und sich zusammenzuschließen, und diesmal würden sie ihre Arbeit vollenden. In den siebziger Jahren würden wir – würde man – von ihnen hören.

Diese Worte richteten sich nicht direkt an uns – oder doch? Ich versuche, mich an meine eigene Reaktion zu erinnern. Mir kam das fremd und verwirrend vor, und doch sprach es mich irgendwie an. Ich erkannte etwas von mir selbst wieder und fühlte mich andererseits denen verantwortlich, die uns eingesetzt hatten und die, wie ich meinte, etwas von uns erwarteten.

»Wir würden von ihnen hören in den siebziger Jahren.« Dazu eine persönliche Erinnerung. 1971 organisierte WELG eine Konferenz in Wien über das »Bild der Frau in den Massenmedien«. Sie war gedacht für Fachleute und für Frauen aus den uns nahestehenden Organisationen, es war auch eine Art von Fortsetzung der Tagung von Taizé. In diese Konferenz brach eine junge Amerikanerin ein, Journalistin und Mitglied von »NOW«, der von Betty Friedan gegründeten Frauen-Befreiungsbewegung National Organization of Women, und einige weitere jüngere Teilnehmerinnen. Sie brachten einen anderen Stil in die Konferenz, den wir nicht gewöhnt waren. Wo wir sorgfältig zu überlegen versuchten, forderten sie unmittelbare Aktionen, und sie taten das in einer Form, die auch in der Konferenz selber die Spielregeln von Wortmeldungen der Reihe nach durchbrach. Die beiden Leiterinnen der Konferenz, die spanische Katholikin Pilar Bellosillo und ich, hatten große Mühe, sich demokratisch zu verhalten. Ein paar Sätze aus unserer Auswertung zeigen die Spannung.

»*Die Gegenwart einiger junger Vertreterinnen der* Frauenbefreiungsbewegung *hat zu vielen Kommentaren Anlaß gegeben. Die
einen fanden, wir hätten sie zu viel, andere meinten, zu wenig
reden lassen. Viele von uns wurden zum erstenmal mit einer
neuen Methode konfrontiert. Die christlichen Frauenorganisationen neigen im allgemeinen dazu, den Weg einer langen und
langsamen Evolution zu gehen, während die Frauenbefreiungsbewegung die Methode der Provokation durch gezielte Aktionen
und den Einsatz von pressure-groups anwendet. Wir müßten
darüber nachdenken, warum es für uns so schwierig ist, uns auf
wenige konkrete Postulate zu einigen. Wir müßten auch darüber
nachdenken, wieso wir in den Augen der anwesenden Vertreterinnen der Frauenbefreiungsbewegung eine Gruppe waren, die
Macht hat oder haben könnte, während wir selbst uns oft für
recht ohnmächtig halten, weil wir nicht in den Gremien unserer
Kirchen sitzen, welche die Entscheidungen treffen*« (s. Anhang
»*Vorschläge zur Aktion*«, S. 244).

Uns nicht auf wenige Postulate einigen können, nicht Macht
ausüben, die wir haben könnten – hier war etwas über die wirklichen Schwächen von WELG gesagt. Hier hätten wir wirklich
Strategien gebraucht, aber wir kamen gar nicht auf die Idee,
daß wir Macht hatten oder haben können. Wir blieben bei den
kleinen Schritten innerhalb des Rahmens, den wir als von uns
nicht veränderbar annahmen, auch wenn wir uns innerlich auflehnten. Zwar kam es auch auf diese Weise zu interessanten
Fragestellungen, zum Beispiel zu Fallstudien aus verschiedenen Ländern über alltägliche ökumenische Begegnungen. Wir
stellten eine Bibliographie über Rolle und Aufgabe der Frau in
den Kirchen zusammen, und wir erlebten in unseren jährlichen
Zusammenkünften immer wieder unsere Gemeinschaft im
Glauben. Aus diesem Grund betonten wir, daß Frauen eine
wesentliche Rolle bei der Erneuerung der Kirche und auf ihrem
Weg zur Einheit und zur Ganzheit zu spielen hätten. In einem
Brief an diejenigen, die unseren Schlußbericht redigierten,
schrieb ich:

»Wir brauchen so etwas wie ein Credo oder eine Philosophie, warum wir denken, daß die volle Beteiligung von Frauen und die Erneuerung der Kirchen fest miteinander verbunden sind. So etwas wie ein prophetisches Wort wäre nötig, um darauf hinzuweisen, daß es schon sehr spät ist und daß wir die nächste Generation von Frauen verlieren könnten oder schon verloren haben. Sie ist müde geworden über den sehr langsamen Prozessen innerhalb der Kirchen, nicht nur auf dem Gebiet der Befreiung und der Partnerschaft von Männern und Frauen, sondern auch im Ökumenismus: Interkommunion, Priesteramt und Zölibat, Ordination der Frau, Platz und Rolle der sog. Laien in der Kirche etc.«*

Das Mandat von WELG war von Anfang an auf vier Jahre begrenzt gewesen, und 1972 mußten wir der »Gemeinsamen Arbeitsgruppe der römisch-katholischen Kirche und des ÖRK« Rechenschaft ablegen. Wir überblickten unsere Arbeit nochmals und kamen einmütig zu dem Schluß, daß es so etwas wie WELG auch weiterhin geben sollte, das heißt, daß die Anliegen der Frauen auf ökumenischer Ebene unbedingt vertreten werden sollten. Wir machten auch praktische Vorschläge in bezug auf Freistellung von Geld und Arbeitskraft für diese Aufgabe, denn diese Fragen waren in den vier Jahren unserer Existenz nie klar geregelt gewesen. Wir Frauen arbeiteten neben- und ehrenamtlich und brachten immer irgendwie die nötigen Finanzen zusammen.

Am 1. Juni 1972 übergaben wir zu dritt – in guter ökumenischer Zusammensetzung: eine Katholikin, eine Orthodoxe, eine Protestantin – der Gemeinsamen Arbeitsgruppe unseren Schlußbericht. Wir wurden sehr freundlich und höflich empfangen, es gab, wie wir sagten, ein »gutes Gespräch«. Wir erhielten den Auftrag, in der unmittelbar darauf folgenden letzten Sitzung von WELG präzise Vorschläge für die – grundsätzlich akzeptierte – Fortsetzung zu machen. Wir legten das Projekt einer umfassenden Studie über »Frauen in der Kirche von heute und morgen« vor und verlangten eine Fortsetzung der Konferenz über »Die Rolle von Frauen in der Friedenserziehung« (eine erste Konferenz zu diesem Thema hatte 1971 auf

Zypern stattgefunden). Wir unterbreiteten auf Grund unserer Erfahrungen und in Kenntnis der komplizierten Strukturen auch ganz konkrete Vorschläge für die Zusammensetzung einer neuen Gruppe. Voll Vertrauen nach dem »guten Gespräch« gaben wir die Arbeit aus den Händen, sprachen die Hoffnung aus, daß unser umfassender Schlußbericht von den entsprechenden Gremien verbreitet werde, und wünschten unseren Nachfolgerinnen (wir wußten ja nicht, daß es diese nie geben würde), »daß sie ebenso viel Freude an ihrer Aufgabe finden würden, wie wir erfahren haben, indem wir diese Arbeit im Dienst an den Frauen und für die Einheit der Kirche taten«.

Das war das Ende. Wir hörten nie mehr etwas – jedenfalls nichts Offizielles – von denen, die uns eine Fortsetzung versprochen hatten. Die ganze Sache geriet in die Krise der offiziellen Beziehungen zwischen Vatikan und ÖRK, und auch andere gemeinsame Aufgaben wurden fallengelassen. Es ging nicht nur den Frauen so. Trotzdem war es bitter, vor allem auch darum, weil keine offene Kommunikation möglich war und wir mit leeren Versprechungen abgespeist wurden. Es war eine weitere Frauen-Erfahrung in der Männerkirche, auch wenn wir das damals nicht so nannten. Für diese Männer war WELG offenbar wirklich ein Spielplatz für Frauen gewesen. Für uns – für mich – war es mehr. Auch wenn ich heute unsere Schwächen klarer sehe, überwiegt in der Erinnerung der Reichtum der Beziehungen unter Frauen verschiedener konfessioneller und kultureller Herkunft und die Erfahrung einer Gemeinsamkeit, die wohl mehr mit Frauen und Glauben als mit der Institution Kirche, der wir so viel Ehre erwiesen, zu tun hatte.

Daß die Thematik, um die wir kreisten, weiterging, zeigen zwei voneinander getrennte und doch in Zusammenhang stehende Entwicklungen.

– Innerhalb des ÖRK fand 1974 eine Frauen-Konferenz »Sexismus in den siebziger Jahren« in Berlin statt, auf der die Forderungen von Frauen sehr deutlich und lautstark zur Sprache kamen. Als Folge davon drängte der ÖRK auf stärkere Vertretung von Frauen in den Delegationen an seine Vollversammlungen. An derjenigen in Nairobi (1975) konnten die anwesenden Frauen erstmals ihre Anliegen an einer ganzen Plenarversammlung, das heißt einen ganzen Vormittag lang, darstellen. Daß sie den Zeitrahmen etwas überschritten, ärgerte viele Männer. Wie wenn diese nicht durch die Jahrhunderte hindurch schon oft zu lange geredet hätten! Von 1978 bis 1982 lief eine Studie »Die Gemeinschaft von Frauen und Männern in den Kirchen« durch die Mitgliedkirchen des ÖRK. Sie fand ein gutes Echo, wurde durch eine Konferenz in Sheffield (1981) und die Herausgabe eines Berichts* vorläufig abgeschlossen. Frauen nahmen tatsächlich in größerer Zahl als Teilnehmerinnen und Rednerinnen in Vancouver (1983) teil, und der Zentralausschuß des ÖRK beschloß, im Januar 1987 eine kirchliche »Frauendekade« auszurufen, beginnend mit Ostern 1988. Es geht also weiter, nur *ein* Rückschritt gegenüber WELG ist durch die Strukturen gegeben: die römisch-katholischen Frauen sind nicht beteiligt.

– Beteiligt sind sie dagegen an einem neuen Zusammenschluß der konfessionellen Frauenorganisationen in Europa. Nach vielen inoffiziellen Treffen und einer stark beachteten Konferenz in Brüssel (1978) wurde 1982 in Gwatt/Schweiz das »Europäische Forum christlicher Frauen« gegründet. Damit ist eine Form wieder aufgenommen, wie sie vor der Gründung von WELG bestanden hatte, die der konfessionellen Frauenverbände, aber sie hat sich wesentlich verbessert: Sie ist ausdrücklich europäisch – was eine bessere Konzentration der Arbeit ermöglicht –, und Europa heißt West- und Osteuropa. Auch hier sind Lernprozesse unter Frauen im Gang, die von Bedeutung für die beteiligten Kirchen und deren Einheit sind. Werden sie diesmal beachtet werden?

---

* Die Gemeinschaft von Frauen und Männern in der Kirche, hrsg. von Constance F. Parvey, Neukirchener Verlag 1985

Anstöße
zur Radikalisierung

Für eine Tagung in einer Schweizer Akademie habe ich 1983 meine eigene »Lebenslerngeschichte« unter den Titel »Lebens-Aufbrüche« gestellt. Vier entscheidende Themen oder Anstöße fielen mir dabei ein: die Weite der Ökumene, die Begegnung mit der jüngeren Generation, die politische Desillusionierung und die neue Frauenbewegung. Meine heutige Frage an mich selbst heißt: Was hat eigentlich in meinem Leben zu einer Radikalisierung geführt, zu einer späten Radikalisierung, möchte ich sagen? Seit 1981 steht ein amerikanisches Buch in meinem Bücherschrank: Zilla Eisenstein, »The radical future of liberal feminism« (Die radikale Zukunft eines liberalen Feminismus). Als ich es kaufte, war ich noch kaum beim Wort »Feminismus« angelangt, aber der Titel sprach etwas in mir an. Als ich es 1986 in die Hand nahm, begann ich besser zu begreifen, was in mir rumorte. Die Verfasserin redet vom revolutionären, radikalen Potential in der ursprünglich gut bürgerlichen Frauenbewegung, und sie sieht dieses in der Unvereinbarkeit der von Frauen formulierten Forderungen nach Selbstbestimmung und Eigenständigkeit mit der Wirklichkeit, in der sie/wir leben, obschon sich diese Wirklichkeit auch als von Freiheit und Gleichberechtigung geprägt und beseelt versteht. »Doch die Verhältnisse, die sind nicht so«, das heißt, die tatsächlich herrschenden Kräfte sind ganz andere. Ich habe sehr lange gebraucht, um das zu verstehen. Wie es dazu kam und was für Anstöße oder Stöße ich gebraucht habe, will ich erzählen.

Uppsala 1968

Es war die Vierte Vollversammlung des Ökumenischen Rates der Kirchen. Ich war als Beraterin eingeladen, ohne genau zu wissen, wen ich da in was beraten sollte. Vermutlich ging es bei der Einladung an mich um die Präsenz einer zusätzlichen Frau, denn nur 9 Prozent der Delegierten waren Frauen. Das Durchschnittsalter lag bei 55, so war ich mit 53 Jahren noch geradezu »jung«. Die Versammlung fand im Hochsommer statt. Vorangegangen war die Mai-»Revolution« in Paris, in diesem Sommer blühte noch der Prager Frühling, in Zürich fanden im gleichen Jahr die »Globus-Krawalle« statt, die Besetzung eines leerstehenden Warenhausraums durch Jugendliche, die ein eigenes Zentrum suchten. Es war ein Jahr, in dem es überall knisterte. Hoffnungen auf Erneuerung wurden wach, von denen die meisten sich leider nicht erfüllten. Die neue Frauenbewegung ist eins der wenigen »Kinder« des 68er Aufbruchs, das überlebt hat.

Auch in Uppsala knisterte es. Die Tribünen waren voll von jungen Menschen – im Sprachgebrauch des ÖRK heißen alle, die unter 35 sind, »Jugendliche«. Es waren aber keine Jugendlichen, sondern junge Erwachsene, Studenten und junge Akademiker der kritischen Generation. Sie waren bestens informiert über alles, was in der Vollversammlung besprochen wurde, besser als viele Delegierte. Jeden Tag gaben sie eine Zeitung heraus, genannt »Hot News«, und niemand versäumte, sie zu kaufen und zu lesen. Auch in der Versammlung knisterte es da und dort, obschon ein in die Zukunft weisender Text zum Thema »Gottesdienst« nicht angenommen wurde. Zwei Vorträge sind mir unauslöschlich in Erinnerung geblieben, der des schwarzen amerikanischen Schriftstellers James Baldwin über Rassismus. Ich höre ihn noch sagen: »Mir tun die weißen Kinder in Südafrika leid, wenn ihr – die Weißen – jetzt nicht umkehrt.« Und der von Barbara Ward, Lady Jackson, einer britischen Wirtschaftswissenschaftlerin. Ihr Vorredner, Präsident Kaunda von Zambia, überschritt seine Redezeit, ich sah ihren fein beschuhten Fuß etwas nervös hin- und herwippen. Als sie das Wort erhielt, stand sie auf, kürzte ihr Referat und legte in hinreißend freier Rede ihre Überzeugung dar, es müsse möglich sein, die Kämpfe und Spannungen zwischen Erster und Dritter Welt friedlich zu regeln. Auf nationaler Ebene seien in den Industrieländern doch auch Absprachen zwischen Gewerkschaften und Arbeitgebern möglich geworden, und es seien Veränderungen erreicht worden. Das müsse auch auf Weltebene möglich werden.

In dieser Atmosphäre von Hoffnung und Ernüchterung, von Spannung zwischen jung und alt, zwischen dem aus den Kirchen Mitgebrachten und dem, was »in der Luft« lag, gab die amerikanische Ethnologin Margaret Mead ein Votum ab. Sie war eine kleine, schon ältere Frau, und sie trat mit einem großen Stock auf, auf den sie sich stützte. Vielleicht war es auch ein Symbol der Würde und der Autorität – ich weiß das nicht, ich sehe sie noch so vor mir. Ein Satz traf mich wie ein Blitzschlag, schmerzend und gleichzeitig erhellend. Er lautete ungefähr so: »Alle, die vor dem Zweiten Weltkrieg aufgewachsen sind, sind Einwanderer in ein fremdes Land.« Stürmischer, nicht enden wollender Beifall von den Tribünen. Dort saßen die »Ureinwohner«, die Nachkriegsgeneration. Wir »da unten«, im Plenarsaal, waren zum großen Teil »Einwanderer«. Was wollten wir hier? Was wollte ich noch? Am Ende des Zweiten Weltkriegs war ich dreißig Jahre alt gewesen. Die mich prägende Zeit lag vor dem Krieg – das steht auf den Seiten dieses Buches.

Alles in mir bäumte sich gegen diese Diagnose auf, und doch mußte ich ihr recht geben. Es stimmte doch – ich verstand letztlich den Aufstand der Jungen nicht oder nur zum Teil. Noch kurz zuvor, in Zürich, hatte ich mich mit einer jüngeren Frau, die mir nahestand, gestritten. Sie studierte noch in einem Zweitstudium Theologie und war aufgebracht und von neuen Ideen erfüllt von einem Semester an einer deutschen Universität zurückgekehrt. Was sie über den Protest der Berliner Studenten gegen den Besuch des Schahs von Persien, den Tod von Benno Ohnesorg und die Anliegen der Studenten erzählte, kam mir sehr wirr vor.

Aber andererseits: Was verband mich letztlich mit den »Kirchenfürsten« meiner und der noch älteren Generation, mit all den wohlbestallten und etablierten Männern, die die Mehrheit der Delegierten stellten? Sie machten nicht den Eindruck von Einwanderern, sie wirkten recht behaust und beheimatet im Alten. Mir ging es anders, ich fühlte mich weder beheimatet noch als Einwanderin, sondern war irgendwo im Niemandsland. Einwanderer müssen ja vorher auswandern. Ausgewandert war ich aus vielem Vertrauten: aus der Sicherheit meines Glaubens, aus einer mehr oder weniger gesicherten beruflichen Karriere. Ausgewandert war ich auch schon längst aus dem Schutz »meiner« Kirche, allerdings nicht nur freiwillig.

140

Else Kähler und Marga Bührig, 1955

Marga Bührig, 1959

Else Kähler, Elsi Arnold, Marga Bührig, 1968

Else, Elsi and Marga from Switzerland in Kalifornien, 1980

Die sieben Präsidenten des Ökumenischen Rates der Kirchen mit dem neuen Generalsekretär.
Von links nach rechts: Patriarch Ignatius IV, Dr. Marga Bührig, Very Rev. Dr. Lois Wilson, Rev. Dr. Emilio Castro,
Most Rev. Walter Makhulu, Dame R. Nita Barrow, Bischof Johannes Hempel, Metropolitan Paulos Mar Gregorius.
Genf 1985 (Foto: Peter Williams)

Else Kähler, Marga Bührig, Elsi Arnold, 1987 (Foto: Vera Isler)

Ungefähr in diese Zeit fällt eine Episode, die das illustriert. Freunde hatten mich als Kampfkandidatin für die Wahl in den Vorstand des Schweizerischen Evangelischen Kirchenbundes, unseres obersten kirchlichen Gremiums, aufgestellt. Im Vorfeld versuchte der Präsident »meiner« Kirche mich zu überreden, ich sollte mich doch zurückziehen und nicht kandidieren. »Sie, die so weit draußen sind, sollten doch...« Ich tat es nicht, obschon ich wußte, daß ich die Wahl verlieren würde, und ich verlor sie ehrenvoll gegen eine jüngere Frau. Das verletzte mich nicht, aber die kirchenrätliche Begründung betraf mich so tief, daß ich sie nie vergessen habe. Natürlich hatte ich mich kritisch zur Amtskirche geäußert, hatte die Partei der Nicht-Integrierten, der Zweifelnden und Fragenden ergriffen, war selbst eine von diesen, aber war ich deshalb wirklich »draußen«? Auswanderung oder Ausschluß? Unsere Kirche kennt den legalen Ausschluß nicht, aber ich fühlte mich ausgestoßen, und als verletzend erlebte ich auch den Kommentar eines Delegierten nach dem Ausgang der Wahl, er wurde mir von einer empörten Freundin zugetragen. Es war der Jubel über die Wahl einer charmanten, den Männern sachlich unterlegenen und die Nichtwahl einer »unweiblichen« und unbequemen Frau. Derselbe Mann gratulierte mir mehr als ein Jahrzehnt später überströmend herzlich zu meiner Wahl ins Präsidium des Ökumenischen Rates und freute sich, daß gerade ich gewählt worden sei. Was doch so ein Wechsel der Position bewirkt!

Zu den immer noch im Alten Behausten gehörten in Uppsala in meiner Sicht auch die Ehefrauen, die ihre Männer, an und für sich begreiflicherweise, an die Konferenz begleitet hatten. Wenn wir abends verschwitzt und müde aus den oft langen Sitzungen kamen, schwebten sie frisch gebadet und umgezogen herbei, als willkommene Partnerinnen der Entspannung. Daß viele von ihnen vermutlich gerne an unseren Plätzen gewesen wären, bedachte ich nicht. Sie verstärkten mein Gefühl, im Niemandsland zu leben, und da ich sie als Frauen so »behaust« erlebte, standen sie mir im Wege zur Erkenntnis, daß mein Unbehaust-Sein auch mit meinem Frau-Sein zu tun hatte. Daß sie ebenso rechtlos waren in der Männerkirche und daß sie es ebensowenig oder noch weniger wußten als ich, ging mir nicht auf. Vermutlich waren wir Frauen – sie und ich – den Jungen dort oben auf den Tribünen gefühlsmäßig näher als die etablierten Männer, weil wir als Frauen ja eben weniger ansässig und als Mütter, leibliche oder geistliche Mütter, und im Patriarchat Unterdrückte in einer vergleichbaren Situation waren. Damals fühlte ich mich gar nicht solidarisch mit ihnen! Heute hat sich das Bild gewandelt. Auf der Vollversammlung des ÖRK in Vancouver (1983) waren die Unterschiede zwischen Delegierten, Gästen, begleitenden Ehefrauen viel weniger sicht- und spürbar, und wir Frauen waren einander viel näher.

Doch nochmals zurück zu Margaret Meads Satz, der mich so schmerzhaft getroffen hatte. Mußte ich nun meines Alters wegen zu denen gehören, die weder aus- noch einwandern, sondern nur dort bleiben konnten, wo sie schon immer waren? Alles in mir sagte nein, und doch saß der Stachel tief, denn das Land der jungen Generation war mir tatsächlich fremd, und anbiedern wollte ich mich nicht. Ich mußte also als »Einwanderin« leben lernen, und lernen wollte ich, lernen von den Jüngeren. Ich hatte ja jüngere Kollegen daheim, und andererseits war ich in der Ökumene der Frauen verwurzelt. Doch vielleicht lebte auch diese noch zu sehr im »Land der Väter«, vielleicht lebte sie an dem vorbei, was im ÖRK in den folgenden Jahren geschah. Dort ereignete sich ein Durchbruch zur Aktion – für die Gesamtheit der Kirchen hieß dieser Durchbruch »Antirassismus-Programm«, für die Frauen war es die Konferenz »Sexismus in den siebziger Jahren« (Berlin 1974), zu der ich bezeichnenderweise nicht eingeladen wurde. Ich hatte noch vieles nachzubuchstabieren.

Lernen von den Jüngeren

In unserem Team in der Akademie hatte ich jüngere Kollegen, und Else Kähler und ich hatten auch einen Kreis von Frauen in dem Alter, in dem unsere möglichen Töchter gewesen wären. Mit ihnen planten wir unsere Veranstaltungen mit und für

Frauen. Diese Frauen hatten wir bewußt gewählt, jene Männer waren einfach unsere nicht von uns gewählten Kollegen. Ich hatte verschiedenes zu lernen, mich mit verschiedenem auseinanderzusetzen. Bei den Frauen war es das zunehmende Interesse für sehr persönliche Fragen, bei den Männern einerseits eine für mich neue politische Sicht (davon wird im nächsten Abschnitt die Rede sein) und andererseits der Gebrauch von Methoden, die mir fremd waren, die aus der Psychologie und aus der Sozialarbeit kamen. Das Gewicht unserer Tagungen, auch der Frauentagungen, verlagerte sich immer mehr auf Gruppenarbeit mit starken Elementen der Selbsterfahrung, während wir vorher mehr mit Texten und Vorträgen gearbeitet hatten. Ich erinnere mich noch an einen Gesprächsführungskurs, in dem ich selbst als Gruppenleiterin mitwirkte und mich entsetzlich unsicher fühlte. Stärker themenbezogene Gespräche lagen mir besser, ich konnte thematisch gut formulieren, von Bibelarbeiten her war ich auch gewohnt, daß da ein außerhalb meiner selbst stehender Text zu interpretieren war und die Richtung zu weisen hatte. Jetzt sollte ich ohne diesen von außen gegebenen Wegweiser mit einer mir zunächst fremden Gruppe arbeiten, auch uns selbst zum Thema machen und unsere Reaktionen aufeinander wahrnehmen und aussprechen. Mindestens lernte ich eins: in der Gruppe zuzugeben, daß ich nicht weiter wußte, die Hilfe der anderen in Anspruch zu nehmen. Das habe ich nie mehr verlernt. Als ich in Boldern zurücktrat, schrieb ein Freund in seinem Abschiedsartikel, daß diese »Methode« sich auch in der Leitung von schwierigen Geschäftssitzungen bewährt habe, weil das Eingeständnis des Nicht-mehr-weiter-Wissens die anderen Mitglieder eines Komitees motiviert habe, sich selber zu beteiligen. So hätten sich neue Einsichten erschlossen, die gemeinsame, nicht einsame Erkenntnisse waren.

Der Weg dorthin war trotzdem manchmal schwierig und demütigend. Ich war doch auch Theologin, ich wollte doch eine Botschaft weitergeben. Zwar spürte ich, daß das nicht mehr so ging wie in der Zeit, wo das alles für mich selbst mehr oder weniger fraglos war, wo ich mich als beauftragt fühlte und »nur« nach Wegen suchte, das, was ja gegeben war, anderen verständlich zu machen. War es nicht Verrat, davon abzugehen? Stellte ich nicht menschliche Erfahrung über das Gotteswort?

An ein Gruppengespräch in einer Ferienwoche erinnere ich mich noch sehr deutlich. Es ging um den 36. Psalm, das heißt um dessen zweiten Teil, und für mich stand dieser Psalm unter der Überschrift »Ja zum Leben«, wenn es hieß: »O Herr, bis an den Himmel reicht deine Güte.« Daß inmitten der Anbetung und des Danks die Worte stehen: »deine Gerichte (sind) wie die große Flut«, hatte ich überlesen. Das beschäftigte mich nicht. Aber nun erlebte ich, daß wir über diesen Satz nicht hinauskamen. Gott als Richter, bedrohlich, strafend, Leben bedrohend, Freiheit beschneidend. Gott als Schulmeister, der seinen Kindern/Schülern die Lebensfreude nicht gönnt. Nicht nur dieses Mal, sondern immer und immer wieder stieß ich auf diese Blokkade. Ich mußte darauf eingehen, mußte zurückfragen und – vor allem – zuhören. Aus Bibelgesprächen wurden Lebensgespräche, und wie sollte und konnte ich darauf eingehen? Dazu war ich doch nicht ausgebildet. Ich versuchte natürlich, den Text zu erklären, so gut ich konnte, auch persönlich Stellung zu nehmen. Aber im Innersten war ich erschrocken, daß offenbar die christliche Botschaft sehr oft als Gesetz, das tötet, und nicht als Stärkung zum Leben und schon gar nicht als Befreiung angekommen war. Vielleicht bei mir auch?

Während einer dieser Ferienwochen hatte ich einen eigenartigen Traum: Wir saßen in einer Gruppe im oberen Stock eines Hauses. Plötzlich klopfte es, und draußen stand Polizei. Sie suchten nach irgendwelchen Menschen – Flüchtlingen? Nicht Angepaßten? Das weiß ich nicht mehr. Ich mußte mit den Polizisten in den Keller gehen und fand dort, zu meinem eigenen Erstaunen, eine Schar von Menschen, die sich versteckt hatten. Sie wurden gefangengenommen, und mich überfiel heißer Schrecken. War ich nicht auf der falschen Seite, immer noch bei den Überlegenen, irgendwo »oben«? Hätte ich nicht bei ihnen sein sollen? Beim Erwachen bezog ich den Traum auf meine Situation in dieser Woche. War ich nicht doch irgendwie »Polizei« gegenüber meinem jüngeren Kollegen? Halfen seine Methoden, die mehr in die Tiefe des eigenen Menschseins gingen – so schien es mir jedenfalls damals –, nicht mehr als meine Theologie? Ob diese Deutung wirklich stimmte, für die Situation stimmte, weiß ich nicht. Mir jedenfalls sagte der Traum etwas vom Weg in die Tiefe, zu mir selbst, aber auch zu den Ratlosen, den Verfolgten, den nicht in die Kirche Integrierten. Sie durften nicht von der Polizei meines theologischen Über-Ichs gefangengenommen werden. Sie brauchten Freiheit, und ich mußte bereit sein, ihnen diese Freiheit zu geben, und nicht nur ihnen, sondern auch diesen jüngeren Kollegen mit einer anderen Ausbildung und anderen Lebenserfahrung. Von ihnen, die nach Margaret Mead in einem mir immer noch fremden Lande zu Hause waren, zu lernen war gar nicht so leicht. Ureinwohner können Einwanderern gegenüber sehr arrogant sein, und es war schwer zu akzeptieren, daß die, von denen ich zu lernen versuchte, von mir scheinbar so gar nichts lernen wollten. Sie brauchten meine Theologie nicht, ich aber brauchte die Erfahrung ihrer Methoden, obschon ich selbst und mein Glaube auf eine harte Probe gestellt wurden.

Und doch war es nicht nur hart, sondern auch befreiend. Aus eben dieser Ferienwoche kam ich zwar müde, aber auch beschwingt zurück und fuhr voll von Plänen in den Schwarzwald, wo meine beiden Freundinnen schon waren. Für sie war es schwierig, zu verstehen, was mich so bewegte. Ich wollte leben, ich selber sein, nicht so viel Rücksicht nehmen, frei sein. Gemeinsam wollten wir wandern, unsere noch vorhandenen Kräfte erproben, den geliebten Schwarzwald noch einmal neu erleben. Aber es kam anders. Auf der ersten Wanderung brach Else Kähler sich das Bein. Dank dem Umstand, daß wir in unserer Ferienwohnung einen Lift hatten, konnten wir sie bei uns behalten und mußten sie nicht im Spital lassen. Aber nun war unsere Freiheit beschnitten. Ich haderte mit dem Schicksal. Ich hatte doch irgendwie aussteigen, mich selbst »verwirklichen«, meinen eigenen Wünschen folgen wollen – es war übrigens das Jahr, in dem ich 60 wurde. Mußte ich wirklich noch auf diese Art lernen, daß Ausbruchsversuche nicht schon Freiheit sind? Ich weiß es nicht. Ich weiß nur, daß das, was ich an wirklicher Befreiung von den Jüngeren gelernt hatte, an dieser Erfahrung nicht zerbrach. Das war auch innerhalb des mir gegebenen, nein, von mir gewählten Lebensrahmens zu verwirklichen.

Zu dieser Befreiung gehörte zum Beispiel, daß ich lernte, »ich« zu sagen. Es wurde mir bewußt, daß das unverbindliche »man« die eigene Meinung sehr gut verbergen konnte und daß Wendungen wie »Wir sind doch alle der Meinung, daß...« andere Menschen ungefragt auf einen Weg mitnehmen, den sie vielleicht gar nicht gehen wollen. Unwillkürlich änderte sich der Stil auch meiner theologischen Aussagen. Sie wurden wieder Zeugnis persönlichen Glaubens, und sie sprachen damit die Gesprächspartner und -partnerinnen oder die Zuhörenden als »Du« an. Diese wurden nicht mehr vereinnahmt, sondern zum Ja- oder Nein- oder Vielleicht-Sagen und vor allem zu eigenen Initiativen herausgefordert. Das war mehr als eine Frage der Methode, jedenfalls für mich war es mehr, denn mit der Zeit lernte ich zu unterscheiden zwischen dem nur methodisch eingesetzten »Ich«-Sagen und dem, was wirklich persönlich war, was sich wirklich mit dem Menschen, der sprach, mit seinem Sein und seiner Meinung deckte (s. Anhang »Ich-Sagen in der Öffentlichkeit«, S. 246).

Als ich Leiterin der Akademie war, übten wir dieses Ich-Sagen auch im Team, in der sogenannten Leitungsgruppe. An die Stelle von reinen Planungs- oder Fachgesprächen traten persönlichere Aussagen, keine privaten Herzensergüsse, es ging um das, woran wir gemeinsam engagiert waren, aber wir lernten einander sehr viel besser kennen, und wir nahmen diesen Stil sowohl in die Tagungsarbeit als auch in die Zusammenarbeit mit unseren Angestellten mit. Wir versuchten, bestehende Hierarchien so weit wie möglich abzubauen. Mitbestimmung nicht nur als theoretisches Konzept zu vertreten, sondern wirklich zu gewähren, und offene Mitsprache zu unterstützen und auszuhalten, das ist in der Praxis des Alltags gar nicht so leicht. Ohne meine jüngeren Kollegen wäre das alles nicht möglich gewesen. Mit ihnen war es ein zwar nicht spannungsfreies, aber im Ganzen doch befreiendes Abenteuer in der vertrauter werdenden »Fremde«, von der Margaret Mead gesprochen hatte.

Zum Stil der Tagungsarbeit noch ein paar Sätze aus einem Interview aus dem Jahre 1978. Es ist bezeichnenderweise überschrieben: »Ich sage ›ich‹ und nicht ›man‹.« Darin heißt es:

»Als Leiterin von Boldern sind Sie bei Tagungen immer ›unter den Leuten‹ und laufen ganz gewöhnlich rum...« Ich: »Was soll ich denn sonst tun? Ich bin jetzt seit 19 Jahren in der Boldern-Arbeit tätig, seit 1971 als Leiterin. In dieser Zeit haben wir ungeheure Wandlungen im Stil durchgemacht. Ich könnte keine Tagung mehr leiten, bei der ich irgendwo außerhalb rumschwebe.« »Haben Sie diese Wandlungen im Stil nicht auch persönlich mitgeprägt?« Ich: »Schon. Aber die Zusammenarbeit im Team, in dem verschiedene Generationen vertreten sind, hat da sehr viel ausgemacht. Und ich muß gestehen, daß ich mit den jüngeren Leuten eigentlich besser zu Rande komme als mit der eigenen Generation.«

Als Frau in einer leitenden Stellung

Zehn Jahre lang war ich Leiterin der Akademie des Evangelischen Tagungszentrums Boldern, übrigens als einzige Frau im deutschen Sprachgebiet in dieser Stellung. Daß ich es wurde, hat mit dem Thema Beziehung zu Jüngeren zu tun. In einem sehr schwierigen internen Konflikt hatten Else Kähler und ich uns mit den jüngeren Kollegen solidarisiert. Die Folge war der rasche und überraschende Rücktritt des Leiters. In dieser Situation heckten die jüngeren Kollegen einen Plan aus. Sie wollten eine Kollektivleitung mit rotierendem Vorsitz (man schrieb das Jahr 1970/1971, und solche Ideen lagen in der Luft), und sie wollten, daß ich als erste diesen Vorsitz übernehmen sollte. »Die Kirche« und einige Männer meiner Generation in den Gremien, die uns vorgesetzt waren, hatten durchaus andere Pläne, und vor allem standen zwei der Kollegen auf der Abschußliste, weil sie sich in Kirche und Öffentlichkeit zu sehr exponiert hatten. Gemeinsam gelang es uns, Zeit zu gewinnen, diese Pläne zu vereiteln und eine Situation zu schaffen, in der dem Vorstand kein anderer Ausweg blieb, als mich ad interim für ein Jahr zur Leiterin zu wählen. Sonst hätte er einen Skandal riskiert. Nach Ablauf dieses Jahres wurde ich definitiv gewählt. Einen rotierenden Vorsitz in die Vereinsstatuten zu bringen gelang nicht, aber unser Team und seine Funktionen wurden fest institutionalisiert.

Der Abend, an dem meine Kollegen mir ihre Pläne eröffneten, lebt in meiner Erinnerung als einer der Höhepunkte meines beruflichen Lebens. Es war mir selber vorher nie eingefallen, daß ich meinen Gaben und Erfahrungen gemäß Leiterin von Boldern werden könnte. Ich hatte das auch in allen Auseinandersetzungen nicht angestrebt. Das lag so fern, so außerhalb aller Möglichkeiten, und es gab ja auch keine Vorbilder. Daß meine Kollegen mich, die ältere Frau, akzeptierten und wollten, daß ich von ihrem Vertrauen getragen war, erfüllte mich mit Stolz und Freude, stärkte mein Selbstvertrauen und machte mir Mut. Ich sagte ohne große Überlegungen ja und war bereit, es mit ihnen zu wagen. Worauf ich mich einließ, wußte ich allerdings nicht. Ich würde es aber auch mit den Erfahrungen, die ich unterdessen gemacht habe, wieder tun. Offenbar hatte ich die Einwanderung in das »fremde Land« geschafft. Daß aber eine völlig andere Fremdheit als die von Margaret Mead gemeinte auf mich wartete, daß dieses Land ja nicht das der Nachkriegsgeneration war, sondern daß es immer noch von den »Vätern« beherrscht wurde, war mir nicht klar. Für mich zählten diejenigen, die mich faktisch gewählt hatten, die Jüngeren. Mit ihnen zusammen sollte Boldern, die Akademie, immer mehr ein Freiraum werden, ein Raum der Entfaltung für alle, auch für diejenigen, die in der Gesellschaft am Rande standen. Wir glaubten an die Möglichkeit, dieses Ziel zu verwirklichen. Wir waren ausgerichtet auf die Zukunft. Darum sollte Boldern offen für alle sein – auch für die »Etablierten«. Wir meinten, diese gewinnen zu können, was sich leider als Irrtum erwies. Etwas vom Klima dieser Zeit zeigen die Sätze aus einem Artikel, den ich zum 25. Geburtstag von Boldern im Jahre 1973 schrieb:

»Faszinierend ist einmal das Erlebnis menschlicher Begegnung auf ganz verschiedenen Ebenen: im gemeinsamen Planen, Träumen und Formulieren im Team, in den Versuchen, im Betrieb ein menschlich verantwortbares Miteinander zu ermöglichen,

in der Begegnung mit Tagungsteilnehmern, Gruppenleitern und Referenten, im gemeinsamen Suchen und Finden von Erkenntnissen, die weiterhelfen oder zum Überprüfen eigener Vorurteile zwingen. Wir sagen gerne, es gehe uns um ›den Menschen‹. Aber ›der Mensch‹ ist eine Abstraktion, und die Wirklichkeit sind die konkreten Menschen, deren volles und erfülltes Menschsein uns am Herzen liegt...›Gott ist im Nächsten, im Mitmenschen transzendent‹ (Bonhoeffer).

Zum anderen ist es die Auseinandersetzung mit wesentlichen Fragen unserer Zeit... Die Vielfalt droht uns oft zu zerreißen, und gegenüber akademischen und sonstigen Spezialisten fühlen wir uns als Dilettanten. Dilettanten dürfen sich Aufgaben stellen, die ›eigentlich‹ zu schwer für sie sind..., und sie dürfen in einer Zeit, wo Spezialisten vergöttert werden, den Finger auf die Fragen legen, die nur alle miteinander beantworten können. Sie leiden aber auch daran, daß es ihnen selten vergönnt ist, an einer Sache zu bleiben... Aber im Unterwegssein leuchten manchmal Zusammenhänge auf, in denen wir Gottes Wirklichkeit neu erfahren.«

Heute werde ich sehr nachdenklich, wenn ich mir vergegenwärtige, daß ich als die Frau, die ich war, gar nicht von selbst auf die Idee gekommen war, ich könnte Leiterin von Boldern werden. Dabei hatte ich mich in meiner Arbeit mit Frauen überall dafür eingesetzt, daß Frauen in leitende Stellungen gewählt werden müßten. Die Diskrepanz zwischen dem, was ich theoretisch als richtig erkannt hatte, und meiner Selbsteinschätzung zeigt, wie stark ich die gängigen Maßstäbe der Männergesellschaft übernommen hatte. Auch durch mich selbst ging der Bruch zwischen der theoretischen Anerkennung einer allgemeinen Wahrheit und dem konkreten Bezug auf mich selbst. Die Frage mußte von außen kommen, und in meiner damaligen Situation war es gut, daß sie von Männern an mich gestellt wurde. Es war im Grunde genommen die alte Frauenrolle: Die Frau mußte gefragt, mußte hervorgelockt und ermutigt werden. Mein spontanes Ja zeigte dann allerdings auch die andere Seite, daß ich bereit war, die Konsequenzen aus dem als richtig Erkannten zu ziehen. Im Laufe meiner Tätigkeit habe ich übrigens beides

erlebt: das völlige Akzeptiertsein als Leiterin des Gesamtwerks, vor allem von Frauen und Männern, mit denen ich näher zu tun hatte, und das immer wieder auftauchende Mißverständnis, ich sei immer noch »nur« Studienleiterin. Das nötigte
mich dazu, in der Öffentlichkeit zu betonen, ich sei Leiterin des
Gesamtwerks, obschon diese Betonung gegen die Spielregeln
unseres Teams ging, das – mit meinem Einverständnis – die
kollektive Leitung zum Programm erklärt hatte. In einer Gesellschaft, für die es ungewohnt, wenn nicht unmöglich war,
einer Frau einen obersten Platz zuzugestehen, wurde ich immer
mehr in die Rolle gedrängt, diesen Platz nach außen zu betonen, auch wenn ich gleichzeitig ehrlich versuchte, nach innen
meine Macht zu teilen.

Wie bin ich als Frau mit dieser leitenden Stellung umgegan-
gen? Vorbilder gab es nicht, in der Akademiearbeit gab es nur
»Väter« (und mehr und mehr »Brüder«), aber keine Mütter.
Mein Vorgänger war eine Art Vaterfigur gewesen. Sollte ich
eine Mutterfigur werden? Das konnte und wollte ich nicht, obschon ich, ohne es mir bewußt zu machen, auch solche Funktionen hatte. Ich mußte lernen, daß ich Macht hatte, und ich
mußte lernen, sie auch wahrzunehmen. Ich hatte ja die Ge-
samtleitung des Werks und war dem Vorstand und der Öffentlichkeit gegenüber für dessen Führung verantwortlich. Ich
mußte auch begreifen lernen, daß Macht Distanz schafft, und
zwar mehr Distanz von »unten« nach »oben« als umgekehrt.
Das war für mich ungewohnt, es machte mich unsicher. Mein
größtes Anliegen war, Vertrauen zu schaffen, und unter dem
Einfluß von Paulo Freires »Pädagogik der Unterdrückten« und
ähnlichen Büchern aus der Ökumene glaubte ich an die Möglichkeit eines partizipatorischen Stils, an die Beteiligung von
möglichst vielen Mitarbeitern und Mitarbeiterinnen an Entscheidungen. Da ich als Frau wenig oder gar keine praktische
politische Erfahrung hatte (wir Schweizerinnen hatten genau in
dem Jahr, in dem ich Leiterin von Boldern wurde, das Stimm-
und Wahlrecht »erhalten«), war mir die Herausforderung an
alles Bestehende, die in diesem Anspruch lag, nicht voll bewußt. Außerdem hatte ich zunächst genug damit zu tun, etwas
von diesen Idealen nach innen zu verwirklichen. Es war ein

weiter Weg für alle, und ich konnte ja nicht verhindern, daß ich durch Alter, Position und Bildung überlegen war und mehr Autorität hatte, als ich zugeben mochte. Diese »Privilegien« gehörten zu mir, und ich mußte begreifen lernen, was sie für eine Wirkung hatten.

Ein Schlüsselerlebnis will ich erzählen. In unserer Akademie hatten die Mitglieder der Leitungsgruppe, das heißt Studienleiterinnen und Studienleiter sowie der kaufmännische Leiter, das Recht auf einen bezahlten Studienurlaub von einem halben Jahr nach sieben Jahren Boldernarbeit. An einer Betriebsversammlung stellte eine unserer langjährigen Sekretärinnen die Frage, warum sie nicht auch in den Genuß eines Bildungsurlaubs kämen. Ich antwortete, daß wir noch nie ein konkretes Gesuch abgelehnt hätten. Darauf sagte mir der Betriebshandwerker, der die Versammlung leitete und eine wichtige Stellung in unserem Betrieb hatte: »Ja, das stimmt, aber so sind wir immer von Ihrer Gnade abhängig.« Das traf mich. Genau das wollte ich ja nicht. Wir haben dann in vielen Gesprächen und Sitzungen gemeinsam ein Modell des Bildungsurlaubs für alle geschaffen und es gegen viele innere und äußere Widerstände erkämpft und durchgeführt, es auch in den Arbeitsverträgen verankert.

Ein weiteres Anliegen unseres Teams und von mir ganz persönlich war, möglichst viel transparent zu machen, Entscheidungen und die Prozesse, die dazu geführt hatten, einsichtig und durchsichtig für möglichst viele oder alle zu machen. Transparenz widerspricht allen Modellen von Hierarchie, wo es auf jeder Stufe Geheimnisse gibt, die allerdings, je geheimer sie sein und bleiben sollen, desto eher durchsickern und zum Hintertreppenthema aller werden, was meist der Wahrheit und dem Wachsen von Vertrauen nicht förderlich ist. Unter meinem Vorgänger war manches nicht transparent gewesen, nicht im Sinn der geistigen oder materiellen Unterschlagung, sondern aus einem anderen Verständnis von Führung und einsamer Verantwortung heraus. Zum Beispiel sagte er seinen Mitarbeiter-Kollegen nicht genau, von wem und wie sie von außen her kritisiert oder angegriffen wurden. So blieb er der »Vater«, der seine Söhne beschützte, ohne daß diese sich selbst auf ihre Art wehren konnten oder entschuldigen mußten.

Rückblickend denke ich, daß sowohl meine Schwierigkeiten als auch meine Erfolge mit meinem Frau-Sein zu tun hatten. Die größte Schwierigkeit war, daß mir als Frau, und noch dazu als unverheirateter Frau, viele Informationen fehlten, die Männer selbstverständlich haben. Sie gehören immer zu einem »Old Boy's Club« – im Militär, in einer Studentenverbindung, in einem von Männern geführten Berufsverband, in Parteien, die in unserer Gesellschaft zum größten Teil von Männern beherrscht sind, von Sitzen in verschiedenen Verwaltungsräten noch ganz zu schweigen. Natürlich haben Frauen auch Verbindungen, zum Beispiel über ihre Familie. Diese fehlten mir, da ich nicht von Haus aus Schweizerin und als unverheiratete Frau nur sehr wenig in die Gesellschaft der Einflußreichen integriert war. Heute nennen wir die Verbündungen unter Frauen gerne »Netzwerke«, und diese sind in zunehmendem Maß wichtig. Und doch sind auch sie meist Netzwerke der im Patriarchat Machtlosen. Die selbstverständlich funktionierenden Informationskanäle unter Männern sind nicht zu unterschätzen, es sind Kanäle zwischen tatsächlich oder potentiell »Mächtigen«. Auch heute noch existierende Klubs oder »Zünfte« oder Gesellschaften, zu denen ausdrücklich nur Männer Zutritt haben, sind nur die Spitze des Eisbergs, den ich hier meine.

Doch auch meine Erfolge hatten mit meinem Frau-Sein zu tun. Gerade weil ich nicht so gebunden war, weil ich vieles nicht wußte und manches auch gar nicht wissen wollte, war ich unbefangener und offener. Immer wieder wurde (und werde) ich von Außenstehenden als mutige Frau angesprochen, als Frau, die es nicht scheut, »heiße Eisen anzupacken«. Menschen, die mir wirklich nahestehen, und natürlich ich selbst wissen, daß ich von Natur aus eher ängstlich bin, daß es mich etwas kostet, mich zu exponieren, daß ich vieles überspringen muß, um ein offenes Gespräch über einen strittigen Punkt zu führen, daß ich Harmonie liebe. Vielleicht steht das aber nicht im Gegensatz zum oben Gesagten, daß ich als nicht integrierte Frau nicht durch so viele Rücksichten und Loyalitäten gebunden war und es darum lernen konnte, meine Ängste zu überwinden und mich Auseinandersetzungen zu stellen. Wie hart sie werden würden, wußte ich zum Glück nicht im voraus.

Zusammenstöße

Diese hatten zunächst nicht mit meinem Frau-Sein, sondern mit Stellung und Programm der Akademie zu tun. Dieses war kritisch, auf Veränderung von Kirche und Gesellschaft ausgerichtet. Wir griffen Themen der Entwicklungspolitik und der Rechte der Ausländer und Ausländerinnen in der Schweiz auf, thematisierten auch die Kleinfamilie kritisch, setzten uns für eine Kirche »für« und »mit« anderen ein, veranstalteten Tagungen gegen die Diskriminierung von Homosexuellen in Kirche und Gesellschaft, versuchten, in der Ausbildung von Lehrlingen andere Akzente zu setzen, um das volle Menschsein dieser jungen Menschen zu fördern, wagten eine einseitige Konsultation mit dem Thema »Können Christen für die Fristenlösung eintreten?«, hinterfragten traditionelle Frauen- und Altersarbeit, setzten uns für eine Zusammenarbeit von Eltern und Lehrern und damit für eine kritische Schulpolitik ein, und das alles mit dem Anspruch, wesentliche Linien des Evangeliums zu vertreten. Dieser Anspruch wurde allerdings nicht sehr »vollmundig« – für manche zu leise, als wäre er nicht mehr da, für andere freilich immer noch zu deutlich – ausgesprochen. In einem Spiel zum Abschluß einer Studientagung zum Thema »Gottesdienst« erklärten die Teilnehmerinnen und Teilnehmer Boldern zum »Freistaat«, und wenige Jahre später (1975) nannte der Schriftsteller Adolf Muschg Boldern in einem Hearing ebenfalls eine Freistatt:

»Boldern hat für mich den Charakter einer Freistatt, und zwar ist es ein Ort, wo diese größeren Gruppierungen der Gesellschaft, die sonst nicht miteinander kommunizieren, sei es aus Mangel an Gelegenheit, sei es aus Mangel an Phantasie, sei es aus Mangel an gutem Willen – miteinander kommunizieren können, wo die böse Meinung und die ganz andere Welt einem einmal menschlich und persönlich entgegentritt. Wem dient dieser Austausch? In erster Linie dem Konflikt. Ich bin überzeugt, daß Boldern zuerst einmal dazu da ist, Konflikte nicht abzubauen, nicht auszugleichen, sondern sie zu artikulieren, sie deutlich zu machen.

Das ist eine sehr unpopuläre Aufgabe, eine, für die sich Boldern viel ›Prügel‹ holt, aber ich glaube, sie ist zunächst einmal die wichtigste.«

Im gleichen Hearing schrieb er uns die unangenehme Rolle eines Meldegängers zu, der nicht immer nur gute Nachrichten zu bringen hat, der die Wahrheit sagt über das, was »draußen« oder »drüben« passiert, und dafür bezahlen muß, manchmal sogar mit seinem Leben (so in der Antike), obschon er ja nicht schuld ist an dem, was er zu melden hat. Nun, mit dem Leben mußten wir nicht zahlen, wohl aber um das Überleben der Institution kämpfen und in immer neuen Anläufen unsere Rolle so, wie wir sie verstanden, definieren.

Eine ungewollte, aber an und für sich logische Folge unserer Tagungsarbeit war, daß der Dialog mit denen, die einflußreiche Stellungen in der Wirtschaft, in der Politik und in der Kirche einnahmen, immer schwieriger wurde. Sie kamen nicht mehr zu unseren Tagungen, sie ertrugen es nicht, hier einmal in der Minderheit zu sein, denn sie wurden mit ihren Kritikern konfrontiert. Das alles führte zu einem Image der Akademie, das sie zum Opfer derer machte, die nach »Unterwanderern« und Umstürzlern suchten. »Hasenjagd auf Boldern«, so lautete der Titel eines Artikels von einem mit uns sympathisierenden Journalisten. Ich hatte zuvor immer von »Drahtziehern von links« gehört, von Leuten, die, von Moskau gesteuert, unsere bürgerliche Gesellschaft zu unterwandern versuchten. Nun erlebten wir, erlebte ich das Umgekehrte: die Macht der Abwehr von »rechts«.

Am Wochenende, an dem ich offiziell mein Amt als noch interimistisch gewählte Leiterin von Boldern antrat, tagte bei uns eine Gastgruppe, der wir ein Jugendhaus zur Verfügung gestellt hatten. Mit dem Programm hatten wir nichts zu tun. Es ging um antiautoritäre Erziehung, und es war eine eindeutig »linke« Gruppe. An einem früheren Wochenende hatte sie sich mit »Agitation im Betrieb« befaßt, aber nicht auf Boldern. Trotzdem erschien der Hinweis auf diese erste Tagung im Zusammenhang mit Boldern in der »Neuen Zürcher Zeitung«, und in Unternehmerkreisen zirkulierte eine Warnung, man solle keine Lehrlinge mehr an die Lehrlingswochen auf Boldern schicken. Wir hatten von diesem Schreiben keine Ahnung. Wenig später veranstalteten wir eine Tagung »Gewalt und Demokratie« mit einem Referat des bekannten Friedensforschers Johan Galtung, der für ein Gastsemester in Zürich war, und einem Podiumsgespräch unter Schweizer Politikern über den in politischen Schubladen ruhenden Plan eines schweizerischen Friedensforschungsinstitutes. Das Unglück wollte es, daß einer der Gesprächsteilnehmer, ein konservativer liberaler Politiker, vom Publikum unterbrochen und ausgebuht wurde – »niedergeschrien«, so hieß es später. Dem Gesprächsleiter war für Augenblicke die Leitung entglitten. Inserate von Rechts-Gruppierungen in Tageszeitungen, Diffamierungen und so weiter folgten. Wir versuchten sie aufzufangen, indem wir die Inhalte thematisierten und mit persönlichen Einladungen einen Dialog ermöglichen wollten, was bruchstückweise gelang und doch auf die Dauer an der schwierigen Stellung der Akademie nichts änderte.

Doch hier will ich nicht die Geschichte der Akademie-Arbeit in den siebziger Jahren schreiben, obschon das verlockend wäre. Es geht mir immer noch um die Frage nach meiner eigenen Radikalisierung, und ich versuche mich zurückzuversetzen, mich an mein eigenes Verhalten und Reagieren zu erinnern. Klar war für mich als Priorität die Solidarität in der Leitungsgruppe. Wir besprachen unsere Situation, wir nahmen einzeln und gemeinsam, aber in schwierigen Situationen immer in Absprache untereinander Stellung. Besonders deutlich erinnere ich mich aber an einige »Canossagänge«, zusammen mit dem Präsidenten des Boldernvereins, zusammen mit dem befreundeten Leiter der katholischen Schwester-Akademie, zusammen mit dem einen oder anderen Kollegen oder auch allein. Es war der Versuch, auf persönlicher Ebene, im Gespräch von Mensch zu Mensch, Mißverständnisse zu erklären, uns für Verletzungen, die wir anderen zugefügt hatten, zu entschuldigen, Vertrauen wiederherzustellen. Es gab Erfolge auf diesem Wege, zum Beispiel bei unserer obersten kirchlichen Behörde, aber auf gesellschaftlich-politischer Ebene mißlangen diese Versuche. Wir konnten nichts erklären, ohne unsere tiefsten Anliegen zu verraten, und für unsere Gesprächspartner war die Bindung an ihre Gesellschaftsklasse oder ihre Partei zu stark, als daß diese Bindungen durch persönliche Gespräche zu erschüttern gewesen wären. Für mich, die ich wenig Ahnung von dieser Form von Machtausübung hatte, waren diese Erfahrungen sehr schmerzlich. Ich kam selber aus einem »bürgerlichen« Elternhaus, und es ging um Auseinandersetzungen mit Männern meiner eigenen Generation (es waren wirklich lauter Männer), einmal sogar mit einem ehemaligen Schulkameraden in einer führenden Stellung, der mir zynisch lächelnd gegenübersaß. Ich sehe oder spüre noch die dicken protzigen Ledersessel in den einschlägigen Büros, ich fühle die Spannung des Wartens in Vorzimmern und meine Angst am Telefon, wenn ich herausgefunden hatte, wer denn wirklich hinter jenem Inserat oder diesem Rundbrief stand, und versuchte, den Betreffenden persönlich anzusprechen.

Hinter diesen Bemühungen stand die oben geschilderte Erfahrung des eigenen Ich-Sagens, die wir auf die politische Ebene zu übertragen versuchten, aber auch der Glaube, daß ja Menschen, unverwechselbare Menschen diese Positionen einnahmen. Zwar redeten auch wir, wie alle, von den gesellschaftlichen Strukturen, die zu ändern wären, aber mindestens für mich selber muß ich sagen, daß ich das Machtgefälle in unserer Gesellschaft falsch einschätzte. Wir wehrten uns gegen die billige Klassifizierung von »rechts« und »links« und sahen die wirklichen Positionen zu wenig scharf. In einem Interview im »Zürcher Kirchenboten« im Jahre 1973 stellte der mit uns befreundete Redaktor uns die Frage:

»Boldern steht da und dort im Ruf, auf ›Linkskurs‹ gegangen zu sein, bewußt oder unbewußt subversiv zu wirken und an der Umfunktionierung von Kirche und Gesellschaft zu arbeiten. Wie stellen Sie sich dazu?«

Unsere Antwort:

»Wir sind froh, daß Sie ›Linkskurs‹ in Anführungszeichen setzen. Sie beweisen damit, daß Sie offenbar – wie wir auch – dieses Wort als Schlagwort verstehen, das nicht viel sagt. Wenn Sie da-

156

mit meinen, daß unsere Arbeit auf Veränderungen des Menschen
und der Gesellschaft zielt, dann haben Sie recht. Aber ist eine
solche Tätigkeit wirklich subversiv?«

Im Grunde genommen wollten wir, wollte ich mich in keine
»linke« Parteiposition drängen lassen, und dies nicht primär
aus taktischen Gründen, weil wir als kirchliches Tagungszentrum auch finanziell von einer mehrheitlich »bürgerlichen«
Volkskirche abhängig waren, sondern weil mich – bei der Sprache angefangen – dort vieles störte. Vor allem wollte ich die
Hoffnung nicht aufgeben, daß mindestens innerhalb der Kirche, zu der ja auch unsere Gegner gehörten, Erneuerung möglich sein könne und müsse. Viele Illusionen zerbrachen, aber
die Vision einer anderen, offenen, menschlicheren Gesellschaft blieb. Ein Satz von Paulo Freire, dem brasilianischen,
damals im Exil in Genf lebenden Pädagogen, war für mich
lange Zeit ein richtungweisendes Bekenntnis: »Mein Glaube
an den Menschen und an die Schaffung einer Welt, in der es
leichter sein wird zu lieben.«

Solidarisierungen

Konnten oder wollten wir uns aus diesen oder jenen Gründen
nicht mit den wirklich in politischer Opposition stehenden Parteien oder Gruppierungen voll solidarisieren, so kam es doch zu
anderen Formen. Schon früh unterschrieben Mitglieder der
Leitungsgruppe Manifeste zugunsten der sich auflehnenden Jugend. Für mich kam es gegen Ende meiner Tätigkeit auf Boldern zu zwei Erlebnissen, die entscheidend waren auf dem Weg
persönlicher Radikalisierung. Else Kähler und ich hatten seit
1974, zusammen mit der katholischen Paulus-Akademie, Tagungen über »Probleme der Homosexualität« veranstaltet.
Hatte es sich zunächst um Fragen der Seelsorge und um Gespräche unter kirchlichen Mitarbeitern handeln sollen, so wurden
durch die Initiative von Else Kähler die »Betroffenen« sofort

selbst einbezogen, und es ging wie an anderen Bolderntagungen auch: Es kamen fast nur diese, und die Gesprächspartner in Kirche und Gesellschaft, die wir als Bundesgenossen im Kampf gegen Diskriminierung und für Aufklärung suchten, blieben aus. Die Solidarisierung wurde immer deutlicher, und für mich persönlich kam sie zum Höhepunkt durch die Anfrage des Fernsehens, ob eine von uns an einer ihrer Großsendungen, der sogenannten TELE-ARENA, zum Thema Homosexualität teilnehmen würde. Uns war klar, daß wir nicht absagen konnten. Daß ich teilnahm und nicht Else Kähler, hatte einen sehr einfachen Grund: Sie sprach nicht Schweizerdeutsch, und die Sendung wurde auf Schweizerdeutsch gehalten. Die mir zugedachte Rolle war nicht klar umschrieben, aber es lief darauf hinaus, daß ich am Streitgespräch, das sich live zwischen homosexuellen Männern und (wenigen) Frauen und einem in der Mehrheit von Vorurteilen belasteten Publikum abspielte, nicht beteiligt war, aber zwischendurch und vor allem zum Schluß als Anwältin der Diskriminierten kurz zu Wort kam. Das Echo auf diese Sendung war stark, mehrheitlich negativ, obschon ich persönlich auch viele positive Äußerungen zu meiner Stellungnahme hörte. Für mich war es einer der Augenblicke in meinem Leben, wo ich ganz klar wußte: Hier darfst du nicht ausweichen, wenn du dir selbst und dem, was du vertrittst, nicht untreu werden willst. Es war auch ein Schritt über den Zaun, der Boldern doch immer noch schützend umgab, hinaus aus der Freistatt in die größere Öffentlichkeit.

Eine andere, weniger spektakuläre, aber wohl folgenreichere Form der Solidarisierung war meine Begegnung mit Aline Boccardo, der Gründerin der Bewegung »Frauen für den Frieden« in der Schweiz. Sie hatte in Israel Brocken von Vulkangestein in seltsamen Formen gefunden und gesammelt. In diesen Steinen sah sie die Bilder von verkohlten Menschen nach einer atomaren Bombardierung, und sie hörte das Wort von Jesus: »Wenn diese (gemeint sind die Jünger) schweigen, so werden die Steine schreien« (Lukas 19,40). Für sie schrien diese Steine, sie redeten zu ihr über die drohende Atomkatastrophe, und sie konnte nicht länger schweigen. Mit eindrücklichen Fotografien der Steine und Texten, die Silja Walter, Al

Imfeld und andere dazu geschrieben hatten, wollte sie eine Ausstellung veranstalten. Doch das war nur der eine Teil des geplanten Redens oder Schreiens. Sie fügte den eher zur Meditation rufenden Steinen und Texten Tabellen über den Stand der Rüstung auf der Welt bei und rief faktisch zum Widerstand auf. Ganz kurz vor der Eröffnung der Ausstellung wurde ihr ein kirchlicher Raum in Zürich verweigert, der ihr vorher zugesagt worden war. In ihrer Not wandte sie sich an zwei Theologinnen, von denen man ihr gesagt hatte, sie könnten ihr vielleicht helfen. Eine davon war ich. Wir taten unser möglichstes, doch ohne Erfolg. Für mich aber war es wieder ein Test meiner eigenen Glaubwürdigkeit. Da war eine Frau in Not, und da ging es um ein Thema, vor dem ich lange die Augen verschlossen hatte. Jetzt mußte ich sie öffnen und mich fragen: Warum habe ich so lange geschwiegen? Warum haben wir Frauen so lange geschwiegen? Ich konnte nicht länger ausweichen. Ich half mit, die Bewegung »Frauen für den Frieden Zürich« ins Leben zu rufen, ich engagierte mich persönlich, als die Ausstellung verspätet, in kleinerem Rahmen und an einem nicht-kirchlichen Ort schließlich doch noch zustande kam. Mein erster Vortrag in dieser Sache hieß »Angst – Schweigen – Initiative« (s. Anhang S. 248). Es war ein weiterer Schritt der Radikalisierung und ein weiterer Schritt in die Öffentlichkeit, über den Schutzraum Boldern hinaus. Von dem daraus wachsenden bleibenden Engagement in der Friedensbewegung, vor allem mit Frauen zusammen, wird noch die Rede sein.

Diese Solidarisierungen führten natürlich zu neuen Konflikten, zum Beispiel zu Angriffen gegen mich, als ich meinen Rücktritt (aus Altersgründen) angekündigt hatte. Wer seine Position aufgibt, ist Freiwild, freigegeben für Angriffe. In meinem Fall ging es zunächst um die Beteiligung bei »Frauen für den Frieden« und um meine letzte Tagung »Frauenbewegung – Friedensbewegung«, die ich nicht nach dem üblichen Schema als Kontroverse hier Landesverteidigung, da Pazifismus gestaltet hatte. Die Grenzen meiner Freiheit wurden mir deutlich.

Was heißt, was hieß Radikalisierung?

Für mich bedeutete es damals, daß ich das, was ich theoretisch gewußt hatte, schmerzhaft persönlich erlebte. Natürlich hatte ich seit den achtundsechziger Jahren einige Bücher gelesen, die mir halfen, klarer zu sehen. Natürlich wußte ich etwas von der Verflechtung von Politik und Wirtschaft, von wirtschaftlicher und politischer Machtausübung gegen alle, die sich dagegen auflehnten. In der Ausländer- und der Entwicklungspolitik hatte ich gelernt, bestehende Fronten zu erkennen, und in der Ökumene half mir die im eigenen Lande angefeindete Stellungnahme zugunsten von Befreiungsbewegungen zu einem neuen Durchdenken der eigenen Maßstäbe. Aber ich hatte sehr lange an die Möglichkeit eines Dialogs geglaubt und mußte nun einsehen, daß dieser außerordentlich schwierig, meist sogar unmöglich ist, wenn die Machtverhältnisse so verschieden sind und wenn die Voraussetzungen dieser Macht nicht offengelegt werden. Ich hatte nicht verstanden, daß es den Mächtigen in Politik und Wirtschaft jedenfalls primär um die Erhaltung ihrer Privilegien und damit sehr oft um Besitz und die Erhaltung dieses Besitzes ging. Das war von meinen persönlichen Voraussetzungen her schwer zu verstehen. Meine Herkunftsfamilie hatte zur Oberschicht gehört, hatte alles oder jedenfalls sehr vieles verloren, aber mit dem Wenigen leben gelernt. Reichtum war für mich nie wichtig gewesen, aber wirklich arm war ich auch nie gewesen. Darum fehlte mir von Haus aus ein letztes Verständnis für die Kämpfe der sogenannten Unterschicht. In einem Lande wie der Schweiz, wo es wenig sichtbare Armut gab, war das auch schwer zu lernen – ich habe es unterdessen gelernt. Doch als ich Leiterin von Boldern war, waren all meine eigenen Ansprüche an Einkommen und Stellung erfüllt. Meine Opposition kam aus anderen Quellen. Es ging mir um die Freiheit der Lebensentfaltung für alle, zum Beispiel um eine bessere, menschengerechte Schule, um eine menschenwürdige Behandlung von Ausländern, um den Abbau der Diskriminierung jeglicher Art und natürlich um den Freiraum unserer Akademie, entsprechend den mindestens verbal lautstark vertrete-

160

nen liberalen Grundsätzen. Die Frauen sah ich damals immer noch nicht als kollektiv Unterdrückte. Ich durchschaute die patriarchalen Rahmenbedingungen (noch) nicht. Radikalisierung bedeutete für mich den Anfang der Desillusionierung. Ich fing an, die handfesten Interessen derer, die mächtig waren, zu durchschauen, aber auch meine eigene Einsamkeit in der Gesellschaft zu begreifen.

Die schlimmste Erfahrung dieser Art war eine Tagung der Mitglieder des Boldernvereins im Monat vor meinem Rücktritt. Wir hatten einen jungen Journalisten, der sich in der Zürcher Jugendbewegung engagiert hatte, in den 25köpfigen Vorstand unseres Vereins gewählt, ohne zu berücksichtigen, daß er aus der Kirche ausgetreten war. Das, zusammen mit dem gefährlichen pazifistischen Engagement der scheidenden Leiterin, war zuviel. In der Schlußdebatte stellte der Vertreter einer reichen Kirchgemeinde, die Boldern den jährlichen Beitrag zum Haushalt gestrichen hatte, die Frage, ob man nun ganz sicher sein könne, daß Frau Bührig auf Boldern nicht mehr zu sehen sein werde. Keiner meiner Kollegen, auch der Leiter der Veranstaltung nicht, der ein guter Freund von mir war und blieb, wies diese Frage als klare Grenzüberschreitung zurück. Einer unserer homosexuellen Freunde, Mitglied unseres Vereins, sprang auf und tat das an ihrer Stelle. Für mich waren diese Minuten gleichzeitig das Erlebnis extremer Verlassenheit und tiefster Solidarisierung. Verlassen fühlte ich mich von denen, die nach mir auf Boldern bleiben und es mit den Mächtigen nicht verderben wollten (so erlebte ich es jedenfalls), und solidarisch mit denen, denen mein Einsatz, meine Solidarität, mein Herz gehört hatten – nicht nur den »Schwulen« und Lesben, sondern vielen unsicheren Frauen, denen wir Mut zu sich selbst gemacht hatten, den Frauen und Männern, die ihren Halt in der traditionellen Kirche verloren hatten und deren »Kirche« wir waren, den Jungen, um deretwillen wir einen der Ihren in den Vorstand gewählt hatten, auch wenn er nicht zur Kirche gehörte.

Diese Verletzung ging trotzdem tief. Dazu zu stehen habe ich unterdessen gelernt. Als Frauen sind wir ja glücklicherweise nicht dazu erzogen, Helden sein zu müssen. Den Respekt vor den Mächtigen – immer von Ausnahmen, die kritisch mit ihrer eigenen Macht umgehen, abgesehen – habe ich jedenfalls für immer verloren. Gewachsen ist meine Überzeugung, daß Änderungen von »unten« kommen oder jedenfalls von dort wesentlich bestimmt und getragen sein müssen und daß den Frauen dabei eine ganz wesentliche Rolle zukommt (s. Anhang »Nachdenken über Boldern«, S. 252).

Bekehrung
zum Feminismus

Dreimal Berkeley

Ist das Wort Bekehrung hier am Platz, und brauchte es, brauchten wir wirklich Amerika? Ich beantworte beide Fragen mit ja, und »wir« sind Elsi Arnold, Else Kähler und ich selbst, denn die drei Reisen, von denen die Rede sein wird, erlebten wir gemeinsam, und unsere Gemeinsamkeit, unsere Freundschaft, die Möglichkeit des Austauschs und der Vertiefung des Erlebten waren ein wesentlicher Grund für die Intensität der Erfahrung. Für mich persönlich schloß sich an die dritte Reise, die unmittelbar auf meine Pensionierung folgte, ein »einsamer« Aufenthalt in Berkeley an, eine der tiefsten Auseinandersetzungen mit mir selbst und damit wohl auch die Probe auf die Echtheit dieser dritten Bekehrung in meinem Leben.

Berkeley I

1977 wurde Else Kähler 60 Jahre alt und wünschte sich eine Reise nach den USA, was sehr glücklich mit einer meiner beruflichen Verpflichtungen zusammenfiel, der Teilnahme an einer Konsultation im Westen von Kanada. Doch vorher wollten wir eine unbelastete Reise machen, zum großen Teil mit einem gemieteten Auto, wir wollten frei sein und Neues sehen. Ich aber wollte auch etwas von der amerikanischen Frauenbewegung kennenlernen. Durch Beziehungen konnte ich Treffen mit Frauen aus amerikanischen Kirchen in New York und San Francisco organisieren. Eine Begegnung wurde für uns entscheidend: In Berkeley trafen wir durch Vermittlung von Freunden (es waren lauter Frauen, heute würde ich sagen »Schwestern«) die beiden Direktorinnen des »Center for Women and Religion« an der »Graduate Theological Union« (GTU) in Berkeley, einer ökumenischen Fakultät zur Weiterbildung der verschiedensten kirchlichen Mitarbeiter und Mitarbeiterinnen. Das Frauenzentrum lebte sehr am Rande dieser Fakultät, war aber immerhin ein Teil davon. Die dort arbeitenden Frauen bemühten sich um Fragen der Stellung von Frauen in den Kirchen, um feministische Theologie, um Bewußtseinsbildung unter Studentinnen und Studenten, um Vorlesungen und Seminare zu Frauenthemen innerhalb und außerhalb der Fakultät. Zwei Stunden lang sprachen wir mit Barbara Waugh und Peggy Cleveland. An die Themen erinnere ich mich nicht mehr, natürlich ging es um Frauen und um Theologie, um Gott, es war ein Gespräch, in dem Funken gegenseitigen Verstehens von einer auf die andere übersprangen. Wir wußten alle drei: Hierher wollen wir wiederkommen.

Berkeley II

Als Else Kähler und ich für Anfang 1980 einen dreimonatigen Studienurlaub planten, den Elsi Arnold mit uns verbringen wollte und konnte, obschon sie als Schulpsychologin das Privileg bezahlter Studienurlaube nicht hatte, lag es nahe, daß wir uns mit Barbara in Verbindung setzten. Mit ihrer Hilfe wurden wir als »Visiting Scholars« an der Fakultät zugelassen, auf eigenen Wunsch hin ohne jede Verpflichtung und mit der Möglichkeit, Vorlesungen zu besuchen, die Bibliotheken zu benützen, sogar einmal an einer Fakultätssitzung teilzunehmen. Allerdings richtete keiner der Professoren auch nur eine Frage an uns – nach unseren Erwartungen und unseren Berufserfahrungen, die wir ja hatten. Sie waren aber nicht in Publikationen auf Hochschulniveau ausgewiesen, und wir waren Frauen und ehrlich genug, zu sagen, daß wir gekommen waren, um zu lernen, und das auch noch auf einem Gebiet, das auch in Berkeley damals noch unterentwickelt war, in feministischer Theologie. Die Hochschule erwies sich – entgegen unseren Erwartungen – als nicht sehr hilfreich. Trotzdem besitzen wir alle drei die kleine grüne Karte, unseren Ausweis als »Visiting Scholars«, heute noch. Damals war sie eine Art Eintritts- und Identitätskarte in einem Land, das wir nicht kannten und in dem wir uns zurechtfinden mußten. So waren wir doch nicht einfach Touristen (obschon wir das durchaus auch waren), sondern mit einem Fuß oder einer Zehenspitze Teil einer angesehenen Institution. Daß es im Hinblick auf die Fakultät wirklich höchstens eine Zehenspitze war, merkten wir immer besser, je länger unser Aufenthalt dauerte.

Rückblickend denke ich, daß das zwar ungerecht, aber für uns gut war. Wir waren genötigt, genau das zu tun, was der Theorie von feministischer Theologie entspricht, nämlich unsere eigenen Erfahrungen als Frauen und mit Frauen zu machen, und wir hatten die unerhörte Chance, ganz frei über unsere Zeit verfügen zu können, letztlich niemand Rechenschaft schuldig zu sein. Wir mußten auch keine wissenschaftlich nachweisbaren und unmittelbar in Programme umsetzbaren Ergebnisse dieses Studienurlaubs nach Hause mitbringen. An eigenen Erfahrungen brachten wir dagegen durchaus einiges mit.

Wir hatten 1978 eine interessante und gut besuchte, lebendige Frauentagung zum Thema »Alte und neue Frauenbewegung« veranstaltet, mit Susanna Woodtli und Ursa Krattiger als Referentinnen. Wir hatten schon 1976 Gesprächsnachmittage mit Frauen über »Neue Zugänge zu alten Aussagen« durchgeführt. Die »alten Aussagen« waren biblische Texte und die neuen Zugänge nun eben die Lebenserfahrungen von Frauen. Oft waren es zwar eher Barrieren als Zugänge, aber manche konnten abgebaut werden, und wir erlebten viel an Befreiung und Offenheit. Der letzte derartige Kurs, unmittelbar vor unserer Abreise, hatte »Gottesbilder – Frauenbilder« geheißen. Viele Themen der feministischen Theologie waren also bereits vorhanden. Wir hatten auch die Bücher von Elisabeth Moltmann-Wendel »Frauenbefreiung« und »Freiheit – Gleichheit – Schwesterlichkeit« in Lesekreisen diskutiert. In »Frauenbefreiung« hatten wir auch Texte aus der amerikanischen Frauenbewegung und Theologie gefunden, die uns begierig gemacht hatten, mehr kennenzulernen. Wir waren also durchaus auf dem Weg zum Feminismus, auch wenn wir das Wort in der Ausschreibung unserer Kurse nicht verwendeten. Aber irgend etwas fehlte. Zum Teil lag das daran, daß wir bei zu vielen Gelegenheiten die Initiantinnen sein mußten, auch wenn wir immer mit anderen Frauen zusammen arbeiteten. Es fehlte an Schwung und Begeisterung einerseits, an einem tragenden gedanklichen, konzeptionellen Rahmen andererseits. Wir waren durch Herkunft und Stellung, auch durch unser Alter, zu weit weg von dem, was sich möglicherweise auch in unserem Lande bewegte.

In Berkeley tauchten wir in eine Frauenkultur ein. Daß es in mancher Hinsicht eine Sub-Kultur war, daß der Trend bereits rückläufig war, daß der Rückschlag, der »backlash«, bereits begonnen hatte, merkten wir als Fremde zunächst nicht. Wir lernten auch die berühmten Frauen der feministischen Theologie nicht persönlich kennen – sie waren nicht in Berkeley –, aber wir waren in eine Frauengemeinschaft, um das Zentrum für Frauen und Religion herum, aufgenommen und konnten von dort aus weitere Ausflüge unternehmen. Barbara Waugh, eine der beiden Direktorinnen, und ihre Freundin Stacy Cusulos waren uns gute Führerinnen und wurden zu Freundinnen, wir wiederum waren in gewisser Weise für sie ein Phänomen. Drei (nicht zwei) Frauen, die schon seit Jahren und Jahrzehnten miteinander befreundet waren und die trotz ihres Alters (zwei von uns waren immerhin bereits über 60) so neugierig, so begierig waren, Neues aufzunehmen und kennenzulernen, machten Eindruck. Als »Marga, Else and Elsi from Switzerland« waren wir bald bekannt. In der Zeitschrift des Zentrums schrieb eine Studentin, nachdem sie uns besucht hatte:

»Die Unternehmungslust dieser Frauen führt sie durch die ganze Bay Area (so nennt sich die Agglomeration von San Francisco rund um die berühmte Bucht, an der die Stadt liegt. MB). Sie hören asiatische Autorinnen sprechen in La Peña (ein »alternativer« Versammlungsort in Berkeley), fahren zum Frauen-Zentrum in San Francisco. Ihre meisten Lernerfahrungen kommen aus Frauenveranstaltungen und der Begegnung mit einzelnen Frauen. Unglücklicherweise finden diese Lernprozesse nicht an der Theologischen Schule statt. Von den drei Vorlesungen, die sie belegen wollten, wurden zwei abgesagt. Aber sie sind nicht entmutigt, sondern ernten einen großen Reichtum an Kennt-

nissen aus ihren Erfahrungen innerhalb der Gemeinschaft von Frauen. Mit unglaublicher Energie werden sie vermutlich in einem Vierteljahr mehr von dem, was unter Frauen in der Bay Area läuft, erleben als die meisten von uns in drei Studienjahren.«

Einige Stichwörter aus diesem Abschnitt möchte ich aufgreifen. Ja, die Fakultät war auch in der Beziehung eine Enttäuschung, daß die wenigen von Frauen angekündigten Vorlesungen zu »Frauen«-Themen ausfielen, die eine wegen Mangel an Einschreibungen, die andere wegen eines Urlaubs der Dozentin. So hörten wir nichts Feministisches, wohl aber einiges über die Situation in den USA, vor allem bei Daniel Berrigan, und wir erlebten unvergeßliche ökumenische Gottesdienste, von Frauen und Männern farbig und frei gestaltet, mit selbstverständlicher Abendmahlsgemeinschaft in einer Kapelle auf dem Campus der Hochschule. Von der Frauengemeinschaft wird noch zu reden sein, aber von einer Frau, die neben den schon Genannten besonders wichtig wurde, will ich erzählen.

Barbara hatte für uns mit viel Mühe eine entzückende kleine Wohnung im Untergeschoß einer schönen alten Villa in den »Berkeley Hills« gefunden. Wir hatten zwei Zimmer mit Kochgelegenheit und einem sagenhaften alten Eisenofen, der fast noch aus der Pionierzeit stammte, einer Dusche mit WC, die keine Schweizer Hausfrau zu vermieten gewagt hätte, so primitiv war alles, und die Erlaubnis, die Waschmaschine zu benützen. Vor allem aber hatten wir einen hinreißenden Blick auf die Bucht von San Francisco und die Golden Gate Bridge, über der wir jeden Abend die Sonne in immer neuen Farbenspielen untergehen sahen. Doch das Beste an dieser Wohnung war unsere Wirtin, Judy, eine 73jährige Dame. Sie führte uns in die Geheimnisse günstigen Einkaufens ein, half uns, ein Konto bei einer sehr konservativen kalifornischen Bank anzulegen, ein Auto zu kaufen und wieder zu verkaufen, sie besorgte uns Theater- und Opernkarten, aber vor allem war sie präsent und nahm lebendig Anteil an uns und unseren Erfahrungen. Sie war eine gläubige kritische Katholikin, aktives Mitglied einer reformfreudigen Gruppe ihrer Kirche und Förderin der GTU und vieler anderer Institutionen und Menschen, vor allem von Frauen. Zu dieser Förderung gehörte auch, daß sie diese kleine Wohnung zu einem sehr bescheidenen Preis vermietete, was nun auch uns zugute kam. Sie hatte eine für uns erstaunliche Lebensgeschichte. Als junge Frau war sie in einer selbständigen Stellung in der Werbebranche tätig gewesen, was viele Reisen als Frau allein mit sich brachte. Dann hatte sie einen Bankier geheiratet und sechs fremde Kinder aufgezogen und zum Teil adoptiert. Als ihr Mann krankheitshalber frühzeitig zurücktreten mußte und sich auch finanzielle Probleme einstellten, setzte sie sich mit 60 Jahren wieder auf die Schulbank (was in den USA immerhin möglich ist!), frischte ihre beruflichen Kenntnisse und Fertigkeiten auf und arbeitete drei Jahre lang in einer großen Firma. Als die Krankheit ihres Mannes immer schwerer wurde, gab sie klaglos alles auf, um ihn zu pflegen und bis ins Sterben zu begleiten. Bei unserem Aufenthalt war sie nicht mehr beruflich tätig, finanziell unabhängig und vielfach interessiert und engagiert. Einmal begleitete ich sie, als sie einer Freundin, deren Mann gestorben war, einen großen Topf Suppe durch halb Berkeley hindurch brachte, weil sie fand, diese praktische Hilfe sei jetzt genau das Richtige. Die Mischung von geistiger Beweglichkeit und Geschäftstüchtigkeit, ihr ganz am praktischen Leben orientierter Glaube, ihre Unabhängigkeit und Tapferkeit beeindruckten uns. Für uns war sie ein Beispiel einer selbständigen, ganzheitlichen Frau. So wuchs zwischen uns eine echte Verbundenheit, und wir trennten uns schweren Herzens nach drei Monaten von ihr, mit der Hoffnung, sie im nächsten Jahr wiederzusehen. Dank ihrer Energie und Lebendigkeit hatten wir nicht realisiert, wie krank sie schon war. Sie starb zwei Monate nach diesem Abschied und hatte testamentarisch verfügt, daß es nach dem Gottesdienst an ihrem Begräbnis eine Champagner-Party geben sollte, damit ihre Verwandten und Freunde ihr reiches, erfülltes Leben feiern könnten. Barbara und Stacy nahmen an dieser Party auch in unserem Namen teil, schrieben unsere Namen in die Anwesenheitsliste, tranken zwei Gläser Sekt für uns und schrieben uns dann einen Brief. Ganz kurz nach Judys Tod wurde in ihrem Haus eingebrochen, ihre Adoptivtochter übernahm es dann, und als wir im Jahr darauf wiederkamen, war alles anders – verlottert und ohne Liebe. So schnell geht das.

Ein anderes Stichwort, das ich aufgreifen möchte, war das Frauenzentrum in San Francisco. Wir hatten schon in der Schweiz darüber gelesen und wollten es unbedingt kennenlernen. Im Veranstaltungskalender von »Plexus«, einer monatlich erscheinenden Frauenzeitschrift, in der alles zu finden war, was sich unter Frauen ereignete, hatten wir eine Veranstaltung entdeckt, die uns interessierte. Wir waren am Nachmittag in der Oper gewesen, hatten in der Stadt gegessen und fuhren mit dem Taxi in den nicht sehr sicheren und nicht sehr wohl beleumdeten Stadtteil, wo das Frauenzentrum lag – wir hatten noch kein Auto. Ein großes, altes, verlottertes Haus mit vielen Räumen und Büros, nach unseren schweizerischen Begriffen schmutzig und ungepflegt, aber irgendwie lebendig. Mit Interesse lasen wir die vielen Anschläge, aber das Interesse verwandelte sich plötzlich in Schrecken, als wir die überall wiederholte Warnung lasen: Geht nicht allein zum Parkplatz, geht in Gruppen, es ist gefährlich. Der Beginn der Veranstaltung, an der wir teilnehmen wollten, verschob sich mehr und mehr, mit Sorge dachten wir an den Heimweg. Nur wenige Züge der Untergrundbahn fuhren, und in Berkeley gab es wenige Taxis. Der Autobus zu uns hinauf fuhr nur einmal pro Stunde, und die Straßen waren abends menschenleer. Ein Mensch ohne Auto war wirklich ein halber Mensch. Die Erkundigung bei der Hausmeisterin, einer Schwarzen, war auch nicht sehr ermutigend: Taxis kämen abends nicht in diese Gegend, und sie könne uns nur raten, so schnell wie möglich zur nächsten U-Bahn-Station zu gehen. Sie selbst, als schwarze und auch nicht mehr junge Frau, würde sich nach zehn Uhr nicht mehr getrauen, dorthin zu gehen. Uns sah man von weitem an, daß wir Fremde waren, gut angezogen – wir kamen ja aus der Oper. So machten wir uns auf den dunklen Heimweg, zu dritt immerhin auch schon eine »Gruppe«. Für uns war dieser Abend wie das Wegreißen einer Hülle, die uns den Blick auf den dunklen Hintergrund der Frauenbewegung verdeckt hatte. Wir wurden für die Realität von Gewalt gegen Frauen sensibilisiert. Wir wurden hellhörig für die Erfahrung von Frauen auch dort, wo wir verkehrten, und wir nahmen wahr, wie häufig in der Zeitung Berichte über Vergewaltigung waren. Es fiel uns auf, daß diese viel mehr als damals bei uns (das hat sich unterdessen etwas geändert) in der Öffentlichkeit bekanntgemacht wurden, daß Frauen den Mut hatten, Klage zu erheben, und einander unterstützten in einer Gesellschaft, in der meistens Männer die Richter sind.

Zur Frauenkultur gehörte diese gegenseitige Unterstützung. Wir waren erstaunt herauszufinden, daß es ein ganzes Telefonbuch, die »Gelben Seiten«, mit lauter Frauenbetrieben gab. Für uns war vorher die Existenz eines Frauenbuchladens in Zürich eigenartig und kaum verständlich gewesen. Wozu? Man konnte doch alle Bücher überall kaufen. Das stimmt, aber auch heute muß frau schon genau wissen, was sie will, wenn sie »überall« ein Buch aus einem ausgesprochenen Frauenverlag kaufen will. In der Bay Area gab es die verschiedensten Arten von Frauenkollektiven. Unseren Freundinnen verhalf eine Frau – geschäftlich, nicht einfach freundschaftlich – zum Kauf eines Hauses. Ich weiß, daß es heute bei uns auch mehr und mehr Ähnliches gibt – gemeinsame Anwaltpraxen von Frauen, bewußt feministische Arzt- und Ärztinnen-Praxen und so weiter. Für uns war das damals eine Entdeckung, ebenso wie die vielen verschiedenen Frauengruppen um alle nur möglichen Anliegen herum. Besonders eindrücklich war die Tatsache, daß »lesbian« – lesbisch – eine offen ausgesprochene und nicht primär sexuell, sondern primär politisch verstandene Qualifikation war. Lesbische Frauen galten nicht einfach als »andersartig« und bestenfalls toleriert, sondern als »woman identified women«, als Frauen, die ganz waren und sich mit anderen Frauen identifizierten und solidarisierten und so eine Herausforderung an die Herrschaft der Männer darstellten. Das leuchtete uns ein. Obschon wir uns in der Boldernarbeit mit Problemen von Homosexuellen befaßt hatten, wurden hier für uns ganz neue Akzente gesetzt.

Was ich hier schreibe, ist keine objektive Darstellung der amerikanischen oder auch nur der kalifornischen Frauenbewegung im Jahre 1980. Es sind subjektive, mehr oder weniger zufällige Eindrücke. Doch zufällig ist wohl nicht der richtige Ausdruck. Wir nahmen das wahr, wofür wir offen waren. Heute weiß ich mehr. Ich weiß zum Beispiel, daß Frauen in den USA, die sich als Studentinnen offen zu ihrem Lesbisch-Sein bekennen konnten, sich heute verstecken, um ihre gut bezahlte Stellung in einer (noch) florierenden Industrie nicht zu verlieren. Ich weiß, daß andere, die das nicht tun, für eine Professur nicht in Frage kommen, obschon sie alle Qualifikationen haben. Ich weiß auch, daß der Rückschlag der »Moral Majority«, die unter Präsident Reagans Herrschaft an Macht gewonnen hat, bedrohlich ist und daß auch die Auseinandersetzungen innerhalb der Frauenbewegung heftig sind. Das zeigt etwas von dem sehr grundsätzlichen Problem, daß eine Gegenkultur Mühe hat, sich zu halten, und daß sie unter den Bedingungen des Patriarchats nicht die Möglichkeit hat, sich durchzusetzen. Die große Frage ist: Was wird aus einer noch so lebendigen und starken (»powerful«) Frauenkultur, wenn die Rahmenbedingungen sich nicht nur nicht ändern, sondern durch einen immer noch stärkeren Aufschwung von Wirtschaft, Technologie, Militarismus weiterhin verstärkt werden? Rückzug in Nischen, in die Höhlen am Skamandros, von denen Christa Wolf in »Kassandra« schreibt?

In unserem Studiensemester in Berkeley lebten wir im persönlichen Aufschwung und spürten den Abschwung noch nicht. Wir lernten die Lieder kennen, die Frauen dichteten, komponierten, sangen und spielten, auch Stacy gehörte zu diesen Frauen. Es waren zum großen Teil keine Kampflieder, sondern Lieder der Liebe zum Leben, der Hoffnung auf eine sanftere, friedlichere Welt. Wir nahmen natürlich Platten und Kassetten mit nach Hause und spielten sie an unseren Tagungen. Nur ein gutes Jahr später hatten wir eine amerikanische Frau, damals Mitglied des Weltgebetstags-Komitees, als Gast an einer Frauentagung bei uns, Beclee Wilson. Sie hatten wir auch in Berkeley kennengelernt, und sie war es gewesen, die uns die ersten Kontakte vermittelt hatte. Als sie unsere Begeisterung beim Hören und Mitsingen dieser Lieder spürte, sagte sie mit großem Ernst: »Paßt auf, die Zeiten haben sich geändert, wir singen nicht mehr so unbelastet« – es war das Jahr, in dem Ronald Reagan sein Amt als Präsident der USA angetreten hatte.

172

Als wir im April 1980 nach Europa zurückflogen, weinte ich im Flugzeug bei einem letzten Glas kalifornischen Weines bitterlich. Mein Rücktritt auf Boldern stand bevor, mit voraussehbaren Schwierigkeiten; ich hatte etwas von einer neuen Freiheit geschmeckt – würde das standhalten? Meine beiden Freundinnen, denen selbst ähnlich zumute war, versprachen mir, alles dafür zu tun, daß ich im kommenden Jahr zum Beginn meiner Pensionierung nochmals nach Berkeley gehen könnte. Doch vorerst kamen wir zurück. Eine jüngere Kollegin, die uns am Flugplatz abholte, sagte später, sie habe erwartet, drei nach dem langen Flug müde Frauen zu treffen, aber sie habe schon dort gemerkt, daß wir eine ganz gute Zeit gehabt hätten. Wir seien so »aufgestellt«, so gelöst und heiter gewesen, wie sie uns selten gesehen habe. Mit ihr zusammen luden wir einige Wochen später zu einer Frauentagung ein: »Frauenerfahrungen – Gotteserfahrungen«. In unserer Erinnerung lebt sie als ein Frauenfest. Über 100 Frauen verschiedenen Alters kamen zusammen, tanzten allein und miteinander (viele zum erstenmal ohne Männer) in den späten Abend hinein und hatten es verwunderlich gut miteinander. In der Einladung zum Programm hieß es:

»Bis vor kurzem war die Annahme unbestritten, daß Religion, Glaube und Theologie nichts mit Mann- oder Frau-Sein zu tun haben. Heute regt sich vielerorts ein neues Frauenbewußtsein auch auf diesem Gebiet. Frauen benennen ihre eigenen Erfahrungen mit Gott und der Kirche oder entdecken Seiten in der biblischen Botschaft, die ihnen bisher verdeckt waren.

Drei Frauen (Elsi Arnold, Marga Bührig und Else Kähler) hatten die Chance, gemeinsam einen Studienurlaub in Kalifornien zu verbringen. Begegnungen mit Menschen aus einem anderen Kulturkreis können das eigene Nachdenken und Erleben ungeheuer befruchten. Etwas von der erfahrenen Ermutigung, Bestätigung und Lebensfreude ist ein Impuls zu dieser Tagung. Wir möchten uns auf Boldern Zeit nehmen, als Frauen zusammen zu sein, einander Erfahrungen mitzuteilen und neue zu machen.«

Auf dieser Tagung, wie schon vorher am Schweizer Rundfunk, hatten wir zu berichten, was wir denn nun »mitgebracht« hatten. Das Interview am Radio begann mit einem der Frauenlieder, »Womanchild« von Carol Etzler. Es richtet sich an ein kleines Mädchen, aber – wie die Verfasserin sagt – auch an eine Frau, die sich »neu geboren« auf den Weg macht. So kam ich mir mit meinen fast 65 Jahren auch vor, ermutigt, gestärkt, bestätigt in manchem, was ich zaghaft angefangen hatte, getragen von einem neuen Gefühl der Zugehörigkeit zu einer weltweiten Bewegung, einem Fluß, der mich/uns trug. Aber es war nicht nur Bestätigung. Es war auch ein neuer Aufbruch in ein noch unbekanntes Land. Manche gute alte Freundinnen hielten uns für verrückt, warfen uns naive Amerika-Begeisterung vor, konnten nicht begreifen, daß uns die Ideale der alten Frauenbewegung nicht mehr genügten. In dem oben zitierten Lied heißt die letzte Zeile: »Möge der warme Wind dich streicheln, möge Gott lächeln, möge sie dich segnen.« Diesen Segen brauchten wir und gaben ihn einander weiter.

Ergriffen und begeistert zu sein ist eins, das Erlebte und Gefühlte in Worte zu übersetzen, die auch für andere verständlich sind, ist etwas anderes, und es war (und bleibt) eine wichtige Aufgabe. Die Themenkreise, die sich damals aufdrängten, sind dieselben geblieben, auch wenn sie sich differenziert haben und wenn ich heute klarer sehe, wo für mich die Hauptakzente liegen, wo ich weiterdenken möchte und womit ich leben kann, wo aber auch meine Grenzen liegen.

Mit am meisten gepackt hatte mich die Erkenntnis, daß die Geschichte von uns Frauen eine andere ist als die der Männer und daß sie verborgen ist. Ich weiß nicht mehr, wer gesagt hat, daß die Geschichte immer von den Siegern geschrieben wird. Daß das in unseren Geschichtsbüchern nicht die Frauen sind, war klar. Das gilt für die Kirchengeschichte ebenso wie für die profane Geschichte, und es gilt auch für die Bibel. Hatte es nicht auch in meinem persönlichen Leben gegolten und in meiner Arbeit mit Frauen? Ja, ich wurde ernst genommen, solange ich Sprache und Denkweise der Männer übernahm und ihre Spiele mitspielte. So war es allen anderen Frauen vor mir gegangen.

174

Als wir in Berkeley waren, fand eine Konferenz vorwiegend katholischer Frauen mit dem Thema statt: »Die Gaben der Frauen in und für eine Kirche im Wandel.« Für die beiden Gottesdienste hatten Frauen je eine Litanei geschrieben, in der sie Frauen sozusagen aus dem Dunkel der Geschichte ans Licht riefen, ganz kurz daran erinnerten, was sie getan oder gedacht hatten, wer sie gewesen waren oder noch waren. In der einen Litanei antworteten die anwesenden Frauen mit der Bitte: »Steh hier neben uns«, in der anderen mit dem Versprechen: »Wir gehen mit dir.« Es war bewegend, auf diese Weise Teil dieser verdeckten und nun zum Leben erweckten Frauengeschichte zu werden, und mir machte vor allem Eindruck, daß die Grenzen zwischen Vergangenheit, Gegenwart und Zukunft fließend wurden. Dafür einige Beispiele:

»*FLORENCE NIGHTINGALE, du wolltest dein Leben für den Dienst in der Kirche zur Verfügung stellen und erlebtest, daß die Kirche keine sinnvolle Arbeit für dich hatte. Unverzagt verschenktest du dich an die Welt und begründetest die moderne Krankenpflege.*

FLORENCE NIGHTINGALE, steh hier neben uns.
THERESE VON LISIEUX, du fühltest dich zum Priesteramt berufen. Da die Strukturen deiner Zeit es nicht erlaubten, betetest du darum, mit 24 Jahren sterben zu dürfen, um in dem Alter, in dem deine Brüder auf der Erde zelebrierten, im Himmel zu feiern.

THERESE VON LISIEUX, steh hier neben uns.
MICHELLE PEÑA HERRERA, mit vielen anderen unserer Schwestern in Chile wurdest du verhaftet und gefoltert von der Junta und bist seither verschwunden. Wir schließen uns zusammen mit den Frauen auf der Plaza de Mayo in Buenos Aires, um gegen das Verschwinden von 15 000 Menschen zu protestieren.

MICHELLE PEÑA HERRERA, steh hier neben uns.
MAGGIE KUHN, du hast die Grauen Panther gegründet, eine Organisation, die sich dafür einsetzt, die Gaben älterer Menschen zu entwickeln und ihre Rechte unter uns zu sichern. Du hast uns die Achtung vor Alter und Weisheit gelehrt und uns Hoffnung auf unser eigenes Reifwerden geschenkt.

MAGGIE KUHN, steh hier neben uns.

THERESA VON AVILA, du warst eine Frau mit unverzag-
tem Glauben, eine Lehrerin der Kirche. Du setztest dich uner-
müdlich für Reformen ein, auch gegen Kritik und Unterdrük-
kung.
  THERESA VON AVILA, wir gehen mit dir.
TERESA KANE, du hast tapfer, freundlich und wahrhaftig
vor den Augen der Welt gesprochen, als du die Aufmerksamkeit
von Papst Johannes Paul II. auf die gegenwärtige Ungleichheit
in der Kirche lenken wolltest. Du gebrauchtest deine Gaben und
deine Stellung im Dienst für die Unterdrückten.
  TERESA KANE, wir gehen mit dir.
SUSANNA, du wurdest wie unzählige namenlose andere ver-
gewaltigt und zum Opfer gemacht von Männern, die dich als
Objekt und nicht als Person betrachteten. Aber du behieltest
deine Würde und deinen Glauben an Gott und überlebtest die
Gemeinheit.
  SUSANNA, wir gehen mit dir.
KLEINE MÄDCHEN, die ihr 1980 geboren wurdet, vor euch
liegt eine Welt voll von Möglichkeiten für Gerechtigkeit. Euch
geben wir unsere Träume von Frieden und Harmonie weiter, un-
sere Visionen von Gerechtigkeit und Neubeginn.
  LEBT, WIR GEHEN MIT EUCH.«

Lebende und heute tätige Frauen, solche mit großer Wirkung
und andere, die unterlegen waren, große Gestalten der Vergangenheit und diejenigen, auf die sich neue Hoffnungen
richten konnten, waren da beisammen, weder historisch noch
thematisch geordnet. Gewählt worden waren sie von den verschiedenen an der Tagung vertretenen Organisationen und
Dienststellen.
  Es waren nicht einfach Lichtgestalten. Zu unserer Geschichte gehörten auch die Hexen. Sie kamen in der Litanei
auch vor, und ich schäme mich zu gestehen, daß ich nie zuvor so
viel über die Hexenverbrennungen in Europa gehört hatte wie
in Amerika. Daß sie ein Teil meiner/unserer Geschichte waren, das hatte ich nicht gewußt. Frauen als Projektionsschild
alles Bösen, Frauen, die ein anderes, der Natur näheres Wissen
hatten als die Männer und dafür büßen mußten, wurden sicht-

bar. In Mary Dalys Buch »Gyn/Ecology«, das 1978 erschienen war, fand ich eine große Zusammenschau dessen, was Frauen in der Weltgeschichte angetan worden war: Witwenverbrennungen in Indien, Verkrüppelung der Füße in China, Klitoris-Beschneidung in Afrika, Hexenverbrennungen in Europa und Frauenmord in Amerika durch die »Heiligen Geister der Medizin und Therapie«. So sah eine Frau, die die Kirche hinter sich gelassen hatte, Geschichte und Gegenwart des Patriarchats. Ich wehrte mich, ich wollte das nicht sehen. War das nicht viel zu pessimistisch, zu einseitig, zu undifferenziert? Und doch – wollte ich lieber die öffentliche Verdrängung unterstützen? Weniger Mühe machte mir allerdings die Suche nach Vorbildern, nach starken Frauen, und das war ja auch wichtig.

Aber waren nicht auch die starken Frauen vergessen oder verzeichnet worden? Warum war Eva schuld am Sündenfall, warum hatte sie ihren alten Namen »Mutter der Lebendigen« (1. Mose 3,20) verloren? Und was war der Maria Magdalena passiert? Aus einer mit Jesus nah befreundeten Frau war sie zum Urbild einer großen Sünderin und Büßerin geworden. Lief da nicht eine rote Linie von Eva und Maria Magdalena zu den Hexen, aber auch zu allen Frauen, die sich nicht unterwerfen wollten – auch zu mir? Waren es nicht die immer gleichen Mechanismen, die Frauen nicht zur Geltung kommen oder verschwinden ließen, die ihren Körper, ihren Geist, ihre Sprache vergewaltigten? Und waren es nicht Männer, die das taten?

Mein bisheriges, theologisch so gut abgestütztes Welt- und Menschenbild wurde rissig. Wie hatte ich in unzähligen Vorträgen gesagt: Mann und Frau von Gott einander zugeordnet, ihr Miteinander, ihre Zweisamkeit ein Urbild menschlicher Gemeinschaft. Partnerschaft von Mann und Frau zwar noch ein Programm, aber letztlich doch das einzig mögliche Ziel. Ich kannte doch auch Ehen, wo das verwirklicht schien. Ich lebte in guten Arbeitsbeziehungen mit einigen Männern. Wenn ich an sie dachte, stimmte das, was an neuer Erkenntnis aufblitzte, nicht. Aber dann fiel mir plötzlich eine längst vergessene Szene ein. In einem Film von Buñuel, Viridiana, ist die Hauptperson eine schöne, stolze Frau, die ihren eigenen Weg geht. Schließlich aber wird sie auf scheußliche Weise vergewaltigt. Wir sahen den Film während einer Tagung, wir sprachen darüber, und ich kann das triumphierende und im Blick auf mich irgendwie mitleidig-verächtliche, fast wohlgefällig schmatzende Lächeln eines dabei anwesenden Mannes nicht vergessen. Er triumphierte mit den Männern im Film über eine Frau, der nun endlich »recht geschehen war«. Oder ich denke an ein kirchliches Gremium. Die Männer waren weit in der Mehrheit. Das Foto und ein paar Sätze von einer progressiven Frau in einer Ton-Bild-Schau führten zu einer Debatte unter den Männern. Es war eine Stimmung, ein Klima, in dem ich den Eindruck hatte: Wenn sie diese Frau da hätten und tun könnten, was sie eigentlich wollten, hätten sie sie gradwegs vergewaltigt. So nah sind die Hexen und ihre Richter, so stark ist die Provokation durch Frauen, die sich der Anpassung widersetzen. Darum ist der Weg zur Befreiung so weit.

In Berkeley lebten wir in einer so starken Frauengemeinschaft, wie wir sie nie zuvor erfahren hatten. Sie stützte das eigene Selbstbewußtsein, auch das Bewußtsein, Frau zu sein und gern Frau zu sein. So wuchs der Mut zu kritischen Fragen und der Wunsch, den hellen und den dunklen Seiten dieser gemeinsamen Frauengeschichte nachzuspüren und in und mit ihr leben zu lernen.

Klar war oder blieb für mich, daß meine eigene Befreiungsgeschichte mit dem Evangelium zu tun hatte, und ich wollte es mir auch nicht nehmen lassen, dieses Element der Befreiung in der Geschichte der Frauenbewegung zu sehen. Für mich stimmte es einfach nicht, daß alles nur Unterdrückung gewesen sein sollte. Mein Lebenstext Galater 3,28 leuchtete noch immer: »Da ist nicht Jude noch Grieche, nicht Knecht noch Freier, nicht Mann noch Weib, sondern ihr seid alle einer in Christus.« Da wurde nach meiner Deutung die Befreiung von uns Frauen in einen großen Zusammenhang gestellt, die Frauenbefreiung war Teil von Gottes befreiender Liebe zur Welt. Diese Bewegung war größer als die Frauenbewegung – da hatten auch Männer wieder Platz –, aber vor allem war da eine Öffnung in die Weite.

In diesem Zusammenhang tauchte auch die Gestalt von Jesus neu auf. Nicht der am Kreuz gestorbene Erlöser, sondern der den Menschen zugewandte Bruder. Daß die gekrümmte Frau sich aufrichten und gerade vor sich hin und nach oben schauen konnte, statt nur den Boden unter den Füßen der Menschen zu sehen, wurde zum Symbol. Frauen wurden aus ihrer erzwungenen Verkrümmung befreit, sie wurden aufrechte Menschen, und sie konnten sich an der Befreiung anderer beteiligen. Der mächtige Fluß göttlicher Liebe sollte alle beleben. Mit der Heilung der Frau, die an unstillbaren Blutungen litt und damit »unrein« war, wurde ein Tabu durchbrochen, die Verachtung unseres Körpers und seiner Funktionen. Millionen und Generationen von Frauen waren vom »Allerheiligsten« ausgeschlossen, waren von Männern als unrein erklärt worden – mit welchem Recht eigentlich? Durch die einfache Berührung des Mantels von Jesus wurde eine Frau befreit, und darin leuchtete etwas auf von einer weitergehenden Befreiung. Nein, dieser Jesus war nicht der, den die Kirchen zum »Herrn« gemacht hatten, zum König, der als Herrscher der Welt, als Pantokrator über den Toren unserer Kathedralen thront. Früher hatte ich diese Bilder geliebt, sie sogar gesammelt – warum eigentlich? Damals gehörten sie für mich zur Auferstehung, waren Zeichen eines Lebens, das im Tode nicht endet, in der Rundung der Torbogen auch Symbol für eine von Gott gegebene, ewige Ordnung. Ich hatte diese Überordnung nicht als Herrschaft, nicht als Unterdrückung empfunden. Konnte ich das immer noch so sehen? Mußte nochmals alles zerbrechen, was vorher gegolten hatte, wenn ich schon von »Bekehrung« rede? Oder ging es hier eher um Differenzierung und Vertiefung? Ja, ich wehrte mich gegen ein von Männern gemachtes System konsequenter Hierarchie und insofern dagegen, daß Jesus ein fester Platz in dieser angewiesen wurde. Ich sah ihn beweglicher, dynamischer, näher, und doch konnte ja das Leben nicht nur Bewegung sein. Wir brauchen auch Ruhepunkte – in der Höhe? Oder in der Tiefe? Oder sowohl als auch?

Weniger Schwierigkeiten hatte ich mit der Kritik an der Kirche. Mit der Institution hatte ich ja schon immer gestritten, hier war für mich die feministische Kritik am leichtesten zu akzeptieren, oder besser gesagt: Diese gab mir neue Schlüssel zum Verständnis in die Hand. In Berkeley wurde damals viel über die Ordination der Frau geredet, weil viele Katholikinnen an der GTU studierten und das für sie die wichtigste Frage war. Für uns war das anders, so schien es uns damals. In unserer Kirche wurden Frauen ordiniert. Else und ich waren es nicht, zunächst aus äußeren Gründen, uns beiden fehlten die in unserer Kirche nötigen examensmäßigen Voraussetzungen. Else hatte »nur« einen Dr. theol., aber kein kirchliches Examen, und mir fehlte eben dieser Abschluß. Vermutlich wären diese Probleme mit einigem Bemühen lösbar gewesen. Aber wir hatten uns nicht darum bemüht. Als 1963 alle Theologinnen, die examensmäßig die Voraussetzungen hatten, gemeinsam ordiniert wurden, kam uns das wie eine rasche, nicht sehr differenzierte nachträgliche Absegnung von etwas vor, das auch ohne Ordination weitgehend möglich gewesen war. Ich weiß, daß das für manche Kolleginnen anders war. Für sie erfüllte sich mit dieser Ordination mehr als nur die Anerkennung von Gleichberechtigung. Für sie hatte dieses Amt eine andere Dimension. Wir aber wollten eigentlich die Kirche nicht in der Weise repräsentieren, wie ein »verbi divini minister« es konnte und mußte. Ich jedenfalls hatte viel zuviel Kritik an dieser Kirche und ihren »Dienern«. In der Erwachsenenbildung und in der Akademie arbeitete ich gerne mit guten Theologen zusammen, aber dazu brauchte ich keine Ordination, obschon ich mich natürlich immer und überall dafür eingesetzt habe und einsetze, daß Frauen ebenso wie Männer ordiniert werden können. Heute weiß ich auch, daß ihr Ausschluß weniger mit Theologie als mit dem männlichen Selbstverständnis und ihrer Einschätzung der Frau zu tun hat. Aber schon damals zweifelte ich am Sinn der Hervorhebung eines so besonderen Amtes. Im übrigen habe ich in unserer Kirche nicht viel an Veränderung dadurch erlebt, daß Frauen Pfarrerinnen werden konnten. Sie mußten und müssen das durch Jahrhunderte von Männern geprägte Amt übernehmen – sie schlüpfen in einen nicht für sie geschneiderten Talar, der ihnen noch weniger steht als den Männern, auch wenn manche Frauen rein äußerlich gut darin aussehen.

Meine eigene Kritik an der Kirche wurde zur Kritik an der Männerkirche, zur Kritik am Patriarchat. Es war Kritik an einer festgelegten Hierarchie – das war es schon immer gewesen. Aber erst jetzt wurde mir ganz bewußt, daß das eine *männliche* Hierarchie war, eine patriarchale Hierarchie, und daß diese Männer, diese Väter und Brüder, wie sie sich so gerne nannten, Macht hatten und ausübten. Zwar sagten sie, daß ihre Funktionen Dienst seien. Auch der Papst nennt sich ja Diener der Diener. Diese Macht wurde von oben nach unten weitergegeben und legitimiert: Gott Vater – Sohn – Heiliger Geist (auch »er« männlich) – Bischof oder Abt – Priester – Laie. Kam das wirklich von oben nach unten, war es nicht eher umgekehrt? Projizierten nicht Männer ihre eigene Stellung von unten nach oben? Und war es nicht Anmaßung, sich selbst als Mann in dieser Reihe von Tradition zu sehen? Nach meinem Empfinden entsprach sie nicht dem, was Jesus gemeint hatte. Ich konnte nicht glauben, daß er diese Kirche gewollt hatte. Die aus biblischen Texten stammenden Bilder entsprachen dem auch nicht. Im ÖRK und auch in der Katholischen Kirche wurde gern und häufig von der Kirche als dem wandernden Gottesvolk gesprochen. Aber woraus war dieses Volk denn ausgezogen? Mir kam es recht seßhaft vor, sehr gut verankert in der Gesellschaft, in der es lebte. Aus ihr stammten doch auch die Formen der Herrschaft, obschon das dem Willen von Jesus deutlich widersprach. Mir wurden die Worte wichtig, die er zu den beiden Jüngern sagte, die gerne zu seiner Rechten und zu seiner Linken sitzen wollten: »Ihr wißt, daß die, welche als Fürsten der Völker gelten, sie knechten und ihre Großen über sie Gewalt üben. Unter euch ist es aber nicht so, sondern wer unter euch groß sein will, sei euer Diener, und wer unter euch der Erste sein will, sei der Knecht aller« (Markus 10,42–44).

Wenn ich diese Sätze las, wurde ich zornig. Das Dienen habt ihr schön an uns Frauen delegiert! Das durften oder mußten wir schon immer, und dann wurde das Dienen noch verbrämt durch den Glanz, daß Jesus selbst sich als Diener verstand, daß wir ja seinen Willen taten, wenn wir dienten. Aber innerhalb was für eines Systems sollten wir dienen? Innerhalb des Patriarchats, in dem Männer herrschten. Ich zögere immer, wenn ich sage oder schreibe: *die* Männer. Ich weiß natürlich, daß diese Macht auch unter Männern ungerecht verteilt ist, daß es auch hier Herrschende und Beherrschte gibt. Aber die Anerkennung dieser

Tatsache verhindert immer wieder bei mir selbst und bei anderen die Erkenntnis, daß das Patriarchat – eine männliche Institution –, sowohl in unseren Kirchen als auch in der Gesellschaft die Grundlage ist. Das geht alle Männer an.

Für die, welche ihm nachfolgten, wollte Jesus offenbar eine andere Gemeinschaft. Jedenfalls wollte er nicht, daß die Formen, die in der »Welt« galten, auch in seiner Gemeinde zur Geltung kämen. Er wollte die Art von Macht nicht, die damals üblich war und es heute noch ist, heute noch verstärkt durch die Anonymität der wirklich Mächtigen und durch die technischen Mittel, die ihnen zur Verfügung stehen. Das Patriarchat ist nicht mehr so gut sichtbar in unserer vielfältig organisierten Gesellschaft, aber diese ist eine *Männer*-Gesellschaft geblieben. Daß hier die Kirchen sich bei ihrem Aufbau schon sehr früh angepaßt hatten, daß überall dort, wo sie sich konsolidierten, Frauen mehr und mehr auf die Seite gedrängt wurden, machte mich zornig. In diese Kirche hinein wollte ich nicht ordiniert werden.

In der Frauenbewegung erlebten wir andere Formen von Gemeinschaft. Ein Wort, das ich in Berkeley lernte, hieß »mutuality« – Gegenseitigkeit, Wechselseitigkeit – also flexible, nicht festgeschriebene Rollen, einmal stark und dann auch wieder schwach sein dürfen, auswechselbar, vertretbar sein. Eine Zusammengehörigkeit in gegenseitiger Zuwendung, aufeinander hören und zueinander sprechen. Kreise bilden und wieder auflösen, mehr Spontaneität, mehr Verbundenheit ohne Gleichförmigkeit und ohne Unterordnung. In einem Artikel, den ich 1982 für die Zeitschrift des Zentrums für Frauen und Religion zum Thema »Frau und Macht« schrieb, heißt es:

»Was meinen wir Feministinnen, wenn wir von einer starken Frau sprechen, von einer Frau, die ›power‹ hat? Es gibt sicher so viele Definitionen, wie es Frauen gibt. Ich kann nur versuchen, einige Elemente, die mir wichtig scheinen, zusammenzustellen. Ich stelle mir eine Frau vor, die sich ihrer emotionalen Kräfte bewußt ist und mit ihnen umgehen kann, die in einer nahen Beziehung zur Natur, zu ihrem eigenen Körper und ihrer Seele lebt und diese Kräfte auch bei anderen spürt. Aber sie hat auch ge-

lernt, so intelligent zu sein, wie sie ist, ohne Angst, deswegen als Blaustrumpf angesehen zu werden. Ich denke an eine ihrer selbst als Frau bewußte Frau (a woman-identified woman), eine mehr oder weniger voll integrierte Persönlichkeit, und ich bin überzeugt, daß Frauen in unserer Gesellschaft größere Chancen haben als Männer, solche in diesem Sinn machtvolle Persönlichkeiten zu werden. Männer stehen viel mehr in der Gefahr, die eine Seite ihrer Persönlichkeit zu unterdrücken – ihre Gefühle, ihre Beziehungsfähigkeit, ihre Sensibilität, weil das berufliche und politische Leben, wie es heute ist, nur so funktionieren kann.«

Auch in diesem Artikel hieß es, in dieser Hinsicht sei die Kirche ein getreues Abbild der Gesellschaft, verwaltet durch männliche, von im Patriarchat erzogenen Männern erdachte Strukturen, und männliches Denken waren vorherrschend in Theologie und Dogma. Demgegenüber erlebten wir eine Fülle von Leben in der Gemeinschaft von Frauen, und diese war doch auch Kirche – oder nicht?

Sicher, das Gottesvolk der Bibel hatte ein klares Ziel. Ich hatte als Theologin gelernt, das biblische Denken sei linear, ausgerichtet auf dieses Ziel. Das hatte ich lange geglaubt und vertreten. Aber war nicht dieser Zielstrebigkeit sehr viel zum Opfer gefallen, in meinem eigenen Leben und auch in der Kirche? Das Ziel sah ich immer noch. Konnte ich es immer noch »Ausbreitung der Königsherrschaft Gottes nennen«? Andere Bilder wurden wichtiger, zum Beispiel das Gastmahl der Völker (Jesaja 25,6ff.). Jesus hatte doch so oft mit seinen Jüngern und mit vielen anderen gegessen, und in einem Frauenlied »Peaceable Home« fand ich viel von dem, was sich für mich mit diesen biblischen Verheißungen verbindet, zum Beispiel die offene Stadt, in der alle an allem teilhaben können, das »himmlische Jerusalem« in Offenbarung 21, das für mich aber durchaus eine Zielvorstellung für die Gestaltung dieser Erde war. Solche Ziele sind nicht linear zu erreichen, dazu braucht es noch anderes als Zielstrebigkeit, es braucht Umwege, Kreise, Spiralen, Kreativität. Auf der schon einmal erwähnten Frauentagung in Berkeley wurde ein Lied gesungen: »Wir tanzen Sarahs Reigen.« Die alte Sarah, eine unserer Mütter, und tanzen? Tanzen in der Kirche! Aber würde es ihr – uns – nicht guttun? *Wir sind* doch die Kirche, jedenfalls sagt man uns das immer dann, wenn wir etwas gerne anders hätten. »Ihr seid doch die Kirche!« so heißt es dann.

Abbau von Hierarchien, Teilhabe aller an allem, vor allem aneinander, an den reichlich vorhandenen Gaben und Fähigkeiten, kein für Spezialisten reserviertes Wissen, theologische Alphabetisierung in alle Richtungen. Das wirkliche Geheimnis der Kirche, die alles überwindende Liebe, würde dadurch nicht verkleinert, sondern verstärkt, und diese Kirche braucht keine Verteidigung durch immer neue Abgrenzungen. Für sie gilt das Wort, daß »die Pforten der Hölle sie nicht überwältigen werden« (Matthäus 16,18). Etwas davon wird in heutigen Basisgemeinden mitten in Armut und Tod erlebt.

Und Gott? »Ist er nun ein Mann oder eine Frau?« »Erfahren Frauen Gott anders?« So lauteten die Fragen nach unserer Rückkehr. Wenn sie leichthin, fast ein wenig schnodderig gestellt wurden, verletzten sie. Aber auch wenn sie ernsthaft waren, kamen sie zu früh und zu schnell. Ich hatte das Gefühl, daß etwas, was eben angefangen hatte zu wachsen, zu früh ans Licht gezerrt wurde. Die Kritik an Gott, dem »Patriarchen«, wie ihn unzählige Bilder darstellten, fiel mir nicht schwer. Das lag auf der Linie der gesamten Kritik am Patriarchat. Dieser alte Mann mit dem Bart war eigentlich nie mein Gott gewesen. Das Wort »Vater« kann ich im überlieferten Gebet Jesu ohne Schwierigkeiten gebrauchen, wenn es in einem Gottesdienst, mit anderen zusammen gebetet wird. Dann trägt die Tradition immer noch. In frei formulierten Gebeten kann ich leichter »Mutter« dazusetzen, und der Wechsel der Pronomina »er« oder »sie«, »seine« oder »ihre« Gnade, Taten, Liebe oder was es sein möge, ist mir geläufig geworden, leichter im Englischen als in meiner Muttersprache, was sicher kein Zufall ist. Muttersprachliche Formulierungen sitzen tiefer, sie zu verändern kostet mehr. Vom allmächtigen Gott war ich auch längst vor Berkeley schon weit entfernt gewesen. Allmacht und all das Entsetzliche, was in der Welt durch Menschen geschah, und Güte zusammenzubringen war mir schon längst nicht mehr möglich. Aber was sollte an den leeren Platz treten? Wie viele andere Frauen suchte ich zunächst nach den weiblichen, den mütterlichen Seiten des biblischen Gottes – »Wie einen seine Mutter tröstet, so will ich euch trösten« (Jesaja 66,13), »Geknicktes Rohr wird er (sie?) nicht zerbrechen und glimmenden Docht nicht auslöschen« (Jesaja 42,3) und manche andere Stellen – ich war da nicht originell. Aber es half mir, wenn ich ehrlich war, auch nicht allzuviel. Es griff nicht tief genug.

Wenige Wochen, bevor wir Berkeley verlassen mußten, hatte ich in einem kleinen Kreis des Zentrums über »Dreißig Jahre in der Frauenbewegung in der Schweiz« zu sprechen. Ich sollte zwei Texte nennen, die mir lieb waren, und ich wählte zwei Psalmworte:

»Meine Seele sehnte sich, ja schmachtete
nach den Vorhöfen Gottes.
Nun jauchzen mein Herz und mein Leib
dem lebendigen Gott entgegen.
Auch der Sperling hat ein Haus gefunden
und die Schwalbe ein Nest für sich,
darein sie ihre Jungen gelegt hat,
deine Altäre ...« (Psalm 84,3.4).

Daß der Text so weitergeht: »o Herr der Heerscharen, mein König und mein Gott«, ließ ich weg, das heißt »mein Gott« nicht, aber den Herrn der Heerscharen und den König.

Der andere Text stammte aus dem 124. Psalm (Vers 6 und 7):

»Gelobt sei Gott, der uns nicht dahingab
ihren Zähnen zum Raube!
Unsere Seele ist wie ein Vogel,
der dem Netze der Vogelsteller entronnen;
das Netz ist zerrissen,
und wir sind entronnen.«

Damals sagte ich dazu:

»Ich habe euch gebeten, zwei Psalmverse zu lesen. Für mich sprechen sie über zwei grundlegende Elemente oder Erfahrungen, die ich immer noch in der biblischen Botschaft eher finde als anderswo. Die eine beschreibt Ruhe, Zärtlichkeit, Geborgen-

185

heit, einen Ort, wo ich sein kann und wo ich hingehöre, wo ich spüre, daß ich von Gott angenommen und geliebt bin, gehalten von seiner/ihrer Gnade. Ich denke, daß die Kirche ein Ort sein sollte, wo ich etwas davon finden könnte. In meiner Ortsgemeinde finde ich das nicht, aber ich kenne es in meinem persönlichen Leben und in verschiedenen ökumenischen Gruppen mit Frauen und Männern und in der ebenso seltenen wie kostbaren Schwesternschaft der Frauenbewegung.

Der zweite Vers spricht von Befreiung. Für mich selbst bin ich froh, daß ich immer noch glauben kann, daß es Gott ist, der/die will, daß wir befreit werden – nicht ein für allemal, sondern immer wieder von neuem. Neu anfangen zu können trotz Ängsten und Enttäuschungen, trotz Alter und Erschöpfung. Für mich ist die feministische Bewegung Teil eines umfassenden Befreiungsprozesses, einer Befreiung aller Unterdrückten und der ganzen Schöpfung. Ich träume und hoffe, daß christliche Frauen eine wichtige Gruppe innerhalb dieses Befreiungsprozesses sind.«

Geborgenheit und Befreiung waren und blieben Grunderfahrungen meines Lebens, die ich nicht mit männlich oder weiblich umschreiben konnte. Ich hätte trotz dem Bild vom Nest und den Jungen im 84. Psalm Geborgenheit nicht als weiblich, Aufbruch zur Befreiung nicht als männlich festschreiben wollen. Beides war Teil meines Lebens, ich war in beidem und beides in mir, wie auch mein Vater weich und zärtlich und doch fordernd und meine Mutter stark und herrisch und doch gütig waren. Und Gott? Das »Du«, die Anrede mit Du, wollte ich behalten, nein, ich wollte nicht, ich mußte. Der/die Angeredete war weder männlich noch weiblich, war er/sie Person? Das wußte ich nicht. Hätte es das Buch von Carter Hayward »Und sie rührte sein Kleid an«* schon damals gegeben, dann wäre »Macht in Beziehung« – so umschreibt sie Gott – möglicherweise wegweisend gewesen.

Dazu noch ein letztes Erlebnis. Wir waren mit Barbara und Stacy zum Abendessen ausgegangen in ein Restaurant am Wasser, das wir sehr liebten. Der Ausgang führte über eine kleine

---

* Carter Heyward: Und sie rührte sein Kleid an, Kreuz Verlag 1986

186

Brücke, unter uns das Wasser im Dunkel des Abends. Wir blieben stehen, wir spürten einander, wir hörten das Wasser und fühlten seine Tiefe, die Tiefe unserer Beziehung(en), die Tiefe des Lebens. Geborgenheit und Abgründigkeit, Nähe und Unermeßlichkeit, Kraft, die uns durchflutete, die von einer zur anderen ging. Frauenerfahrung? Gottes/Göttin-Erfahrung? Meine Theologie sträubte sich, aber mein Herz sagte ja. Da war doch etwas von dem wiederhergestellt, was die Theologie der Männer auseinandergerissen hatte. Da waren Eros und Agape versöhnt, Natur und Geist eins.

Berkeley III

Wenige Tage nach meinem Rücktritt in Boldern, im Oktober 1981, flogen wir wieder nach Kalifornien, konnten wieder in der alten Wohnung leben, aber Judy fehlte. Nach drei gemeinsamen Ferienwochen blieb ich – meinem Wunsch entsprechend – allein. Ich wollte mir selbst und allen anderen klarmachen, daß ich wirklich zurückgetreten war, und ich wollte für mich selbst erfahren, ob ich allein mit mir selbst, mit dem Leben, mit Gott zurechtkommen würde nach so vielen Jahren des Eingespanntseins in einen festen Rahmen und auch nach so vielen Jahren gemeinsamen Lebens. »Programmiert zur Depression«, sagte nachträglich ein Psychologe, mit dem zusammen ich einen Kurs leitete. Ich hatte die Schwierigkeiten unterschätzt, insofern hatte er recht. Trotzdem habe ich es nie bereut, mich darauf eingelassen zu haben – auf Zeit zum Lesen und Schreiben, auf gute Stunden mit Frauen, besonders mit Barbara und Stacy, auf Erfahrungen in »Workshops«, aber auch auf aufsteigende, nicht mehr rational zu deutende Ängste, auf einsame Autofahrten durch fremde Straßen im Dunkel, auf Heimweh und Sehnsucht, auf Verzagtheit und Ausgeliefertsein. Etwas von der Wüste, von der in manchem feministischen Buch die Rede ist, habe ich erlebt. Aber ich habe auch erlebt, wie die im Sommer braun gewordenen, vertrockneten Hügel um Berkeley wieder zu grünen begannen. In ihnen sah ich meinen eigenen Weg. Und Gott? Die Erfahrung jenes Adventssonntags, die auf den ersten Seiten dieses Buches geschildert ist, stammt aus dieser Zeit. Es war so etwas wie ein Ergebnis, eine vorläufige Zusammenfassung. Ich war immer gut in Zusammenfassungen, sie waren an Tagungen gefragt, den Weg, die Stationen dieses Weges sah ich weniger klar. Dazu einige Tagebuchblätter.

21.11.81

In einem Workshop über »spiritual leadership« (spirituelle Leitung). Eine Meditation über unseren Weg hierher – den Weg unseres Lebens. Wir sollten uns an eine starke geistliche Erfahrung erinnern. Ich erinnerte mich an die beiden Anfragen: Beteiligung an der TELE-ARENA über Homosexualität und an den Anfang meiner Friedensarbeit. Das Gefühl, nicht anders zu können. Kraft und Angst. Aber wo bin ich jetzt – immer noch dieselbe? Ja, aber ich kann nicht mehr so. Ich bin müde.

Ein Geschenk für mich selbst? Mich so anzunehmen, mich fallen zu lassen. Ich sehe mich unten am Wasser an der Marina stehen, in all der Schönheit von Kalifornien, offen, müde, bereit? Bereit, zu mir selbst ja zu sagen? Tiefes Gefühl: Ich muß jetzt gar nichts.

Was »nährt« mich? Zusammensein mit Frauen, besonders meinen Freundinnen, zusammen essen, nicht allein – mit den Händen im Schoß dasitzen – in die Weite schauen... Wie wird das in Binningen sein?

Ein nächster Schritt, der Mut braucht? In ein neues Haus einziehen, zu dritt. Nach Hause fahren mit nicht zu vielen Erwartungen und wissen, daß es nie mehr so sein wird, wie es war.

24.11.81

Eigentlich wollte ich schon seit Tagen zu den letzten Aufzeichnungen zurückkommen und an den Fragen des Workshops weiterspinnen. Dieser war übrigens eine ganz gute Erfahrung. Ich werde auch zum nächsten gehen und vielleicht am Sonntagabend in ein Zentrum von Frauen-Spiritualität. Rosemary Ruether schreibt in einem Artikel von der mir ja wirklich gut bekannten

Spaltung von Leib und Geist. Die Frauen-Spiritualität versucht, die natürliche, »weibliche« Seite lebendig zu machen. Für mich ist das hilfreich, wenn auch immer noch belastet von Angst oder schlechtem Gewissen gegenüber der Theologie, die ich einmal gelernt habe und die mir sehr viel bedeutet hat. Ich will davon ja auch nicht ganz weg, aber ich möchte mehr erleben von anderen Wegen zu Gott. Diese können nur aus der eigenen Erfahrung und Geschichte kommen. In dem Workshop fand ich die Fragen sehr hilfreich: die Erinnerung an eine starke geistliche Erfahrung. Daß mir dabei das Ja-Sagen zur Tele-Arena und das Ja-Sagen zu den »Frauen für den Frieden« ganz spontan einfielen, ist wohl bezeichnend. Es waren Augenblicke, wo ich ganz stark den Eindruck hatte, sie seien ein Ruf, ein Auftrag, dem ich mich einfach nicht entziehen konnte. Bezeichnend ist aber, daß es Rufe zur Aktivität, auch in die Öffentlichkeit waren. Wenn ich mich frage: Wo stehe ich heute? dann stimmt das wohl, was ich neulich geschrieben habe: Davon allein kann ich nicht leben. Ich bin immer noch müde, auch wenn ich durchaus spüre, daß etwas von der alten Lebendigkeit wieder da ist. Ich mußte das damals tun, und vor allem der zweite Schritt hat durchaus, wie eine Freundin schrieb, ins Leiden geführt. Aber jetzt beschäftigt mich nicht das Leiden, sondern die Frage des Ganz-Seins und des auch emotionalen Zugangs zu Gott, zur Tiefe des Seins – meiner eigenen Tiefe, aber doch auch zu etwas oder jemand, die darüber hinausgehen. Hier ist für mich dann doch immer wieder die biblische Botschaft, vor allem die Verheißungen, wichtig. Eher als framework (als Rahmen, als Denkkonzept) denn als unmittelbares Angesprochen-Sein oder Anreden-Können.

26.11.81
Ein Fetzen aus einem sonst versunkenen oder vergessenen Traum: Es würde mich doch ärgern, wenn ich auf dem Grab von Karl Barth – ich weiß nicht mehr was – machen würde, vermutlich »Women's spirituality«.

29.11.81

Gestern habe ich die Diplomarbeit einer jungen Frau gelesen:
»Wenn die Welt auf-bricht (cracks open) – feministische Bekeh-
rung und die Erfahrung des Nicht-Seins.« Die Arbeit ist faszinie-
rend, und zwar deshalb, weil die Verfasserin nicht mehr in der
Kirche sein kann und doch nicht alles hinter sich lassen kann und
will. Das Aushalten eines Zwischenstadiums scheint mir persön-
lich ganz besonders wichtig zu sein...

Bekehrung zum Feminismus – kann ich das für mich sagen? Ja,
wenn ich damit meine, daß ich nie mehr hinter die hier mit
»Berkeley« umschriebenen Erfahrungen und Erkenntnisse zurück kann. Ich kann nie mehr vergessen, daß ich im Patriarchat
lebe, daß Bibel, Theologie, Kirche, Glaube davon geprägt sind
ebenso wie die Gesellschaft, in der ich lebe. Mich so weit wie
möglich davon zu lösen, mich damit auseinanderzusetzen, meinen eigenen Weg als Frau zu gehen versuchen, in Solidarität
mit anderen Frauen, das bleibt. Ja, ich bin Feministin. Nein,
wenn Bekehrung zum Feminismus heißen sollte, ich lasse die
Verbindung mit der christlichen Tradition und auch zur Kirche
abreißen. Das kann ich nicht, trotz aller Kritik kann ich es
nicht. Bin ich nicht mutig genug? Oder nicht mehr jung genug?
Ich kann mir diese Fragen nicht beantworten. Ich weiß nur, daß
ich immer noch unterwegs bin und daß ich immer besser verstehen möchte, was feministische Theologie und Spiritualität ist
und sein kann. Berkeley hat mir sowohl tiefere Dimensionen
meiner selbst und meines Glaubens als auch ein Grundkonzept
für weiteres theologisches und politisches Denken gegeben. Insofern war es eine dritte Bekehrung (s. Anhang »Was ist eigentlich feministische Theologie?« S. 256).

Erprobung
der Echtheit

Feminismus ist Arbeit für den Frieden

Bekehrungen müssen Folgen haben. Sonst sind sie nicht echt. Sie werden vom Alltag, vom Entscheiden und Handeln auf die Probe gestellt. Es könnte ja auch sein, daß nur ein neuer Deckel übergestülpt, eine andere Sprache übernommen, ein neues System akzeptiert würde. Auch der Feminismus könnte einfach ein neuer Denkrahmen sein. Das war er in meinem Fall zweifellos, aber das allein wäre nicht genug, um von Bekehrung zu reden. Neue Kraftquellen brachen auf, Akzente wurden anders gesetzt, das Verständnis der politischen Realitäten vertiefte sich um eine wesentliche Dimension.

Eins war mir klar nach meiner Rückkehr aus Berkeley: Ich war nicht mehr durch die Rücksicht auf die Akademie gebunden. Ich war frei, das öffentlich zu sagen, was ich dachte und für wichtig erkannt hatte. In diesem Sinn war die Pensionierung ein sehr guter Einschnitt. Aber wie wollte ich mit dieser Freiheit umgehen? Die Prioritäten waren relativ klar: Frauen und Frieden. Bei den »Frauen für den Frieden« war ich ja schon, und nach unserer ersten Rückkehr hatte ich noch eine andere Gruppe vorgefunden. Noch vor unserem Urlaub hatten drei Akademien gemeinsam eine Tagung zu Friedensfragen veranstaltet und den Kirchen ihre guten Dienste angeboten. Diese wurden freundlich abgelehnt – eine kirchliche Arbeitsgruppe sei bereits gebildet, und diese müsse »ausgewogen« sein, ein Lieblingswort in der Schweiz, auch in der kirchlichen Politik. Die von uns gebildete Arbeitsgruppe, aus Männern und Frauen bestehend, blieb zusammen und nannte sich »Kirchliche Arbeitsgemeinschaft für alternative Sicherheit« (KAGAS). Während ich in Amerika war, hatten sich einige Frauen entschlossen, aus der gemischten Gruppe auszuziehen und miteinander, als Frauen, über Bedrohung und Sicherheit, über Frieden und Leben nachzudenken. Mich lockte es sofort, dort mitzumachen, und ich wurde mit offenen Armen aufgenommen. Ich brauchte den Rückhalt einer Gruppe, die gemeinsam nachdenken, in die

Tiefe und Weite des Themas gehen wollte und konnte. Die verlassenen Männer waren tief frustriert. Sie verstanden diese Trennung nicht, sie begriffen nicht, was wir wollten, und das, was wir erarbeiteten, leuchtete ihnen nicht ein. Die Abmachung, daß sowohl die Frauen- als auch die Männergruppe ein Dokument erarbeiten und sich beide dann zum Austausch über die Ergebnisse wieder treffen sollten, wurde zwar formell eingehalten, ergab aber nichts. Wir fanden die Texte der Männer langweilig, ihre Thesen hatten wir schon so viele Male gehört und gelesen. Sie verstanden nicht, warum wir unsererseits bei so alltäglichen eigenen Erfahrungen ansetzten wie »Wo fühlen wir uns bedroht?«, daß wir Zusammenhänge sahen zwischen Gewalt gegen Frauen und Militarismus, zwischen Militarismus und Männlichkeitswahn, daß wir uns weigerten, uns auf einen kommenden Ernstfall einzustellen, und demgegenüber schon sehr früh betonten: Unser Ernstfall ist *heute,* unser Ernstfall ist nicht erst ein möglicher Krieg, sondern die schon vorhandene Bedrohung und die Zerstörung der Natur. Uns ging es um den Schutz des Lebens, allen Lebens bei uns und in der Dritten Welt.

Mich beschäftigte dabei auch die ganz persönliche Frage: Warum habe ich es nicht früher gemerkt? Unter diesem Titel schrieb ich einen Beitrag zu einer Arbeitsmappe, die wir KAGAS-Frauen 1982 herausgaben: »So kann es nicht weitergehen.« Daraus einige Sätze:

»Was gemerkt? Daß ich als Frau nicht einfach zuschauen darf, wenn Männer Beschlüsse über Krieg und Frieden fassen und wenn sie durch ein Wettrüsten, das jedes vorstellbare Maß überschritten hat, alles Leben auf der Erde bedrohen. Oder können Sie es sich als sinnvoll vorstellen, daß jeden Tag weltweit mehr als zwei Milliarden Franken für Rüstung – für den Tod – ausgegeben werden – daß die Vernichtung von Hiroshima im Vergleich zur Wirkung moderner Waffen sozusagen ein Kinderspiel war (250000 Tote, 130000 Schwerverletzte und noch heute Ungezählte, die an Spätfolgen leiden) – daß rund 1000 Millionen Menschen im Militärsektor arbeiten, davon ca. 400000 Wissenschaftler. Vieles läßt sich hier noch aufzählen.

Warum haben mich diese Zahlen und Fakten nicht früher erschreckt?

Ich bin Akademikerin. Ich hätte also alle Voraussetzungen gehabt, Zusammenhänge zu verstehen. Dieselben Voraussetzungen wie die Männer, die sie ja offenbar auch nicht sehen. Vermutlich bin ich denselben Denk-Mechanismen, derselben Spaltung zwischen Denken und Fühlen erlegen wie sie.

Warum hat es mich schließlich doch betroffen? Spät habe ich gelernt, gern eine Frau zu sein, das voll anzuerkennen, was uns Frauen als »typisch weiblich« von den Männern, von der Gesellschaft zugeschrieben wurde: Emotionalität, Spontaneität, Wärme, Herzlichkeit, Zuwendung zu Menschen, Liebe zum Lebendigen. Ist das wirklich weiblich, oder sind es nicht vielmehr die Werte, die in unserer Gesellschaft im Schatten liegen? Sind sie es aber nicht auch, die ins Licht rücken müssen, wenn größeres Unheil noch abgewendet werden soll? Und ich – eine Frau – hatte sie ebenso vernachlässigt wie die Männer! Wie konnte ich auch! An diesem Punkt hat mich die Friedensfrage gepackt. Wie Schuppen fiel es mir von den Augen – bezeichnenderweise durch die Begegnung mit einer Frau, die auf meine Solidarität sehr angewiesen war. Wie kann ich länger schweigen und zuschauen, wie eine von Männern und ›männlichem‹ Denken und Rechnen beherrschte Welt dem Abgrund, der Vernichtung entgegeneilt? Muß ich nicht versuchen, mein Fühlen, Denken und Sein, meine Angst, meine Liebe zum Leben, meinen ganz persönlichen Glauben in politisches Handeln einzubringen und zu verwandeln?«

Es reute mich und war mir unverständlich, daß ich es so spät gemerkt hatte, aber nun geriet vieles in Bewegung. Zwar hatte ich schon vor Berkeley (1979) an einer Demonstration der Zürcher »Frauen für den Frieden« teilgenommen. Es war an einer riesigen schweizerischen Wehrschau, in der unsere Armee alle Waffen zeigte, die sie zu bieten hatte, bis hin zu einem fingierten »Luftkrieg« über dem Zürichsee und zu Panzern, auf denen Kinder herumklettern durften. Da waren wir auf die Straße gegangen mit dem Slogan »Auch unsere Waffen töten« und einem offenen Brief an den hohen Offizier, der für diese Übung zuständig war. Wir wehrten uns gegen die Verharmlosung dieser Kriegsspiele. Es war das erstemal in meinem Leben – auch reichlich spät –, daß ich mich an so einer Demonstration beteiligte, und die Verachtung der Mehrheit zu spüren, immer wieder das Angebot von Bahnbilletts›Moskau einfach‹ entgegenzunehmen war ein Schock. Die Möglichkeit, dieses Engagement wirklich zu durchdenken, suchte ich und fand sie in der KAGAS-Gruppe. Eine starke Motivation war der in Berkeley entdeckte oder erst lebendig gewordene bewußte Feminismus.

Das für mich wohl wichtigste Stichwort dieses Nachdenkens war das Wort »Patriarchat«. Hier sah ich eine Verbindung zur Kirche. Kirche und Militär, so empfand ich, waren die beiden am sichtbarsten patriarchal, hierarchisch, von oben nach unten gegliederten Institutionen. Stand die Unterdrückung der Frau durch den Mann am Anfang? Führte eine Linie von der Unterdrückung des Weiblichen zu dem, was wir jetzt erlebten, zur Technokratie, zur nuklearen Aufrüstung, zur Spirale des Wahnsinns?

Mich interessierte dabei nicht so sehr die Forschung, die nach der Herkunft des Patriarchats fragte und Formen vergangener Matriarchate nachspürte, sondern die Begründung meiner eigenen Haltung als Frau und die Möglichkeit, anderen Frauen zum Erwachen zu helfen.

»Meine Einstellung zur Friedensfrage... hat sich grundlegend geändert, seit ich in einem länger dauernden Prozeß erkannt habe, daß eigentlich das Patriarchat die Wurzel des Ganzen ist. Unsere Gesellschaft ist von Männern beherrscht, das heißt, sie ist durch und durch patriarchalisch, wobei sofort gesagt werden muß, daß Frauen durch Anpassung in diesem System kräftig mitspielen. Die Ausschaltung von allem, was als ›weiblich‹ bezeichnet wird (und was in Männern und Frauen angelegt ist), kann (wird?) zur Vernichtung alles Lebens auf dieser Erde führen...

Das ›Weibliche‹ wird von Männern auf Frauen projiziert und dort festgelegt; es wird damit eingeengt, aus der Gesellschaft verbannt, privatisiert und unschädlich gemacht...

Als Frau, die selbst vom Patriarchat gezeichnet ist und sich

195

jahrzehntelang männlichem Denken angepaßt hat, bin ich heute nicht mehr bereit, diese Herrschaft ohne Widerspruch und Widerstand zu akzeptieren. Das stellt auch Fragen an die Zusammenarbeit mit Pazifisten, die allein auf der rationalen, kalkulierbaren Ebene ihren Kampf für den Frieden führen. Nur wenn sie auch ihre eigene Emotionalität anerkennen, sind sie meine Brüder.«

Das waren wieder große, programmatische Worte, Worte einer neu Bekehrten, so möchte ich sagen. Sie wurden gehört, gedruckt, sogar ins Englische übersetzt und in einer ökumenischen Zeitschrift wiedergegeben. Wie lassen sich solche Erkenntnisse in Politik umsetzen? Das fragte ich mich schon damals. Klar war mir nach den Erfahrungen in Berkeley, aber auch bei den »Frauen für den Frieden«, daß wir möglichst viele Frauen gewinnen mußten und auch gewinnen konnten. So stark und tief mein Zorn auf die patriarchale Männergesellschaft war, so stark und tief war auch meine Liebe zu den Frauen und meine Überzeugung, daß das Patriarchat die Unterdrücker mehr geschädigt hatte als die Unterdrückten – jedenfalls dort, wo ich lebte – und daß ein ungeheures Potential von ungenützten Kräften in uns Frauen verborgen war. Daß es möglich war, dieses zu befreien, hatte ich an mir selbst erlebt. In Vorträgen und Seminaren, in Podiumsgesprächen und Gruppenarbeiten versuchte ich, versuchten wir, an dieser Bewußtwerdung und Befreiung zu arbeiten, und das hatte durchaus Erfolg. Die »Frauen für den Frieden« wuchsen mancherorts rasch, die Gründung einer »Frauenstelle für Friedensarbeit« wurde beim Christlichen Friedensdienst möglich. Es war ein wirklicher Aufbruch, und wenn es sich zuerst vor allem um einen »Kampf gegen« gehandelt hatte, so wurde es mehr und mehr ein »Widerstand für« – für das Leben, für die Bewahrung der Schöpfung, für uns selbst.

In der Rückschau kann ich nicht mehr genau unterscheiden, was »vor« und was »nach« Berkeley war. Sicher weiß ich, daß sowohl Zorn als auch Freude stärker, deutlicher, leb- und formulierbarer geworden waren. Was ich von Anfang an in der Frauen-Friedens-Bewegung erlebt hatte, hatte in Amerika einen neuen Namen bekommen: »mutuality« – Wechselseitigkeit. Erlebt hatte ich es in den herrschaftsfreien Formen der »Frauen für den Frieden« in Zürich, wo es zwar einen – rotierenden – Ausschuß, aber kein festes Präsidium gab und wo es tatsächlich möglich war, daß Rollen wechselten. Natürliche Autorität und persönliche Kompetenz wurden selbstverständlich anerkannt, aber nicht institutionalisiert. Es gab auch die Möglichkeit, sich hier zu engagieren und dort zurückzunehmen, es war möglich, müde und schwach zu sein und das auch zu sagen und dabei sicher zu sein, daß andere, vielleicht auf ganz andere Art, in entstehende Lücken traten. So habe ich mir immer christliche Gemeinde vorgestellt. Es wurde und wird auch kein Personenkult betrieben. Als ich 1986 zum zehnten Geburtstag der »Frauen für den Frieden« in Zürich ein Referat hielt, sah ich viele bekannte Gesichter, es gab freudige Umarmungen und ein sehr aufgeschlossenes begeisterungsfähiges Publikum. Aber es gab keine großen Dankreden, kein Aufzählen von Verdiensten, das ganze offizielle Ritual fehlte. Es war wie »Heimkommen«, ganz aufgenommen sein, ganz dazugehören, auch nach langer Abwesenheit. Ähnliches, wenn auch in kleinerem Rahmen, erlebe ich in den anderen Gruppen, die ich genannt habe.

Davon kann frau leben. Trotzdem stellt sich die Frage: Was ändert sich dadurch in der Welt? Was erreichen wir? Ziemlich rasch hatten wir erreicht, daß wir bekannt wurden, und zu unserem eigenen Erstaunen wurden wir zu einem Faktor, der zwar keine Machtverhältnisse änderte, aber offensichtlich Angst erregte. Innerhalb einer großen bürgerlichen Partei wurden wir diffamiert, wir waren Störenfriede und hätten selbst doch so gern Harmonie verbreitet. Viele Frauen, die begeistert in einer unserer Gruppen mitmachten, gerieten zu Hause in Konflikte. Sie mußten das, was ich zum Beispiel nur »draußen« ausfechten mußte, im innersten Beziehungsfeld mit Ehepartnern und Söhnen vertreten, sich lächerlich machen und für naiv erklären lassen. Das passierte freilich auch uns, die wir in der Öffentlichkeit – in Podiumsgesprächen, bei Radio und Fernsehen, in öffentlichen Vortragsveranstaltungen – noch und noch zu erklären versuchten, warum wir nicht mehr an unsere offiziellen Sicherheitsvorkehrungen glaubten, daß wir uns davon nicht beschützt, sondern bedroht fühlten. Nach unserer Überzeugung waren die Prioritäten falsch gesetzt, und der auch in unserem neutralen Lande ständig wachsende Militarismus stellte die Werte in Frage, die wir zu vertreten und zu schützen versuchten: Erziehung zur Konfliktfähigkeit, Abbau von Feindbildern durch persönliche Kontakte, beharrlichen gewaltfreien Widerstand gegen neue Atomkraftwerke, gegen Raketen in unseren Nachbarländern, Abbau von Machtpositionen und Aufbau »von unten«. Utopien blauäugiger Frauen?

Natürlich kam es zu Zusammenstößen. 1984 wurde ich von einer hohen offiziellen Schweizer Stelle für Zivilschutz eingeladen, an einem Seminar »Pro und Contra Zivilschutz« zusammen mit zwei Männern gegen den Zivilschutz zu reden. Ich hätte eigentlich lieber differenzierter formuliert. Aber das war nicht möglich. So nahm ich die Contra-Position an, ließ mir das ganze Schulungsmaterial zustellen, las es auch gewissenhaft durch und war nun meinerseits entsetzt über die Mischung von ernsthafter Überlegung und weltfremder Naivität. Diese Männer – es waren wirklich ausschließlich Männer! – gingen immer noch von Voraussetzungen des Zweiten Weltkriegs aus, als hätte es nicht unterdessen – noch während des Krieges – Hiroshima und Nagasaki gegeben und als wüßten wir nicht, daß unser wenige Kilometer entferntes Nachbarland, die Bundesrepublik Deutschland, mit amerikanischen Mittelstreckenraketen durchsetzt ist und daß diesen russische Raketen gegenüberstehen. Da hatten unsere Alpen, unser traditioneller Schutzwall, und noch viel weniger unsere hochgepriesenen Schutzräume keine Bedeutung mehr. Hatten diese Männer denn nicht gelesen, daß auch in der Schweiz eine Gruppe namhafter Ärzte und Psychoanalytiker davor warnten, diese schmerzlichen Realitäten zu verdrängen? Nukleare Waffen wurden einfach neben anderen kriegerischen Bedrohungen erwähnt, als wäre da nicht ein ganz entscheidender »Qualitätssprung« passiert.

Doch ich hatte A gesagt und mußte nun das Alphabet durchbuchstabieren. Da saß ich nun auf einem Podium, angesichts eines ganzen Saals von meist jüngeren Männern, den für Zivilschutz Verantwortlichen in verschiedenen Städten der

Schweiz. Ich versuchte, auf einige Formulierungen aus ihrem Material einzugehen, begreiflich zu machen, daß sie sich und anderen die Realität verschleierten, zum Beispiel indem sie ein Zitat von Jeremias Gotthelf, das sich in einer ganz anderen Zeit auf das sinnvolle Anlegen von Vorräten bezog, auf die von ihnen empfohlenen Notvorräte anwandten. Im letzten Abschnitt meines Kurzvotums versuchte ich, etwas von dem weiterzugeben, was in der Frauenbewegung lebte:

»Ich möchte leben und nicht in einer von Grund auf zerstörten Welt überleben. Deswegen bin ich dagegen, daß so viele menschliche Energien und materielle Ressourcen für den Zivilschutz verwendet, statt für eine sinnvolle Friedensarbeit eingesetzt werden. Dabei denke ich an eine aktivere schweizerische Außenpolitik (›Atomwaffenfreie Zonen in Europa‹), an den Abbau von Aggressionen und Feindbildern, an vertrauenbildende Begegnungen, zum Beispiel auch im Umgang mit Flüchtlingen und Asylbewerbern, kurz an alle Formen einer Erziehung zum Frieden.«

Der Erfolg war die absolute Verständnislosigkeit bei der überwältigenden Mehrheit der Anwesenden bis hin zur massiven Beschimpfung und der Bezichtigung des Landesverrats. Meine beiden männlichen Partner nahmen das gelassener hin als ich. Ich ärgerte mich über mich selbst, daß ich in diese Falle gegangen war. Das hätte ich doch vorher wissen können. Warum hatte ich wieder auf das Zauberwort »Dialog« vertraut und nicht gesehen, daß es den Veranstaltern im Grunde genommen gar nicht um eine wirkliche Auseinandersetzung ging? Sie wollten sich im Verlauf des Seminartages, an dem wir nicht mehr dabei waren, auf unsere Argumente einschießen, das war alles.

Was blieb? Also doch der Rückzug? Spielwiesen für Frauen, Nischen in einer patriarchal und militaristisch durchorganisierten Männerwelt? Ja, in gewissem Sinne trat ich den Rückzug an. Die Sätze aus »Kassandra« von Christa Wolf, die meine jüngeren Schwestern so oft zitiert hatten und gegen die ich mich innerlich gewehrt hatte, redeten auch zu mir:

»Da unsere Zeit begrenzt war, konnten wir sie nicht vergeuden mit Nebensachen. Also gingen wir, spielerisch, als wär uns alle Zeit der Welt gegeben, auf die Hauptsache zu, auf uns.«

Für eine Zeitlang nahm ich keinerlei Anfragen mehr an, öffentlich zu Friedensfragen Stellung zu nehmen. Ich brauchte die Nische, die »Höhlen am Skamandros«, die Christa Wolf schildert, in denen Frauen angesichts des Untergangs von Troja ein anderes Leben einübten und feierten. Es war – und ist – mir klar, daß die Prozesse, auf die wir uns eingelassen haben, Zeit brauchen, sehr viel Zeit. Aber haben wir diese Zeit noch?

»Peace only after Patriarchy«, so lautete der Titel eines Artikels von Mary Hunt, einer jungen katholischen amerikanischen Theologin, »Friede erst nach dem Ende des Patriarchats« – wirklich ein sehr weit gestecktes Ziel. Vielleicht hat sie recht, vielleicht müssen wir uns nicht in Auseinandersetzungen und Pseudo-Auseinandersetzungen auf falschen Ebenen und mit nicht tief genug greifenden Themen verkämpfen. Dabei erfahren wir doch nur auf einem höheren Bewußtseinsstand, und darum noch schmerzlicher, die alte Hilflosigkeit und Ohnmacht. Sinnvoller wäre es, unsere eigene Macht ernst zu nehmen und aufzubauen, uns wirklich »uns selbst« zuzuwenden, nicht im Sinne der bloßen Selbstverwirklichung, sondern um uns gemäße Wege der Einmischung, der Umwandlung – soll ich sagen: einer gewaltlosen Revolution zu suchen.

Besser würde ich wohl sagen: Formen der Macht, denn wir sind nicht machtlos. Aber wir müssen gemeinsam nachdenken über unsere Erfahrungen auf den von Männern gezimmerten Podien und Bühnen und über neue, phantasievolle Anordnungen. Rückzug konnte und kann für mich nur Rückzug auf Zeit sein. Wir brauchen neue Szenarien, um die Spiele der Männer zu stören. »Sie spielen mit Atombomben wie einst mit der Eisenbahn«, habe ich am Beginn meines Weges in der Frauen-Friedens-Arbeit formuliert. Wir können und wollen uns nicht an ihre Stelle setzen. Heute gibt es ja durchaus Männer, die uns Frauen die Rettung der Welt zuschieben möchten. »Jetzt seid ihr an der Reihe.« Nein, danke. So geht es nicht, und auch das schnelle Angebot eines »Alles-gemeinsam-Tuns« ist leider noch längst nicht akzeptabel. Ohne eure Umkehr, Brüder, geht es nicht, und ich glaube nicht, daß wir euch im Augenblick dazu helfen können. Es sei denn, ihr würdet euch darauf einlassen, uns wirklich einmal zuzuhören. Dann kann es längerfristige Formen der Kooperation geben, die über das Private und Persönliche hinausgehen. Wir brauchen diese Formen, denn auf die Dauer sind uns die Nischen zu eng, und die Spielwiesen wollen wir gerne den Kindern lassen. Wir sind erwachsen, auch wenn es immer noch nicht wahr ist, daß »alle schlafenden Frauen erwachen«, wie es in einem Frauenlied heißt. Eins wollen wir sicher nicht: Feminismus darf nicht zum Öl werden, das die Getriebe des Patriarchats schmiert, schon eher möchten wir Sand in dieses Getriebe streuen, auch wenn wir wissen, daß es kaum genug Sand gibt, um diese Maschinerie zu stoppen. Im besten Fall können wir stören, da und dort zum Nachdenken bewegen, da oder dort Verborgenes sichtbar machen.

Es gibt noch wenig »Strategien« von und für Frauen. Zu dumm, daß mir kein anderes als ein militärisches Wort einfällt für das, was ich meine. »Methoden« wäre zu professionell, auch zu system-immanent. Es geht um Wege und Umwege, um An-Wege und punktuelle Einmischung, ohne dabei den langen Atem zu verlieren, damit überall die Strukturen des Patriarchats, wenn nicht abgeschafft, so doch durchlöchert, bewußt gemacht, aufgedeckt werden. Vielleicht sind sie gar nicht mehr so mächtig, wie wir denken.

Für mich sind Gedanken, die ich 1982 geschrieben und 1986 zum zehnten Geburtstag der »Frauen für den Frieden Zürich« in etwa wiederholt habe, immer noch wichtig:

- Keine von uns kann für sich allein mächtig sein. Wir brauchen einander. Freundschaft und Solidarität unter Frauen, wie immer sie sich äußert, ist eine der stärksten Infragestellungen des Patriarchats.
- Frauen in leitenden Stellungen müssen von anderen Frauen, von Frauen »an der Basis«, wo immer diese sein mögen, gestützt werden, jedenfalls solange sie selbst sich nicht total mit dem herrschenden System identifizieren. Weder Maggie Thatcher noch Jean Kirkpatrick noch Elisabeth

Kopp, die Justiz-Ministerin der Schweiz, sind auf diesen Rückhalt angewiesen.

– Wir Frauen müssen uns das bewahren, was wir in der Frauenbewegung gelernt haben, daß wir »ich« sagen und nicht »man«, daß wir das Persönliche und das Politische nicht trennen. Mir ist in manchen politischen Auseinandersetzungen der letzten Jahre aufgefallen, daß Frauen eher dazu neigen, die Wahrheit – oder das, was sie für die Wahrheit halten – zu sagen als Männer. Sie legen, manchmal zögernd, manchmal ungeschickt, manchmal zornig den Finger auf Wunden, die Männer gerne zudecken. Das hat nichts mit Biologie zu tun, vielleicht aber mit Geschichte und Erfahrung.

– Frauen sollten zwar ihre Emotionen kennen, aber nicht darauf verzichten, sie ins Spiel zu bringen. Vor einiger Zeit hörte ich im Schweizer Radio die Reportage über eine parlamentarische Diskussion über Atomenergie. Das höchste Lob des Berichterstatters lautete, daß die Aussprache frei von Emotionen gewesen sei. Wenn es um das Leben geht, scheint mir dieses Lob zweifelhaft, und ich betrachte es als eine Vergewaltigung von uns Frauen und unserer Sprache.

Seit ich das zum erstenmal geschrieben habe, haben mich/uns Ereignisse erschüttert, die ich nicht mehr vergessen kann: Tschernobyl und Sandoz/Basel. Die erste Katastrophe hat uns gezeigt – oder hätte uns zeigen können –, daß wir nicht alles machen sollten, was wir machen können. Die Folgen sind unabsehbar. Sie haben mehr Menschenleben geschädigt und Natur zerstört, als wir wissen, und ihre Spuren sind immer noch nicht zu Ende. Am Tage, wo ich das schreibe, ein Dreivierteljahr nachher, lese ich in der Zeitung, daß Fische im See von Lugano so verstrahlt sind, daß das Fischerei-Verbot nicht aufgehoben werden kann. Ein paar Wochen früher las ich, daß verstrahltes Milchpulver, das in Ländern, wo genaue Kontrollen möglich sind, nicht verkauft werden darf, in Länder exportiert wird, wo das nicht der Fall ist. Plötzlich sind es nicht mehr nur die Bomben und die Sprengköpfe, sondern was Frauen immer gesagt haben, nämlich daß das alles zusammenhängt, wird schreckliche Wahrheit.

Wir hier in Basel haben in der Nacht zum 1. November 1986

202

haut- und schleimhautnah erlebt, wie es ist, Luft (und Gestank) einzuatmen, die dazu eigentlich nicht geeignet sind und gegen die man sich doch nicht wehren kann, weil man ja nicht plötzlich aufhören kann zu atmen. Wir haben das Spiel wechselnder Informationen noch einmal (wie nach Tschernobyl) erlebt und gemerkt, daß wir uns auf nichts mehr verlassen konnten, das vorher als sicher galt. Friedensarbeit gewinnt neue Dimensionen. Es geht wirklich um Leben – und der Rhein ist auf weite Strecken tot. Frauen beteiligen sich in allen Selbstschutzorganisationen. Ich hoffe, daß sie dabei nicht vergessen, was sie, was wir in der Frauenbewegung gelernt haben: Primär geht es für uns um den Machbarkeits-, den Männlichkeitswahn. Auch um des »Größeren« willen, zum Beispiel daß der Rhein wieder lebendig wird, wozu wir wissenschaftliche und technische Experten brauchen, können wir unsere Sicht von Vergewaltigung der Natur, der Schöpfung Gottes, nicht zurückstellen. Sie ist in unserer Kultur faktisch mit dem Weiblichen gleichgesetzt worden. Es geht also immer noch um dessen Befreiung. »Friede erst jenseits des Patriarchats« – ja, aber dieses Patriarchat ist da und dort angeschlagen, es ist rissig geworden. An uns ist es, daß wir uns auch angesichts dieser Risse seiner immer noch bestehenden Macht bewußt bleiben und unsere Liebe zum Leben nicht zu rasch von männlichen Strategien vereinnahmen lassen.

Als Präsidentin im Ökumenischen Rat der Kirchen

Als ich im Herbst 1981 in Boldern zurücktrat, versprach ich mir selbst, zwei Jahre lang keine Anfrage anzunehmen, die eine kontinuierliche Verpflichtung mit sich bringen würde, und vor allem keine kirchliche Anfrage. Im Frühling 1983 erreichte mich eine Einladung von Philip Potter, dem damaligen Generalsekretär des ÖRK, als Gast an der Vollversammlung von Vancouver im Sommer 1983 teilzunehmen. Wir planten ohnehin eine Reise nach Grenada, nach Kalifornien und nach West-Kanada und konnten unsere Reisepläne dieser Einladung anpassen. Mir tat die Einladung wohl, ich verstand sie als Anerkennung von viel »unsichtbarer« Arbeit und Engagement während langer Jahre, und ich freute mich darauf, noch einmal, sozusagen zum Abschluß meiner ökumenischen Karriere, an dieser Versammlung teilzunehmen, ohne jede Verpflichtung, zu Hause Bericht zu erstatten, »einfach so« als Gast. Ich hatte keine Ahnung, was der Hintergrund dieser Einladung war, und das war wohl gut. Seit der letzten Vollversammlung 1975 in Nairobi, an der ich als Vertreterin der »Ökumenischen Vereinigung der Akademien in Europa« teilgenommen hatte, hatte sich für mich vieles verändert. Ich war sechs Jahre lang Präsidentin dieser Vereinigung gewesen, und dadurch war ich vielen bekannt, und ich war in Berkeley gewesen und Feministin geworden. Wie würde das alles sich auswirken? Daß sich andere Kontakte ergeben würden, war mir klar. Ich freute mich darauf, Kollegen aus der Akademie-Arbeit wieder zu treffen, und war gespannt auf Begegnungen mit Frauen, die als Vertreterinnen ihrer Kirchen kommen würden. Doch all das beschäftigte mich im Vorfeld nicht allzu sehr, war ich doch Gast, konnte mitmachen, was ich wollte, »mußte« einmal nichts oder nicht viel. Diese Freiheit wollte ich genießen.

Doch daraus wurde nichts. Zwar tauchte ich zunächst ganz erwartungsvoll in die Vor-Versammlung der Frauen ein, erlebte sie auch durchaus positiv, vor allem die Bibelgespräche in kleinen Gruppen. Eines ist mir lebhaft in Erinnerung geblieben. Das Thema der Vollversammlung lautete »Jesus Christus das Leben der Welt«, und wir besprachen den Text Johannes 16,21 ff., wo Jesus das Bild von der Geburt braucht, um den Schmerz der Jünger über seinen Tod und die Freude des Wiedersehens mit dem zu neuem Leben Erweckten zu beschreiben:

»Wenn die Frau gebiert, hat sie Traurigkeit, weil ihre Stunde gekommen ist; wenn sie aber das Kind geboren hat, denkt sie nicht mehr an die Angst um der Freude willen, daß ein Mensch zur Welt geboren ist. Auch ihr nun habt jetzt Traurigkeit; ich werde euch aber wiedersehen, und euer Herz wird sich freuen, und eure Freude nimmt niemand von euch« (Johannes 16,21f.).

Zu unserer Gruppe gehörten außer mir meist jüngere verheiratete Frauen, die selbst Kinder hatten. Sie sprach dieser Text unmittelbar an. Sie redeten sehr offen von Ängsten, Schmerzen und Freuden vor und bei der Geburt eines Kindes. Der Text wurde nicht sofort vergeistigt, wie es so oft in der Kirche geschieht, sondern aus ihrem Erleben, ihrer Erfahrung als Frauen wurden Glaube und Hoffnung ausgesprochen und einander zugesprochen. Als wir uns vor Beginn der Vollversammlung trennten, sagte ich: »Ich nehme diesen Text jetzt mit und will versuchen, ihn nicht zu vergessen, wenn es schwierig wird. Dann will ich daran denken, daß Schwierigkeiten und Krämpfe auch Geburtswehen sein können, daß vielleicht etwas Neues geboren wird.« Eine junge (jedenfalls in meinen Augen junge) Schwedin, die auch Margarete hieß wie ich, schaute mich mit großen Augen an. Sie war zum erstenmal auf einer Weltkirchenkonferenz und konnte sich einfach nicht vorstellen, daß es auch hier schwierig werden könnte. Im Lauf der Konferenz trafen wir uns ein paarmal im Vorbeigehen und fragten einander, wie es uns gehe. Das erstemal mußte sie mich an unseren gemeinsamen Text erinnern, beim zweitenmal hatte sie Tränen in den Augen, und es war an mir, ihr Mut zuzusprechen und zu sagen, daß eine Geburt, auch die Geburt der Einmütigkeit unter Christen, Schmerzen koste und auf sich warten lassen könne. Als ich dann zwei Wochen später als eine der sieben Präsidentinnen und Präsidenten Vancouver verließ, fand ich in meinem Postfach einen Brief. Als ich den Umschlag öffnete, fiel mir ein Anhänger aus Glas in die Hand, ein aus dem alten Ägypten stammendes Symbol des Lebens und ein kurzer Gruß, wie froh sie sei, daß ich da sei. Für mich war es wirklich ein Zeichen der Hoffnung. Es hat mich seither auf einigen Reisen begleitet und mich daran erinnert, daß ich Schwestern in der weltweiten Kirche habe.

Am Anfang der zweiten Woche der Vollversammlung – es war ein Montagmorgen – kam ich, wie gewohnt, in die große Halle und ging auf die Plätze der Gäste und Berater zu. Ein guter Freund winkte mir schon von weitem und sagte mir dann: »Heute mußt du unbedingt neben mir sitzen.« Ich: »Warum? Brauchst du moralische Unterstützung?« Er: »Ich nicht, aber du vielleicht.« Ich schaute ihn etwas verwundert an, und als ich neben ihm saß, sagte er mir, ich sei vorgeschlagen als eine der Präsidentinnen des Rates. Mir wurde blitzartig klar, warum ich eingeladen worden war, ich fühlte mich gleichzeitig überrumpelt und geehrt und irgendwie unfähig zu entscheiden. Im Grunde genommen wußte ich nicht, was für eine Funktion dieses Präsidium hatte. Bot es echte Mitbestimmungsmöglichkeiten? Die Verfassung, die ich sofort konsultierte, zeigte mir, daß die Amtszeit bis zur nächsten Vollversammlung dauerte (also 7–8 Jahre), daß die Präsidenten Sitz und Stimme in den beiden Leitungsgremien hatten und daß ein Rücktritt möglich war. Außerdem erfuhr ich, daß die Sitzungen ungefähr vier Wochen im Jahr beanspruchten und daß die Termine sehr oft in die langen Sommerferien fielen. Wir hatten uns gefreut, nach langen Jahren des Angebundenseins über diese Sommer verfügen zu können, und das war um so wichtiger, als Elsi Arnold noch voll beruflich arbeitete und an die Schulferien gebunden war. Wollte, konnte ich diesen Einschnitt in unser so gut geplantes Privatleben wirklich bejahen? Zudem mußte ich die Entscheidung allein treffen. Meine beiden Freundinnen saßen in der transkanadischen Eisenbahn, auf der Rückreise in die Schweiz, und ich konnte sie nicht mehr rechtzeitig erreichen.

Mehr zu schaffen machte mir die tiefer gehende Frage: Wollte ich mich wirklich nochmals – und an so exponierter Stelle – auf die Kirche einlassen? Gewiß, ich liebte die ökumenische Bewegung, ich verdankte ihr viele Leben- und Glauben-rettende Anregungen. Oft hatte ich zu Hause gesagt, daß ich ohne meine ökumenischen Erfahrungen nicht – oder kaum – mehr Christin wäre. Und trotzdem war mir bewußt, daß ich bei sehr vielem nicht mehr mitkonnte. Ich hätte mich viel lieber weiterhin in Freiheit mit feministischer Theologie beschäftigt. Mußte ich wirklich nochmals alle kirchlichen Rituale mitmachen, mir nochmals alle männlichen Auseinandersetzungen über Amt und Einheit anhören, mich in mir fremde, komplizierte Verhandlungs- und Entscheidungszeremonielle einarbeiten? Und doch spürte und erlebte ich gerade in Vancouver die positive Präsenz von Frauen, nicht nur ihre größere Zahl, sondern ihren Beitrag als Referentinnen, Gesprächsleiterinnen, Kommissionsmitglieder und so weiter. Ich war auch beeindruckt von der Art und Weise, wie manche sich äußerten. Die Predigt im Eröffnungsgottesdienst war von einer Frau, Pauline Webb, gehalten worden. Einige Sätze daraus hatte mir – und nicht nur mir – Tränen der Freude in die Augen getrieben. Sie hatte es gewagt, das Blut der Märtyrer und das Blut der Frauen, ganz gewöhnlicher Frauen, in einem Satz zu nennen:

»Das Vergießen von Blut bedeutet nicht nur Zerstörung und Tod, es kann auch ein Symbol für Schöpfung und Leben sein. Für eine Frau ist es ein Zeichen dafür, daß ihr Körper in der Lage ist zu gebären, wenn neues Leben in ihr entsteht. Und auch wenn sie selbst nie das Privileg der Mutterschaft erfährt, können die Instinkte und Energien, die in ihr freigesetzt werden, von Gott genutzt werden, indem er sie an der Erhaltung und Ernährung seiner Kinder... mitwirken läßt. Sie ist berufen, das Leben hochzuhalten, wo immer es erniedrigt wird...«

Da war für einmal die unselige Spaltung von Körper und Geist überwunden. Manche Männer waren schockiert, viele Frauen fühlten sich endlich ganzheitlich angenommen. Als dann im gleichen Gottesdienst eine Frau aus Zimbabwe ihr kleines Töchterchen zum Altar brachte, als lebendiges Symbol für die Gabe des Lebens, und es dem Generalsekretär in die Arme legte, da schien die Gemeinschaft von Frauen, Männern und Kindern verwirklicht zu sein. Da war für mich etwas von der Kirche sichtbar, an die ich denke, wenn ich sie im Glaubensbekenntnis bekenne. Sie ist ja nicht in erster Linie die Kirche der Amtsträger in ihren prächtigen Roben. Wenn ich mich unter diesen Männern bewegen muß, erscheint sie mir sehr fremd und fern. Bis jetzt konnte ich sagen, das gehe mich nichts an. Wollte ich, konnte ich wirklich wollen, daß das anders würde? Als Präsidentin würde ich – auch ohne Robe – zu ihnen gehören. Mein Herz wehrte sich.

Andererseits wußte ich, daß Freunde und Freundinnen, die mich kannten, die um meine Kritik, auch meine feministische Kritik an der Kirche wußten, mich nominiert hatten, daß sie sagten, sie hätten es nicht nur trotz, sondern gerade wegen dieser kritischen Haltung getan. Ich mußte mir auch in Erinnerung

207

rufen, daß ich mich Jahrzehnte lang für die Mitarbeit von Frauen auf allen Ebenen kirchlichen Lebens eingesetzt hatte. Konnte ich, eine Frau, nun das Angebot eines solchen Amtes ablehnen, auch wenn die Annahme eigene Pläne durchkreuzte? Nein, das war unmöglich, und darum stellte ich mich der Wahl, wurde gewählt und mußte als erstes meinen eigenen Landsleuten, die in verschiedenen Funktionen zahlreich anwesend waren, erklären, daß es völlig ohne mein Zutun dazu gekommen war. Viele von ihnen hätten mich kaum nominiert, wenn sie gefragt worden wären, und trotzdem waren sie jetzt stolz, daß eine Schweizerin in den nächsten Jahren im Präsidium sitzen würde. Mit Jubel wurde diese Wahl von der Schweizer Friedensbewegung begrüßt, die in der Nacht des 6. August auf dem Gurten bei Bern zur Erinnerung an Hiroshima versammelt war und die Nachricht dort erhielt. Das erfuhr ich natürlich erst später, aber für mich war es eine Bestätigung für das, was ich bereits in den ersten Interviews und später immer wieder sagte: Um der Frauen und um der Arbeit für den Frieden willen habe ich diese Aufgabe übernommen. »Ich gratuliere Dir zu dieser Wahl. Ich weiß, daß Du immer auf der Seite der Schwachen sein wirst«, schrieb mir später ein guter Kollege aus der Ökumene der Akademien. Hoffentlich hat er recht behalten.

Seit dieser Wahl sind mehr als drei Jahre vergangen. Ich habe dieses Thema hier unter den Obertitel »Erprobung der Echtheit« gesetzt und die Echtheit meiner feministischen Grundüberzeugung gemeint. In der alten feministischen Streitfrage, ob Engagement »innerhalb« oder »außerhalb« fester patriarchaler Strukturen sinnvoller sei, habe ich mich für die erste Variante entschieden. Ich bekleide eine öffentliche Funktion, auf die ich oft angesprochen werde und die von manchen als Alibi-Funktion empfunden wird – manchmal auch von mir selbst.

Die Zahlenverhältnisse im Präsidium haben sich gegenüber früher etwas verbessert, wir sind drei Frauen und vier Männer, dazu fünf Frauen und zehn Männer im Exekutiv-Komitee. Im Genfer Stab sind Frauen, vor allem in den höheren Positionen, immer noch sehr in der Minderheit, im Zentralausschuß wurden die dreißig Prozent, die in Vancouver verlangt wurden,

nicht erreicht. Es bedarf immer noch und weiterhin der hart-
näckigen Nachfrage nach der Vertretung von Frauen innerhalb
des ohnehin komplizierten Zusammensetzspiels des Gleichge-
wichts von Konfessionen (die Orthodoxen fühlen sich immer in
der Minderheit), Kontinenten, Alter (junge Menschen sind sicher untervertreten) und Geschlecht. Die raffinierten Versuche, alles zu kombinieren, führen auch nicht weiter: Eine Frau
sollte möglichst unter dreißig sein, aus der Dritten Welt stammen und dann noch die jeweils »richtige« Konfession haben,
Überlegungen, die die realen Auswahl-Möglichkeiten ein-
schränken. Daß es bei der Arbeit im ÖRK nicht nur um die
Präsenz von Frauen geht, ist mir freilich auch klar.

Die Anfänge, das heißt die ersten Sitzungen von Exekutiv-
Komitee und Zentralausschuß, waren für mich mühsam. Ich
hatte, obschon ich an allen Weltkirchenkonferenzen seit 1954
teilgenommen hatte, mich eigentlich nur für die Programme
des ÖRK interessiert und von seinen Strukturen wenig gewußt.
Nun mußte ich Spielregeln des Verfahrens lernen, die mir häufig nicht einleuchteten. Ich mußte mir die Voten von immer
denselben Männern anhören, die oft nicht viel Neues brachten.
Vor allem aber spürte ich, daß hinter den Kulissen Auseinandersetzungen und Machtkämpfe ausgetragen wurden, die selten offen zutage traten. Da gab es Spannungen zwischen dem
Genfer Stab und den ihnen übergeordneten Gremien, größere
Sachkenntnis und Spezialisierung auf der einen Seite, berechtigte und auch weniger berechtigte Vertretung der lokalen und
regionalen Kirchen und kirchlichen Interessen auf der andern
Seite. Mein Herz war meiner Herkunft nach immer auf der
Seite des Stabes, und doch war ich Präsidentin, Vertreterin
einer scheinbar mächtigen Institution. In meiner Heimat wurde
sie oft angegriffen, zum Beispiel wegen zu radikaler oder »ein-
seitiger« Stellungnahmen. Dort verteidigte ich sie mit der alten
Liebe zur ökumenischen Bewegung und litt doch unter der oft
gar nicht eindeutigen umständlichen Bürokratie. Was ich 1983
in Vancouver in mein Tagebuch geschrieben hatte, bewahrhei-
tete sich in steigendem Maße:

»Wie soll ich mit meiner inneren Auseinandersetzung mit der Kirche umgehen, mit dem Leiden an Strukturen, die ich nicht ändern kann, an Worten, die ich nicht mehr glauben kann? Ich weiß ja, daß mir dieses Leiden nicht abgenommen werden kann. Kann ich es durchstehen?«

Dazu zwei Träume auf der ersten Sitzung des Exekutiv-Komitees, die ich fast als Alptraum erlebte:

»Irgendwo unterwegs in einer merkwürdigen Landschaft. Es war ein Weg zur Ökumene. Vor mir eine große, grüne, aufgepflügte Kreuzung. Der richtige Weg war aber ein Fußweg, und er führte zu einem Fluß – zur Aare. Sie hatte sehr viel Wasser, das Wasser überspülte mich, aber ich kam gut durch.«

Der zweite:

»X., eine mir gut bekannte Theologin. Sie trug einen merkwürdigen dunklen, altmodischen Hut. Dazu eine Gesellschaft von Männern in langen, schwarzen, frackähnlichen Röcken und ebenfalls mit Hüten. Lange Präliminarien, sehr umständliches Um-den-Brei-herum-Reden. Der langen Rede kurzer Sinn: Ich sollte ihr Bischof werden. Ich erbat mir Bedenkzeit, aber ich wußte genau, daß ich nicht wollte.«

Die aufgepflügte Kreuzung, der Fußweg und das Wasser des Lebens, das doch gleichzeitig bedrohlich war, und die Ablehnung des veralteten offiziellen Amtes – das waren durchaus Motive meines Lebens. Sie zeigten mir auch, wie tief mich die Auseinandersetzung berührte. Für mich war die Ökumene ein Lebensthema, ich konnte mich nicht einfach innerlich distanzieren. Würde es mir gelingen, mir selbst treu zu bleiben, ohne Unterwerfung, aber auch ohne Überheblichkeit? Konnte ich wieder ganz von innen heraus glauben lernen, daß all die für mich so schwer verständlichen Auseinandersetzungen wirklich zur Geburt von Sinn, Versöhnung, Einheit führen konnten?

Die größte an mich gestellte Herausforderung wurde zur stärksten Hilfe. Im Sommer 1985, im Jahr meines 70. Geburtstags, wurde ich gebeten, an einer kleinen Delegation zum Besuch unserer Mitgliedkirchen in Zentralamerika – Costa Rica,

El Salvador, Honduras und Nicaragua – teilzunehmen. Die Reise sollte unmittelbar vor der Sitzung des Zentralausschusses in Buenos Aires stattfinden. Elf Tage mit wechselndem Klima und anschließend die Sitzungen im argentinischen Winter – wollte ich mir das zumuten? Ich wagte den Sprung. Wir waren zu viert – ein Mit-Präsident aus Indien, ein Rechtsanwalt aus der Presbyterianerkirche in den USA, ein Mitarbeiter vom Genfer Stab, zuständig für Menschenrechtsfragen in Lateinamerika, und ich. Es waren ungeheuer intensive Tage mit grundlegenden Einführungen in die politische und kirchliche Situation, mit Besuchen von Gemeinden und Basisgruppen, mit menschlichen Begegnungen. Ich hatte so viel Neues zu lernen und in mich aufzunehmen, daß ich meist vergaß, die Frage nach den Frauen zu stellen. Am eindrücklichsten begegneten sie mir in der Gestalt des Komitees der Madres, der Mütter in San Salvador, Frauen jeden Alters und Standes, die sich zusammengeschlossen hatten, um nach ihren verschwundenen, verschleppten, gefolterten und ermordeten Kindern zu suchen, und die das unter täglicher Lebensgefahr taten. Ich begegnete ihnen auch in den von Kirchen geführten Flüchtlingslagern, wo es nur Frauen und Kinder und wenige alte Männer gab, die jungen Männer waren entweder bei der Guerilla oder tot. Wir hörten von den Flächenbombardierungen der Dörfer im Bürgerkriegsgebiet, von abenteuerlichen Fluchtwegen der Frauen und Kinder in die Hauptstadt, von einem Überfall der Armee auf die ärmlichen Büros der »Madres« und einer anderen Menschenrechtsorganisation. Wir erlebten aber auch den Stolz und die Würde einiger alter Männer in einem Flüchtlingslager, das die Lutheraner außerhalb der Hauptstadt errichtet hatten. Dort war alles auf der Eigenverantwortung der Flüchtlinge aufgebaut, um diesen Menschen die Möglichkeit zu geben, das hier Geübte später einmal (wann wird das sein?) in Freiheit weiterzuführen. Und ich hatte mich vorher, zu Hause, darüber gefreut, daß ein »liberaler« Christdemokrat zum Präsidenten von El Salvador gewählt worden war und nicht der Kommandant der Todesschwadronen! Aber wo war die Freiheit? Freiheit zur selbständigen Lebensgestaltung der Armen, der ländlichen Bevölkerung, gab es jedenfalls in El Salvador nicht. Wir

211

begegneten ihr nur in Nicaragua, und dort war und ist sie täglich bedroht durch die Contras, die von den USA unterstützt werden und die die Infra-Struktur – Schulen, landwirtschaftliche Kooperativen, Ambulanzen – systematisch zerstören. In der ganzen Region erlebte ich sozusagen mit eigenen Augen, wie ein alter Nord-Süd-Konflikt in ein Ost-West-Schema gepreßt wird, und es wurde mir schmerzlich bewußt, ein wie dichtes Gewebe von Information und Gegeninformation uns die Wahrheit verhüllt. »Den Schleier der Lüge zerreißen«, diesen Titel setzte ein Schweizer Kollege über ein Interview mit mir. Ich meinte natürlich nicht, daß ich das können würde, und wie schwierig es war, erfuhr ich zu Hause; aber es war ein weiterer Schritt auf dem Wege meiner eigenen Sensibilisierung.

Am meisten Freiheit erlebten wir bei den Christen, Pfarrern und Laien, Männern und Frauen aller christlichen Konfessionen. Ich habe das, was mich beeindruckte, in einem Rundbrief an Freunde nach meiner Rückkehr so zusammengefaßt:

»Den stärksten Eindruck haben mir einige Gespräche gemacht, in denen Pfarrer, die oft eine recht bescheidene Ausbildung hatten, die vor allem aus einer für mich fragwürdigen fundamentalistischen Tradition kamen, übereinstimmend sagten: ›In der Konfrontation mit der Wirklichkeit, der Wirklichkeit der Armut und des Leidens, der wir nicht ausweichen konnten, sind wir andere Menschen geworden. Christus ist uns neu begegnet. Wir können nicht mehr trennen zwischen geistlich und politisch. Indem wir uns am Prozeß des Aufbaus und der Entwicklung unseres Volkes beteiligen, lesen wir die Bibel anders.‹ Mir kam es in diesen Gesprächen oft vor, als würde ich mitgenommen in eine meinen eigenen Glauben belebende Wandlung.«

Aufgewühlt, aber auch belebt, herausgefordert, mich mit den Leidenden und Unterdrückten, aber vor allem mit den um Befreiung kämpfenden Menschen zu solidarisieren, kam ich ins Exekutiv-Komitee des ÖRK. Völlig unvorbereitet traf mich in einer ganz gewöhnlichen Sitzung die Frage nach unseren Erfahrungen und Einsichten. Zum erstenmal in dieser Umgebung wagte ich, meine eigene Betroffenheit ins Spiel zu bringen, und mein Mit-Präsident folgte mir. Funken sprangen über, wir wurden gebeten, einen Morgen-Gottesdienst im Zentral-Ausschuß zu übernehmen, es gelang unserer Delegation, einen Tag solidarischen Fastens während unserer Sitzung zu veranlassen und einen engagierten Brief an die Gemeinden in Zentralamerika und damit auch an alle unsere Mitgliedkirchen in der Welt durch die Prozeduren des Zentral-Ausschusses zu schleusen.

Für mich wurden diese Erfahrungen zur entscheidenden Hilfe, meine Präsenz im ÖRK zu bejahen, und zwar auf der persönlichen wie auf der sachlichen Ebene. Persönlich hatte ich erlebt, daß meine Sensibilität und Betroffenheit auch innerhalb der unveränderten patriarchalen Strukturen eine Wirkung haben konnten, daß mein Dabei-Sein als die Frau, die ich war, mein Ich-Sagen sinnvoll sein konnte, daß es jüngere Frauen ermutigte und auch manchen Männern zu sich selber half. Ich mußte nicht warten, bis eine »neue Kirche«, von der ich träumte, verwirklicht war. Ich konnte schon jetzt bruchstückweise in ihr leben, zusammen mit Schwestern und Brüdern, die ich auf diesem Wege kennen, schätzen und lieben lernte.

Auf einer objektiveren, mehr sachbezogenen Ebene war mir klargeworden, wie wichtig die Solidarität des ÖRK für die Unterdrückten und Entrechteten war. Solange Menschen, wie wir sie auf unserer Reise und dann auch in den Menschenrechts-Gruppen in Argentinien getroffen hatten, vom ÖRK unterstützt werden, lohnt es sich, auch mühselige Verhandlungen durchzustehen. Solange sich irgendwo in der weltweiten Kirche immer wieder die Überwindung der konfessionellen, ja der kirchlichen Begrenzungen ereignet, die uns in unseren Strukturen und Theologien noch so oft voneinander trennen, wollte ich bereit sein, mich auch mühsamen Prozessen auszusetzen. Seither habe ich gelernt, die Widersprüche besser zu ertragen, und versuche geduldiger, das mir Fremde verstehen zu lernen. Ertragen heißt allerdings nicht passiv erleiden, sondern immer wieder von neuem mithelfen, daß Unklares klarer wird, daß Konflikte ausgesprochen und nicht verheimlicht werden, daß Verletzungen, wenn immer möglich, geheilt werden. Die wichtigste Erfahrung bleibt allerdings, daß ich mit eigenen Augen gesehen habe, wie Glaube und Handeln eins werden können und wie aus dem Kreuzweg des Leidens Auferstehung, oder anders gesagt: Widerstand und nicht Kult oder Verherrlichung des Leidens wächst. Seither weiß ich, daß ich als die Frau, die ich geworden bin, ja als Feministin in dieser Kirche bleiben will, trotz allem. In meinem Zimmer hängt seit jener Reise ein kleines blaues Kreuz, Volkskunst aus El Salvador. Es trägt lauter Symbole des Lebens: einen grünen Baum, ein Kaninchen mit langen Ohren, einen Schmetterling – Symbol der Auferstehung, Häuser, in denen man wohnen kann. Aber es ist ein Kreuz. Der Kreuzweg ist nicht zu Ende. Wir weißen Mittelstands-Frauen in Europa und Nordamerika dürfen im berechtigten Protest gegen unsere eigene Einengung und Benachteiligung das Leiden der vielen Männer, Frauen und Kinder in anderen Teilen der Welt nicht vergessen und nicht übersehen, daß unsere Zivilisation dieses Leiden mitverursacht. Frauenbefreiung ja, aber nur als Teil, als wichtiger Teil der Befreiung aller zu ihrer von Gott gewollten Ganzheit.

Freundschaft – Vernetzungen – weltweite Schwesternschaft

Echtheit erweist sich in Beziehungen von Frauen. Man(n) hat uns lange nachgesagt, daß Beziehungen unter Frauen immer dann in die Brüche gingen, wenn ein Mann ins Spiel komme. Zweifellos gibt es viele solche Erfahrungen, und es gibt immer noch viele Frauen, die davon überzeugt sind, daß Beziehungen zu einem Mann oder zu Männern wichtiger sind als diejenigen zu Frauen. Solange frau das glaubt, wertet sie ihre Frauenbeziehungen als eine Art Notbehelf ab, auch wenn sie das nicht so formulieren würde. Sie steht sich auch selbst im Wege, ihre verschiedenartigen Beziehungen zu Frauen wirklich zu leben und Wärme, Herzlichkeit und Zärtlichkeit ohne Angst zuzulassen. Das patriarchale Muster von Ehe und Familie als der einzig normalen Lebensform steht der Entfaltung von Frauenbeziehungen der verschiedensten Art immer noch im Wege. Erst wenn frau diese Zusammenhänge durchschaut und die Absolutheit der herkömmlichen Muster in Frage zu stellen wagt, kann sie den Reichtum und die ganz verschiedenen Spielarten von Freundschaft unter Frauen wahrnehmen und erleben. Das soll nicht heißen, daß Frauen keine oder weniger Schwierigkeiten miteinander hätten als Männer.

Hat sich durch meine bewußte Zuwendung, meine Bekehrung zum Feminismus in dieser Hinsicht etwas geändert? Ich habe schon vorher mit zwei Frauen zusammengelebt, das heißt mit der einen nur an Wochenenden und in Ferienzeiten. Unser Studienurlaub in Berkeley war unsere erste längere Zeit gemeinsamen Lebens zu dritt. Schon vorher bestanden Pläne, nach der Pensionierung von Else Kähler und mir zu dritt zusammenzuleben, diese wurden durch die dortigen Erfahrungen und Erkenntnisse bestärkt und vertieft. Jetzt haben wir schon mehr als drei Jahre gemeinsamen Lebens hinter uns. Das Experiment hat sich bewährt, hat die Probe der Echtheit bestanden, auch wenn wir längst nicht alle sehr alltäglichen Probleme spielend und in ständigem schönem Einklang bewältigen. Das wäre auch kaum normal. Als wichtig hat sich für uns gezeigt, daß jede von uns nicht nur räumlich, sondern auch sozial einen eigenen Lebenskreis hat. Interessen und Beziehungen sind nicht für alle drei dieselben, aber die anderen beiden können so weit Anteil nehmen, daß Heimkommen immer möglich ist. Weil wir zu dritt sind, ist eigentlich immer mindestens eine von uns in der Lage, Schwierigkeiten einer anderen mitzutragen, aber auch sich mitzufreuen. Gemeinsames Feiern ist für uns wichtig. Unsere Lebensgemeinschaft hat sich als verläßlich erwiesen. Sie ist für uns eine Art Schutzraum in einer immer noch nicht frauenfreundlichen Welt, und wir haben die Erfahrung gemacht, daß sie Schutz- und Lebensraum auch für andere Frauen sein kann. Glücklicherweise haben wir Platz für zwei Gäste, und diese waren bis jetzt meist – wenn auch nicht ausschließlich – Frauen.

Ausschließlich wollen wir nicht sein, und doch ist die Tatsache, daß wir als Frauen zusammenleben, immer bedeutsamer für uns geworden. Wir sind feministischer geworden durch unser Zusammenleben. Dies ist kein Ersatz für Familie, sondern durch sein bloßes Bestehen immer mehr eine Bestärkung, daß die Gemeinschaft von Frauen in der heutigen Zeit von besonderer Bedeutung ist. Sie ist der stärkste Beweis dafür, daß wir nicht länger auf männliche Hilfe und Unterstützung angewiesen sind, daß Frauen ohne Männer ganze Menschen sind. Diese Erfahrung steht gegen unsere ganze Kultur, sie ist eine Herausforderung an diese und wird durchaus von manchen, auch von einigen unserer Familienangehörigen, so erlebt. Man(n) kann sie natürlich leicht lächerlich machen, aber an diesem Punkt sind wir weniger verletzlich geworden. »Frauen gemeinsam sind stark«, das können wir mindestens von dieser unserer nächsten Beziehung sagen. Von ihr aus möchten wir immer mehr Netze knüpfen, Netze, die andere Frauen auffangen, Netze, die Leben ermöglichen und die aus lebendigen Fäden bestehen, an denen andere weiterknüpfen können.

Zum grundsätzlichen feministischen Nachdenken über diese eigenen Erfahrungen hat mir der Essay einer jungen amerikanischen Theologin, Mary E. Hunt, einer Freundin von uns, geholfen. Sie arbeitet an einem Buch über eine Theologie der Freundschaft, das eigentlich schon erschienen sein sollte, und ich kenne ein Kapitel daraus. Darin schreibt sie:

»Frauenfreundschaften sind das beste Gegenmittel gegen das Patriarchat. Die Art und Weise, wie wir füreinander sorgen, in unserem Leben Raum schaffen, um andere hineinzunehmen, und in unwahrscheinlichen Zusammenschlüssen mit Gerechtigkeit suchenden Freundinnen leben, gibt mir Hoffnung und Energie für die Aufgabe eines gesellschaftlichen Wandels.«

In diesen wenigen Sätzen wird deutlich, daß wir die Werte, die wir in der Gesellschaft verwirklicht sehen möchten, in unseren Beziehungen erproben und leben können. Wir haben übrigens die Praxis, aus der diese Theorie wächst, als Gäste in ihrem Haus, das sie mit einer Freundin teilt, selbst erlebt. Ich kann nicht aufzählen, wie vielen Frauen, schwarzen und weißen, jüngeren und älteren, aus den verschiedensten Berufen wir in den wenigen Tagen, die wir dort waren, begegnet sind, und sie waren nicht unseretwegen eingeladen, sondern kamen und gingen, waren willkommen und einfach da. Für uns war es ein hilfreiches Modell. Es gibt noch wenige Beispiele von offen gelebter Frauenfreundschaft.

Deutlich wurde uns dadurch auch die politische Bedeutung von Freundschaft unter Frauen. Dazu schreibt Mary E. Hunt:

»Was Feministinnen in den letzten zwanzig Jahren für alle Frauen erreicht haben, wäre nicht möglich gewesen ohne starke Frauenfreundschaften. Freundschaft war wirklich ein Nebenprodukt von manchen bewußtseinsbildenden Gruppen. Frauen entdeckten, daß die partriarchale Prägung, die sie gelehrt hatte, andere Frauen nicht zu schätzen, andere Frauen als Rivalinnen im Bemühen um Beachtung und Schutz von Männern zu sehen, sie selbst im Innersten zerstörte. Frauen fanden beieinander jene tiefste Menschlichkeit, von der man ihnen gesagt hatte, sie könnten sie nur in der Begegnung mit einem Mann finden. Manche entdeckten sogar, daß männliches Anderssein für sie Entfremdung und Tod bedeutete, ebenso wie das totale Anderssein eines patriarchalen Gottes.«

Diese Zerstörung erlebe ich an jenen Frauen, die meinen, ohne Beziehung zu einem Mann nicht leben zu können, und die von einer verunglückten Beziehung in die nächste stolpern oder dann bei einer Frau dasselbe Muster sexueller Bindung suchen, das sie mit Männern erlebt haben. Wir haben viel zu enge, von männlichen Erwartungen und männlicher Sexualität geprägte Vorstellungen von nahen persönlichen Beziehungen. Frauenfreundschaften, und zwar solche mit und ohne erotische und/oder sexuelle Komponente, sprengen diese Muster. Insofern sind sie ein Heilmittel gegen vom Patriarchat geschlagene Wunden, sowohl auf persönlicher als auch auf beruflicher oder politischer Ebene, und geben Frauen die Kraft, sich für Gerechtigkeit gegenüber Frauen und allen Benachteiligten zu wehren, Widerstand gegen alle Formen von Hierarchie zu leisten. Dies ist in unserer bürokratisch und technokratisch von Männern verwalteten Welt ein Politikum, ein auch politisch wirksamer Aufstand für das Leben.

Die Quelle, aus der dieser Widerstand wächst, ist die gemeinsame Erfahrung der Unterdrückung auf Grund des Geschlechts. Diese Erfahrung ist universal, auch wenn nicht alle

Frauen sie wahrnehmen oder nicht offen dazu zu stehen wagen. Frauenfreundschaften machen sensibel für die ganz verschiedenartigen Formen, die diese Unterdrückung annehmen kann; denn auch in nahen persönlichen Beziehungen sind die Lebenserfahrungen verschieden, je nach Familiensituation, Ausbildungsweg, beruflicher Stellung, kirchlicher Zugehörigkeit und so weiter. Das gilt übrigens in hohem Maße für uns drei. Die ganz verschiedenen Ausgangserfahrungen, die persönlichen Begegnungen, die sich jedesmal anders ereigneten, das geteilte Leben und die immer deutlicher werdende Entdeckung derselben Grunderfahrung als Frauen, die Patriarchat immer bewußter als Unterdrückung erleben und zum Widerstand dagegen entschlossen sind, macht sensibel für andere Lebenswege und damit auch bereit zu Kontakten und zum Knüpfen von Netzen.

Die Fäden können verschieden stark und verschieden lang sein, sie können lose oder fest verknüpft sein. Ich denke an die Frauen, mit denen ich verbunden bin, seit sie meine Schülerin oder eine mich anschwärmende junge Verkäuferin waren, ich denke an Beziehungen, die aus der Wohngemeinschaft des Studentinnenhauses gewachsen sind und an die sich andere Fäden geknüpft haben, ich denke an ehemalige Mitarbeiterinnen und Kolleginnen, an Teilnehmerinnen an Akademietagungen, an die vielen Frauen aus der neuen Frauen- und Friedensbewegung und aus der Arbeit im ÖRK. Nähe und Ferne sind verschieden, und ich könnte auch nicht von allen sagen, daß sie die für uns mehr oder weniger klaren Zielsetzungen teilen. Aber für mich/uns gehören sie zu einem ganz informellen Netzwerk, und aus denen, die einmal in irgendeiner Form von mir abhängig waren, weil ich Lehrerin, Autorität, Vorgesetzte war, sind längst Schwestern geworden. Dasselbe habe ich mit Frauen erlebt, die älter sind als ich. Aus distanzierter Verehrung wurde Schwesternschaft. Von ihnen sind viele nicht mehr da, und das Netz besteht nur noch in der Erinnerung. Das alles hat es schon immer gegeben, neu ist die hohe Bewertung solcher Beziehungen.

Ich weiß, daß »Netzwerk« heute ein Fachausdruck ist, und unter dem Titel »Friedensarbeit« habe ich bereits Gruppen mit einer bestimmten gemeinsamen Zielsetzung genannt und unser Zusammensein beschrieben. Auch dort ist es wichtig, daß Frauen gerne miteinander denken und träumen, sich einsetzen und sich zurücknehmen und doch die Fäden nicht abreißen lassen. Schwierig kann es werden, wenn es sich als nötig oder wünschbar erweist, bestehende kollegiale oder berufliche oder halb-berufliche Vernetzungen irgendwie zu institutionalisieren. Ein wichtiger Schwerpunkt ist für mich die feministische Theologie. Viele Feministinnen scheuen jede Form von Organisation. Das Netzwerk soll sich organisch wie ein Spinnennetz aus sich selber, von Frau zu Frau weiterknüpfen, und das geschieht auch. Es geschieht durch Werkstätten feministischer Theologie, durch Bücher, durch informelle Gesprächskreise, um irgendwelche Zentren herum. Aber dann wächst der Wunsch nach weiterem Austausch von Erfahrungen, nach Unterstützung und Solidarisierung in den härter werdenden Auseinandersetzungen, im Fall der feministischen Theologie mit der patriarchalen Kirche und der mindestens so männlich geprägten Universität. Muß wirklich jede von uns oder jede kleine Gruppe von uns diese Auseinandersetzung allein führen? Können wir uns nicht zusammenschließen? Mir sind verschiedene vorhandene und geplante Netzwerke bekannt, und ich gehöre zu zweien davon, zu einem schweizerischen und einem deutschen, das heißt in der Bundesrepublik angesiedelten, zu dem aber auch Holländerinnen, Österreicherinnen und Schweizerinnen gehören. Solche Zusammenschlüsse können zum Prüfstein für die Echtheit unserer feministischen Grundüberzeugung werden. Bringen wir es fertig, wirklich – wie es in der Zielsetzung des deutschen Netzwerks heißt – »die verschiedenen Ansätze feministischer Theologie darzustellen und miteinander ins Gespräch zu bringen und uns gegenseitig bei der Weiterentwicklung feministischer Theologie zu unterstützen«? Aufgebrochen sind wir gemeinsam, wenn auch zu verschiedenen Zeiten und unter verschiedenen Bedingungen und ohne einander persönlich zu kennen. Vermutlich haben alle von uns irgendwann einmal die Freude über die Befreiung von übernommenen Dogmen und Rollenvorstellungen erlebt und uns als Schwestern auf einem gemeinsamen Weg stark gefühlt.

Aber Aufbruch ist eins, und Weitergehen ist etwas anderes. Es kann ja nicht bei »Ansätzen« bleiben, Ansätze führen weiter, oft in nicht vorausgesehenes und voraussehbares Gelände. Da es sich bei der Theologie um das Reflektieren von ganz unterschiedlichen Glaubenserfahrungen in der Auseinandersetzung mit Bibel und Tradition handelt und dadurch sehr tiefe Schichten in uns berührt werden, setzt der Erfahrungsaustausch sehr viel Vertrauen und Respekt vor unterschiedlichen Möglichkeiten und Begrenzungen voraus. Trägt dann die feministische Grunderfahrung, oder ist die Verbundenheit mit der Tradition, aus der wir herkommen, stärker?

Ich erinnere mich an Gespräche in einer sehr großen Offenheit zwischen Frauen, die unterschiedlich weit gehen konnten, die sich miteinander auseinandersetzten, die auch am Ende nicht einer Meinung waren und einander doch als Schwestern erlebten. Ich kann mich aber auch an Abgrenzungen erinnern, die ich zwar intellektuell verstand, mit denen ich der Sache nach sogar einverstanden war und die ich doch nicht mitvollziehen konnte. Was sich hier abspielt, läuft heute unter dem Namen »Schwesternstreit«. Darunter leide ich. Natürlich müssen wir verschiedene Standpunkte formulieren und einander auch sagen: »Hier kann ich nicht mehr mit, hier ist für mich eine Grenze erreicht, die ich jetzt nicht überschreiten kann und will.« Das müssen wir aushalten, vielleicht können wir einander auch verständlich machen, warum wir aus unserem Lebens- und Glaubensverständnis heraus so und nicht anders entscheiden müssen, und vielleicht ist es auch möglich, die eigene Stellungnahme als nicht endgültig und absolut zu sehen. Wenn es wahr ist, daß Feminismus und feministische Theologie aus der lebendigen Erfahrung von Frauen wachsen, dann müssen wir einander auch zugestehen, daß Wege auseinandergehen, aber auch offenlassen, ob sie nicht am einen oder anderen Punkt näher voneinander sind, als wir meinen, und daß sie sich auch wieder nähern können. Ich hoffe immer noch, daß die feministische Theologie nie zu einem in sich geschlossenen System wird und daß das Netz weit genug gespannt ist, um zum Beispiel matriarchale Spiritualität, wissenschaftliche feministische Arbeit an biblischen Texten und der ganzen kirchlichen Tradition, eine pneumatologisch ausgerichtete, vielleicht mit gnostischen Elementen gespeiste Spiritualität, eine prophetische Befreiungstheologie, die Neu-Interpretation von Symbolen und so weiter zu umfassen. Ein Netz ist kein Hut, unter den alle passen müssen, auch keine mit Mauern nach außen abgeschirmte Kirche. Es ist ein feines, zerbrechliches Gebilde, aus tausend Lebens- und Glaubensfäden gewoben, und die Zerreißprobe ist hart. Wenn wir uns auseinanderreißen lassen, ist der Sieger klar. Es ist das in seiner »Rechtgläubigkeit« und Autorität bestärkte Patriarchat, und die Besiegten sind nicht nur wir Frauen, sondern die große Verliererin ist die Kirche, die gerade heute wir Frauen besonders verkörpern. Ich träume von einem fein gesponnenen, vielfach verzweigten und geknüpften Netz von Schwesternschaft, die uns stark macht und die Gerechtigkeit, Frieden und Leben wachsen läßt.

Diese Schwesternschaft muß weltweit sein, und feministisches Engagement heißt für mich, in zunehmendem Maß die Lage und die Beiträge von Frauen in anderen Kulturen wahrzunehmen und einzubeziehen. Dazu gehören auch die Flüchtlingsfrauen in meinem eigenen Land. Es wird immer wieder unsere Aufgabe sein, in der Öffentlichkeit auf die doppelte Unterdrückung und Benachteiligung von Frauen in sogenannten Entwicklungsländern hinzuweisen, aber auch bereit zu sein, mit ihnen und nicht nur für sie zu arbeiten und von ihnen zu lernen. Das gilt gerade auch für die feministische Theologie, die es längst nicht mehr nur in Europa und Nordamerika gibt. Der Zentralausschuß des ÖRK hat auf seiner letzten Sitzung im Januar 1987 eine ökumenische Dekade zum Thema »Solidarität der Kirchen mit den Frauen« ausgerufen, die Ostern 1988 beginnen soll. In den Empfehlungen heißt es unter anderem,

»– *daß die Dekade vor allem für die Kirchen und für Frauen auf der Ortsebene konzipiert wird, um Frauen in die Lage zu versetzen, Strukturen in Frage zu stellen und auf Probleme ihres gesellschaftlichen Umfelds zu reagieren...*
– *daß... der Schwerpunkt dieser Dekade auf der Situation der Frauen in den Kirchen sowie auf dem Beitrag der Kirchen zur Verbesserung der gesellschaftlichen Lage der Frauen liegt.*

– Schwerpunkt sollte die Arbeit mit *und nicht* für *Frauen sein*...«

Für mich ist dieses Programm gleichzeitig ein Zeichen der Hoffnung und eine Herausforderung. Zeichen der Hoffnung, daß in den nachweislich immer noch von Männern regierten und verwalteten Kirchen doch Freiräume geschaffen, Neuerungen ausprobiert, Erfahrungen von Frauen ernst genommen werden könnten. Eine Herausforderung ist es, mich nochmals auf ein kirchliches Programm einzulassen. Weil es in den Leitungsgremien und im Stab des ÖRK Ansätze zu einer globalen Schwesterlichkeit gibt, werde ich es wagen – nach Maßgabe von Zeit und Kraft, mit starker innerer Beteiligung, aber auch mit hartnäckiger feministischer Kritik. Ich finde es schön, daß die Frauendekade zu Ostern 1988 beginnen soll, mit eigenen Beiträgen von Frauen in allen Gemeinden der Mitgliedkirchen. Es war an Ostern, daß Frauen von Jesus den Auftrag erhielten, die frohe Botschaft von seiner Auferstehung weiterzusagen. Sie – als die ersten, in allen Evangelien erwähnten Zeuginnen – sind schon im 1. Korintherbrief (15,4ff.), wo alle die Kirche begründenden Begegnungen des Auferstandenen mit Männern aufgezählt werden, vergessen worden. Ob die Kirchen, die offiziellen Kirchen, an Ostern 1988 auf die Frauen hören werden, oder ob sie es vorziehen, Kirchen der »Väter und Brüder« zu bleiben? Und ob wir Frauen den Geist, den Mut und die Kraft haben, wirklich etwas zu sagen? Darauf warte ich mit Spannung.

Anstelle eines Nachworts

Ein Schlußwort? Nein, das klingt so, als könnte ich einen Strich unter das Geschriebene ziehen oder es abschließend abrunden. Gerade das kann und will ich nicht. Ich möchte, daß »es« offen bleibt, und ich meine damit mein Leben und das, was ich darüber in diesem Buch gesagt habe. Aber es lockt mich, mich nochmals mit meiner Collage aus dem Jahr 1981 (vgl. S. 12) auseinanderzusetzen und mich zu fragen: Stimmt sie noch, oder was würde ich heute anders darstellen?

Eine Frau, die sich sehr intensiv mit diesem Buch beschäftigt hat, wollte gerne wissen, was aus dem Regenbogen und dem kleinen Vogel geworden sei. Die Antwort fällt mir nicht leicht. Ich will sie aber versuchen. Ich glaube, daß der kleine Vogel einige Federn gelassen hat und daß er sehr dankbar ist, ein Nest gefunden zu haben, in dem er sich immer wieder ausruhen kann und wo er zu Hause ist. Das Bild stimmt natürlich nicht. Ich weiß, daß Vögel nicht in ihren Nestern wohnen. Aber ich – eine Frau, ein Mensch – habe in der Lebensgemeinschaft mit den beiden Frauen, denen ich dieses Buch gewidmet habe, und in dem Haus, das uns zu dritt gehört und in dem ich von vielen Dingen umgeben bin, die mich allein oder uns gemeinsam schon lange begleitet haben, viel mehr Heimat gefunden, als ich es mir je vorgestellt hatte. Hierher von kürzeren oder längeren Flügen zurückzukehren, hier Geborgenheit zu erleben und auch andere in diese aufzunehmen, ist mir heute wichtiger als der Flug der Sehnsucht, auch wenn ich die Liebe zur Weite nicht verloren habe und hoffe, sie nie zu verlieren. Der Regenbogen ist immer noch da. Seine Farben sind intensiver geworden, sie leuchten von innen heraus, und ich spüre ihr Leuchten auch in mir. Ich weiß besser als damals, daß die göttlichen Verheißungen nicht nur Zukunft, sondern schon Gegenwart sind, daß sie nicht nur über uns, sondern auch in uns sind, daß sie in uns wachsen können und daß sie sich in vielfältiger Brechung des Lichts überall dort verwirklichen, wo ein wenig mehr Liebe, mehr Gerechtigkeit, mehr Offenheit gelebt und im Widerstand erprobt werden. Trotzdem oder gerade deswegen ist es gut und tröstlich, daß der

Regenbogen weiterhin am Himmel aufleuchtet, denn dieser ist dunkler geworden, die Bedrohung hat sich verstärkt, das Leiden in der Welt und die von Menschen verursachte Gefährdung der Grundlagen allen Lebens haben Ausmaße angenommen, die nie vorstellbar waren. Da brauche ich eine Begründung zum »Trotzdem«, die Gewißheit göttlicher Liebe und Bewahrung, wie sie der Regenbogen, der in der biblischen Erzählung erst nach der Sintflut in den Wolken aufleuchtete, symbolisiert. Es ist mir immer noch – oder vielleicht wieder neu – wichtig, daß die Bibel uns Verheißungen vom Sieg des Lebens über den Tod vermittelt, auch wenn es mir immer noch große Mühe macht, sie aus ihrem patriarchalen Kontext zu befreien.

Wie Bedrohung und Bewahrung sich heute zueinander verhalten, weiß ich nicht. Am besten sagt es für mich ein Gebet, das ich von katholischen Frauen gelernt habe: »Dein Reich komme, diese Erde bleibe, zeige uns, was wir tun können.« Wenn ich es nachspreche, ist um mich die Gemeinschaft derer, die vor der Bedrohung nicht resignieren, weil sie den Regenbogen sehen.

Und die Kirche? In meiner Collage steht sie grau und mächtig im rechten Bildteil. Heute würde ich sie anders zeichnen, kleiner und mit Rissen im Gemäuer. Seit ich dazu ja gesagt habe, nochmals in ihr zu arbeiten, sehe ich klarer, daß sie gar nicht so mächtig ist, wie sie sich gerne gibt, und vor allem habe ich viele Menschen, Frauen und Männer aus allen Teilen der Welt, kennengelernt, die mit mir an ihrer Gestalt leiden und nach Formen glaubwürdiger christlicher Existenz in der heutigen Welt suchen. Das macht die Fassade weniger wichtig.

Zum Schluß bleibt das Frauenzeichen in der Mitte meiner Collage. Ein solches rotes Zeichen, das mir eine jüngere Kollegin zu meinem 65. Geburtstag geschenkt hat, liegt seither immer auf meinem Schreibtisch. Jede Woche erlebt es eine merkwürdige Verwandlung. Die Frau, die uns hilft, nicht im Haushalt – oder im nicht bewältigten Haushalt – auf- oder unterzugehen, dreht es jedesmal um. Dann ist das Kreuz oben. Für sie ist die Welt dann in Ordnung: das Kreuz auf der Weltkugel, wie es auf manchen christlichen Bildern dargestellt wurde. Diese Frau kennt offenbar das Frauenzeichen nicht und hat das Bedürfnis, im oft chaotischen Durcheinander auf meinem Schreibtisch wenigstens an einem Punkt Ordnung herzustellen. Zuerst dachte ich, es sei Zufall, aber nein, es ist System. Jedesmal, wenn sie da war, schaue ich erwartungsvoll auf meinen Schreibtisch und drehe nachdenklich das kleine rote Ding um. Für mich ist seine Existenz, die für bewußtes Frau-Sein steht, nach wie vor wichtig. Die wöchentliche doppelte Umdrehung erinnert mich daran, daß das Frauenzeichen für mich heute mehr als vor sechs Jahren mit Kirche zu tun hat. Nicht mit dem grauen Gebäude, sondern mit der Erfahrung: »Wir Frauen *sind* Kirche« – nicht *die* Kirche, aber auch Kirche. Wo und wie wir dieses Kirche-Sein immer besser leben können und wie lange es dauern wird, bis unsere »getrennten Brüder« unser Denken, Fühlen und Glauben wirklich ernst nehmen, weiß ich nicht. Daß ich aber als alte Frau aktiv an diesem Prozeß auf Zukunft hin beteiligt bin, macht mein Leben reich. Es trägt dazu bei, daß ich jetzt wirklich gerne eine Frau bin.

Anhang

Texte aus früheren Jahren,
in der Reihenfolge der Kapitel

Zum Kapitel »Bekehrungen«

Nach zehn Jahren im Reformierten Studentinnenhaus

Eine Frage bleibt uns durch all die Jahre: Wird in unseren Häusern deutlich, auf welchem Grund sie stehen? Sagen wir klar und kompromißlos genug, wer unser Herr ist und was Gott für uns getan hat?

1. Eine christliche Gemeinschaft ist der Ort, wo die größtmögliche *Freiheit* regiert, und dazu gehört, daß man einander nicht bedrängt und beengt, sondern einander leben läßt. Die wichtigen Dinge geschehen nur in der Freiheit. Man kann keine Bekehrungen erzwingen, weil es nicht in unserer, sondern in Gottes Hand steht, Menschen zu ändern, und er tut es auf ganz verschiedenen Wegen. Immer neu müssen wir uns frei machen von unseren eigenen Vorstellungen und Lieblingsgedanken, wie die anderen sein sollten. Etwas von der Freude an der wunderbaren Mannigfaltigkeit von Gottes Schöpfung, in der es verschiedene Gaben und verschiedene Charaktere und verschiedene Temperamente gibt, sollte in jeder christlichen Gemeinschaft zum Ausdruck kommen, aber auch etwas von der Ehrfurcht vor Gottes Weg mit jedem einzelnen Menschen.

Immer wieder denke ich an jenen Satz, mit dem sich eine unserer Studentinnen verabschiedete: »Man hat einmal ›sein‹ können.« Da sein, aufatmen, leben können – vielleicht liegt hier etwas vom Wesentlichen einer christlichen Gemeinschaft.

2. Diese große Freiheit schließt nicht aus, sondern ein, daß es sich an den kleinen Dingen des täglichen Lebens zeigt, wie man wirklich zueinander steht. Mich hat in diesem Zusammenhang das Gleichnis vom Endgericht in Matthäus 25 oft beschäftigt. Dort wird so gar nicht nach einem Glaubensbekenntnis und noch weniger nach einer Ideologie gefragt, sondern nach kleinen, unscheinbaren, handgreiflichen Hilfeleistungen: dem Speisen und Tränken der Hungrigen und Durstigen, dem Besuchen der Kranken und Gefangenen. Es sind Dinge, die kaum »der Rede wert sind«, wie wir gerne sagen, an denen aber die Zuwendung zum Mitmenschen und damit zu Gott oder die Abwendung und Isolierung von beiden deutlich wird. In einer Hausgemeinschaft wie der unserigen merkt man rasch, daß es unmöglich ist, sich zu drücken, wenn es ums Abtrocknen geht, und nachher denen, die man für sich und an seiner Stelle hat arbeiten lassen, etwas sagen zu wollen von Gott und Christus. So wie die Zeit der wahllos umhergestreuten und an alle Wände gehängten Bibelsprüche vorbei ist, so ist es auch die der vom Leben gelösten christlichen Botschaft. So wie sie eins war mit der Person und dem Leben und Sterben Christi, so will sie in denen, die sich nach ihm nennen, Gestalt annehmen.

3. Wenn wir als Christen von Gemeinschaft sprechen, tun wir es oft so,

als wäre Gemeinschaft immer etwas Herrliches, Stärkendes und Hilfreiches. Ganz sicher ist sie das alles, aber in einer Gemeinschaft leben heißt auch gedemütigt werden und ist nicht immer bequem, es geht uns oft gegen den Strich und durchkreuzt unsere Pläne. Wenn eine Gemeinschaft uns nur immer bestätigen würde in unserem Wesen und in unserer Haltung, wäre sie keine echte Gemeinschaft. In einer Hausgemeinschaft ist man zum Beispiel der Kritik der anderen ausgesetzt und spürt die Wirkungen dessen, was man sagt und tut. So kommen der eigene Ärger und die eigene Empfindlichkeit zu uns zurück. Das ist sehr demütigend, aber heilsam, und wir haben manchmal die Erfahrung gemacht, daß gar nicht die Zeiten, in denen alles gut und von selber ging, am fruchtbarsten für uns und das Haus waren, sondern diejenigen, in denen es schwer war zusammenzubleiben. *Es kostet schon etwas, in einer Gemeinschaft zu leben*, es kostet unser eigenes, sorgsam gehütetes, isoliertes Leben, und wenn in unserem Hause oft scherzhaft gesagt wird: »Hier hat man kein Privatleben«, so stimmt das im landläufigen Sinn des Wortes zwar nicht, denn kontrolliert wird nicht viel bei uns, aber in einem tieferen Sinn ist es doch wahr: Alles, was wir tun und denken, hat Folgen für die anderen. Das ist ja immer und überall so, daß man es aber so deutlich merkt, ist etwas vom besonderen Wert einer Hausgemeinschaft.

Aus dem Jahresbericht 1954/55 des »Vereins Reformiertes Studentinnenhaus«

Zum Kapitel: Ledig, aber nicht alleinstehend

Frauen in der Kirche –
Kirche, die wir meinen, Kirche, die wir sind

Aus einem Referat zum fünfzigjährigen Jubiläum des Bayerischen Mütterdienstes, 1982

Wenn Sie Biographien bedeutender Frauen lesen, dann stellen Sie fest, daß die Freundschaft unter Frauen immer eine ganz entscheidende Rolle gespielt hat. In der Kirche ist es üblich, im Blick auf eine Eheschließung zu sagen, daß Gott diesen Mann und diese Frau zusammengeführt habe. In Abwandlung dieser den gängigen Vorstellungen entsprechenden Aussagen möchte ich heute hier sagen: Es war kein Zufall, sondern Gottes Fügung, daß Antonie Nopitsch an verschiedenen Punkten ihres Lebens zwei ganz verschiedenen, ihr ebenbürtigen Frauen begegnete und daß aus beiden Begegnungen, die nie im nur Persönlichen steckengeblieben sind, sondern in der gemeinsamen Arbeit einen ebenso angemessenen Ausdruck fanden, der Bayerische Mütterdienst entstanden ist. In diese in die gemeinsame Arbeit integrierten Freundschaften konnten andere hineinwachsen. Sie waren in Liebe, Bewunderung und Verehrung mehr mit der einen oder der anderen verbunden. Viele von uns Älteren wissen, daß dies alles nicht konfliktfrei war und daß Konflikte in manchen Zeiten und auf verschiedene Art auch in die Arbeit hineingespielt haben. Aber welche menschlichen Beziehungen wären und sind je frei von Spannungen und Konflikten gewesen? Daß es Ehe- und Familienprobleme gibt, ist heute sogar in der Kirche allgemein anerkannt, daß es Positionskämpfe und Intrigen unter Männern in der Öffentlichkeit gibt, gilt als normal. Sobald aber Spannungen unter Frauen, zum Beispiel in einem sogenannten Frauenwerk oder Frauenbetrieb, entstehen, heißt es: Natürlich, wie könnte es anders sein! Darum möchte ich, in der Öffentlichkeit dieses festlichen Anlasses, in Liebe und Dankbarkeit zunächst der drei Frauen gedenken, die für mich und viele andere für eine bestimmte, vergangene und nicht wiederholbare Zeit Stein ausmachten. Ich möchte das Lob ihrer Freundschaft singen, der Freundschaft unter drei eigenständigen, ungeheuer verschieden begabten, einander selten glücklich ergänzenden Frauen.

Sie mögen fragen, was das alles mit meinem Thema »Frauen in der Kirche« zu tun hat. Ich meine, es hat sehr viel damit zu tun. Darf ich es einmal so ausdrücken: Die drei Frauen, von denen ich gesprochen habe, waren alle auf ihre Art Frauen *in* der Kirche, aber sie waren keine Frauen *der* Kirche. Sie waren tief im christlichen Glauben verwurzelt, aber sie entsprachen in keiner Weise traditionellen kirchlichen Bildern von der Frau. Sie handelten aus eigener Initiative, aus ganz persönlicher Berufung, ihrem eigenen Herzen, ihrem eigenen Ruf, ihrer eigenen Erkenntnis und Wahrnehmung folgend, ohne darauf zu warten, daß ihnen jemand diese Aufgabe übertrug. Dies schließt nicht aus, daß sie zuzeiten darunter gelitten haben, daß sie um die kirchliche Anerkennung ihrer Arbeit kämpfen mußten, nicht nur des Geldes wegen, sondern weil sie ihre Kirche liebten. Und trotzdem waren sie keine Frauen der Kirche.

Drei bedeutende Frauen in der Kirche! Wären sie Männer gewesen, dann wären sie Bischöfe oder Professoren geworden. Sie wären voll integriert gewesen in die hierarchisch gegliederte Männerkirche. Da sie Frauen waren – erlauben Sie mir, zu sagen, daß sie glücklicherweise Frauen waren und gerne und ganz Frauen waren –, stehen sie in einer anderen Tradition, nämlich in der langen, oft vergessenen, oft verschwiegenen, oft auch verbogenen und verzerrten Geschichte von Frauen, die ihre Kraft und sich selbst für ein Leben unter dem Ja Gottes zur Welt gaben, aber nicht zu den Trägern der Kirche gezählt wurden. Es wird viel von Vätern, aber wenig von Müttern der Kirche geredet. Für mich gehört es zum Eindrücklichsten in der heutigen Frauenbewegung, in der neuen Welle der Frauenbewegung, daß heutige junge Frauen nach dieser vergessenen Geschichte sehr sorgfältig zu fragen beginnen.

Themen von Tagungen und Gesprächen

Für die berufstätige, alleinstehende Frau, veranstaltet von einem Arbeitskreis von 8–10 kirchlichen Mitarbeiterinnen. Von 1949 bis 1959 alle »nebenamtlich« erarbeitet.

1949/50	Erste Treffen von unverheirateten Frauen: Die beiden Schöpfungsberichte 1. Korinther 7,25 ff.
1950	Person und Persönlichkeit
1951	Seelsorge von und an Frauen Beruf und Berufung
1951	Hindernisse und Hilfen beim Bibellesen
1952	Das Bild der Frau in unserer Zeit (bei Gertrud von Le Fort, Charlotte von Kirschbaum, Esther Harding)
1952	Gemeinschaft unter Frauen
1952	Vom Leisten und vom Sein im Christenstand Tagung für über 40jährige Frauen
1954	Wo steht die moderne Frau? Echte und falsche Hingabe

1955	Minderwertigkeitsgefühle in christlicher Sicht
1955	Moderne Versuche zur Lebensordnung (z. B. Tiefenpsychologie, Yoga, evang. Orden etc.)
1956	Der Wille Gottes im persönlichen Leben
1956	Bedrohung und Geborgenheit in unserer Welt
1957	Das neue Leben des alten Menschen (Bibelarbeiten über Römer 6–8)
1958	Wie wird unser Leben ganz?
1959	Auf dem Weg zur Partnerschaft
1959	Gespräch über unsere Stellung zur Leiblichkeit
1959	Ganzheit im Ehestand – Ganzheit im Stande der Ehelosigkeit
1959	Liebe in und außerhalb der Ehe
1960	Das Eigenleben der erwachsenen Tochter – und ihre Familie?
1960	Die Frau als Vorgesetzte
1961	Arbeitsfron – Arbeitsfreude
1961	Verantwortliche Lektüre – eine Lebensfrage
1962	Wahrheit und Liebe in der Kritik
1962	Freundschaft unter Frauen
1962	Auswahl – Beschränkung – Freiheit
1962	Not und Verheißung des ehelosen Standes
1963	Berufstätigkeit der Frau – Notwendigkeit, Selbstverständlichkeit, Chance?
1964	Sachlichkeit – eine moderne Tugend?
	Begegnungstagung für Hausfrauen und berufstätige Frauen
1964	Frömmigkeit in einer weltlichen Welt

Bis 1959 wurden alle Themen im Arbeitskreis besprochen, von 1959 an waren Marga Bührig und Else Kähler Studienleiterinnen in Boldern (= evangelische Akademie für den Kanton Zürich) und somit freigestellt. Die Mitarbeit des Arbeitskreises blieb aber.

Zum Kapitel
»Haben wir nicht zu früh von Partnerschaft geredet?

Einleitung zur »Linie« auf der SAFFA 58

Gibt es ein Bild der Frau? – Viele scheinen es zu meinen, wenn sie ganz ungebrochen die Forderung erheben, »die Frau« gehöre ins Haus. Und viele Frauen und junge Mädchen sind heute unsicher geworden. Sie möchten gerne fraulich sein und bleiben und haben recht damit, aber sie tragen vielfach ein zu enges, begrenztes Bild von Fraulichkeit in sich, ein Bild, das im letzten Jahrhundert geprägt wurde und nun nicht mehr recht paßt, obschon es vieles in sich schließt, was wir nicht missen möchten an der Frau von heute. Es ist das Bild der Frau, die aufgeht im allerengsten Kreis ihrer vier Wände und der paar nächsten, zu ihr gehörigen Menschen, der Frau, die diesen engen, in sich geschlossenen Kreis mit Wärme, mütterlicher Liebe und sorgender Hand gestaltet und erfüllt und die ihrerseits getragen ist von der Familiengemeinschaft, deren Zentrum sie ist. Die Frau als Mutter und Hausfrau – ist damit das Wesen der Frau umschrieben und erfaßt?

Daß dieses Bild zu eng ist, zeigen Bilder und Texte der »LINIE« an der SAFFA, die in diesem Büchlein wiedergegeben sind und zwar ist es nicht nur zu eng für unsere eigene Zeit und die Zukunft, sondern dem aufmerksamen Beobachter wird nicht entgehen, daß dieses Bild in der uns vertrauten Form überhaupt nur für unsere allernächste Vergangenheit unbeschränkte Gültigkeit hatte: für die bürgerliche Welt des 19. und beginnenden 20. Jahrhunderts.

In überraschender Weise leuchtet die Vielfalt weiblichen Wesens auf in den Bildern des historischen Teils (siehe die beiliegenden Postkarten). Sie stellen Frauengestalten des 10. bis 20. Jahrhunderts dar, und zwar solche, die typisch waren für ihr Jahrhundert. Die mütterliche Königin – die asketische Nonne – die selbstlose Helferin – die kluge Ratgeberin – die Frau mit praktischem Sinn für das Nächstliegende – die Diplomatin und Heerführerin – die gütige Vermittlerin – die leidenschaftliche Wahrheitssucherin – die Kämpferin mit dem Wort und sogar mit den Waffen – die im Stillen Tätige – die Forscherin – die Künstlerin – die Seelsorgerin – sie alle waren Frauen ihrer Zeit und lebten als Frauen in den Formen und mit den Möglichkeiten eben dieser Gegenwart. Indem sie ganz unmittelbar und spontan das taten, was ihnen zu ihrer Zeit auf das Herz und vor die Hände gelegt war, wurden sie zu denen, die über die Jahrhunderte hinweg uns ansprechen und ermuntern, wie sie in den Formen und mit den Möglichkeiten unserer Zeit das Unsere zu tun.

Worin bestehen nun aber diese Formen und Möglichkeiten? Das stellt der moderne Teil der »LINIE« dar. Er setzt noch einmal in der Vergan-

233

genheit ein, aber nun eben in der jüngsten Vergangenheit, in der Zeit, aus der das Bild der Frau stammt, von dem oben die Rede war und das sie festlegen möchte auf ihr Mutter- und Hausfrau-Sein. Wir dürfen einen Blick tun in die sogenannte »gute alte Zeit«, in der wirklich das »Haus«, die »Wohnstube« eine Welt war, und wo die vier Wände dieses Hauses das ganze Leben umschlossen: Geburt und Tod, Jugend und Alter, Arbeit und Muße. Aber diese Wände werden löcherig: Industrialisierung – Massengesellschaft – Atomzeitalter brechen diese Löcher, und durch sie dringt die Flut des Überangebots der Industrie auf materiellem und geistigem Gebiet in die Wohnstube ein, in unseren persönlichsten Raum und unsere engste Gemeinschaft, denn die Bilder von Film, Reklame und Illustrierten bedrohen uns bis in die Tiefen des Unbewußten. Durch dieselben »Löcher« ziehen aber auch pflegende, helfende, sorgende Funktionen, die die Frau im Haus zu erfüllen hatte, aus der Wohnstube aus und siedeln sich im größeren Raum des öffentlichen Lebens an. Und die Frau? Läßt sie sich treiben und mitnehmen von dem, was zufällig an sie herankommt? Schwankt sie – im Innersten unsicher geworden – zwischen dem Schneckenhaus ihrer Häuslichkeit und dem Betrieb des öffentlichen Lebens in all seinen Spielarten hin und her? Oder begreift sie, daß diese neue Lage unausweichlich ist und daß sie sich mit Mut, Liebe und Vertrauen hineinstellen muß? Daß es nun in dieser veränderten Welt um dasselbe geht wie schon immer: das aufzunehmen, was ihr aufs Herz und vor die Hände gelegt ist? Daß sie sich nicht dabei aufhält zu überlegen und abzuwägen, was ihrer Fraulichkeit Abbruch tun oder Nutzen bringen könnte, sondern daß sie sich mit ihren Gaben als Frau ehrlich und tapfer hineinstellt in die Welt, wie sie geworden ist, und mithilft, sie zu gestalten.

Einige Punkte erscheinen dabei als besonders wesentlich:

1. Die Verwirklichung der Partnerschaft von Mann und Frau auf allen Gebieten des Lebens. Die Stunde der Frauenbewegung ist vorbei, diejenige der Zusammenarbeit aber kaum angebrochen. Hier warten große Aufgaben für Mann und Frau.

2. Die Bereitschaft der Frau, herauszutreten aus dem allerengsten Kreis in den weiten Raum, der sich heute vor ihr auftut. Fast jede Frau muß etwas in sich überspringen, wenn sie es annehmen will, daß nicht mehr die Wohnstube ihre Welt, sondern vielmehr die Welt ihre Wohnstube ist. In der veränderten Welt muß die Frau dieselben Aufgaben des Sorgens und Pflegens, der Mitmenschlichkeit und der Gemeinschaftsbildung nicht nur im Hause, sondern draußen auf sich nehmen. Das schließt in sich ihre politische, wirtschaftliche und berufliche Solidarität und Mitverantwortung.

3. Trotzdem ist das Ja zu ihrem vom Manne verschiedenen Leben von ihr gefordert: zum anderen Lebensrhythmus, vor allem zu den verschiedenen Stadien ihres Lebens und den damit wechselnden Aufgaben: Die

junge Frau mit kleinen Kindern versäumt etwas für sie und die Kinder Lebenswichtiges, wenn sie sie anderen überläßt, um frei zu sein für den größeren Kreis. Die Frau in der Lebensmitte versäumt Lebenswichtiges für sich und die Gemeinschaft, wenn sie nicht heraustritt aus dem engen Raum und in Beruf oder sozialem Leben, in Staat oder Kirche Verantwortung auf sich nimmt. Die alleinstehende Frau versäumt Lebenswichtiges, wenn sie versucht, sich dem Manne gleichzuschalten, statt mit ihm zusammenzuarbeiten.

4. Überall aber wird der Beitrag der Frau darin bestehen, daß sie sich für den Menschen wehrt. Daß Menschenwürde und der Lebensraum des Menschen gewahrt bleiben, daß der Mensch nicht zur Maschine degradiert wird, wird immer ihr Anliegen sein. Sie kann das aber nur, indem sie sich – ohne sich dabei zu verlieren – hineinstellt in die bestehenden Gruppierungen (Berufsverbände, Gewerkschaften, Parteien). Darum sind an der »LINIE« die so menschlichen Bilder der Geselligkeit und der Muße, der Kultur und der Kirche umfaßt von den ernsten Appellen zur Mitarbeit im Wirtschaftsleben (Konsumentin!), bei der Landesplanung und in der Politik.

DieErfüllung dieser Aufgaben setzt Offenheit und Festigkeit, Aufbruch und Beharren, Fähigkeit zu unterscheiden und einen festen Maßstab voraus. Darum unterstreichen der erste und der letzte Text der »LINIE«: Konzentration auf das Wesentliche führt zur Wirkung in die Weite.

Dieses Wesentliche übersteigt uns selbst so hoch, wie der Himmel über der Erde ist – darum öffnen sich die »Wände« unserer Welt nochmals zu einem Blick in die Weite des Sternenhimmels, der ein Symbol der Ewigkeit ist.

Und die weiße Linie? Sie verbindet uns Frauen aller Zeiten, die wir unter dem offenen Himmel Gottes das Unsere tun mit warmem Herzen und wachen Augen und einer immer neuen Liebe zum Lebendigen, denn durch die Geschichte der Schweiz zieht sich ein feiner weißer Faden – unauffällig, aber unzerreißbar, oft nicht aufzufinden, dann wieder sichtbar im hellen Licht der Öffentlichkeit –, der Beitrag der Frauen an Geschehen und Gestaltung. Unbekannte und bekannte Frauen haben ihn abgewickelt, er läuft durch unser aller Hände – woher? wohin? Ihm ein Stück weit zu folgen, ihn bewußt zu machen zur klaren, zielbewußten Linie – das ist die Aufgabe der SAFFA II.

Frauenbewegung als Emanzipationsbewegung (1973)

Die alte Frauenbewegung ist überall in eine neue Sicht der Partnerschaft von Mann und Frau ausgemündet. Auch wir auf Boldern haben schon vor Jahren die Tagungsarbeit mit Frauen zugunsten von »Partnerschafts-Tagungen« aufgegeben. Sowohl theologisch als auch soziologisch und psychologisch wurde das Gegenüber von Mann und Frau neu betont und mit dem Wort Partnerschaft als eine auf Zukunft gerichtete Gemeinschaft Gleichwertiger verstanden. Heute fragen wir uns manchmal, ob wir den Begriff »Partnerschaft« vielleicht zu früh gebraucht haben. Gibt es Partnerschaft zwischen Menschen, die nicht den gleichen Status haben? Klar ist jedenfalls, daß die bestehende Familienstruktur sich auch unter dem neuen Namen durchgesetzt hat. Sie hat sich als stärker erwiesen als die Programme einer neukonzipierten Partnerschaft. Wenn man es scharf sagen will, könnte man fragen, ob sich der Unterdrückte mit dem Unterdrücker solidarisieren kann. Diese Frage wird heute im Kampf um die Gleichberechtigung der Rassen gebraucht. Sicher rebellieren die meisten von uns, wenn sie unverändert auf die Emanzipation der Frau angewendet wird. Aber es fragt sich trotzdem, ob hier nicht tiefe Wahrheiten liegen und ob nicht das voreilige Reden von Partnerschaft die wirklichen Verhältnisse verschleiert statt klargelegt hat.

Mit dieser und ähnlichen Argumentationen tritt die neue Welle der Frauenemanzipation auf den Plan, wie sie vor allem in den USA seit einigen Jahren aufgebrochen ist. Bei uns ist noch nicht allzu viel davon zu merken, denn die kleinen Gruppen der Frauenbefreiungsbewegung fallen zahlenmäßig kaum ins Gewicht, wenn sie auch an manchen Orten ganz Beachtliches leisten. Im übrigen aber stoßen die Berichte aus Amerika auf Skepsis, Hohn und – im besten Fall – mehr oder weniger mitleidiges Lächeln. Daß sich hier junge und gut aussehende Frauen beteiligen, will schon gar nicht in die Köpfe mancher Männer. »Sie haben das doch nicht nötig«, lautet der erstaunte Kommentar.

Was unterscheidet diese neue Welle von der alten? Das läßt sich natürlich schwer auf eine kurze Formel bringen, besonders da es innerhalb dieser Bewegung ganz verschiedene Spielarten gibt. Immerhin kann man wohl zwei charakteristische Unterschiede aufzeigen. In der neuen Frauenemanzipation geht es um die Befreiung des ganzen Menschen. In der alten Frauenbewegung hatte man die Frau vor die Wahl gestellt, entweder zu heiraten und Gattin und Mutter zu sein oder dann einen Beruf zu ergreifen und nicht nur auf Ehe und Mutterschaft, sondern auch auf jegliche sexuelle Befriedigung zu verzichten. Nun gibt es in der neuen Frauenbewegung in Amerika durchaus Gruppen von Frauen, die geradezu einen Männerhaß pflegen. Aber dem Bewußtsein der Zeit entsprechend spielt in jedem Fall das Akzeptieren der eigenen Sexualität eine wesentliche Rolle.

Neu ist an dieser neuen Welle der Emanzipation auch, daß einige Gruppen jedenfalls Modelle entwickeln, in denen Aktion und Reflexion dauernd aufeinander bezogen sind. Sie führen also eine Art Kleinkrieg gegen Diskriminierungen der Frau, wie sie im alltäglichen Leben häufig vorkommen, zum Beispiel in Stelleninseraten, in der Reklame und so weiter, aber nicht naiv, als würde ein einzelner derartiger Protest etwas ändern, sondern verbunden mit einer öffentlichen Interpretation und mit einer starken Solidarisierung.

Die Grundfrage ist wohl, ob es sich bei dieser neuen Frauenbewegung wirklich nur um Befreiung der Frau handelt oder um eine gemeinsame Befreiung des Menschen. Wiederum wird man hier nicht den gleichen Fehler machen dürfen, daß man zu früh und ohne einen entsprechenden Bewußtseins-Bildungsprozeß bei Männern von gemeinsamer Aktion für mehr Menschlichkeit redet. Im Grunde genommen geht es aber sicher darum, es fragt sich nur, ob wir Frauen und Männer von heute dazu fähig sind.

Zum Kapitel »Eine Ökumene der Frauen«

Lake Forest und Evanston

Im Unterschied zu dem, was von Princeton berichtet wurde, handelt es sich hier nicht um Beschlüsse, sondern im wesentlichen um die Studienarbeit. Diese wurde in den Jahren seit Amsterdam von der ökumenischen Kommission »für Leben und Arbeit der Frau in den Kirchen« betrieben. In Evanston ist aus dieser Kommission ein »Departement« des Weltrates der Kirchen geworden mit dem Namen *Departement für die Zusammenarbeit von Mann und Frau in Kirche und Gesellschaft«.* Sekretärin des Departements ist weiterhin *Madeleine Barot.* Die Namensänderung des neuen Departements ist nicht zufällig, sondern sie enthält ein Programm beziehungsweise zwei wesentliche Erkenntnisse: daß man nämlich die Frage nach der Stellung der Frau in der Kirche nicht beantworten kann, ohne nach der des Mannes zu fragen, und weiter: daß die Stellung der Frau in der *Kirche* nicht isoliert betrachtet werden kann, sondern immer im Zusammenhang mit ihrer (und des Mannes) Stellung in der *Gesellschaft* gesehen werden muß. So sagt ein orientierendes Dokument des neuen Departements über dessen Ziele:

»Seit dem Anfang dieses Jahrhunderts hat sich die soziologische Struktur der Welt sehr stark verändert. Manche neue Möglichkeiten in Politik, Wirtschaft und Gesellschaft haben sich für die Frauen erschlossen, und in den meisten Ländern hat das ihre gesetzliche und gesellschaftliche Stellung gewandelt. Damit haben sich auch die Beziehungen zwischen Mann und Frau und ihr gegenseitiges Verhältnis auf allen Gebieten des säkularen Lebens grundlegend verändert. Gleichzeitig haben Theologen, Psychologen und Soziologen die Fragen der Beziehung zwischen Mann und Frau neu überprüft.

Darum ist es nötig, daß die Kirchen fragen, was die christliche Botschaft über die Stellung der Frau in Kirche und Gesellschaft und über die Zusammenarbeit von Mann und Frau zu sagen hat:

a) Was für eine Botschaft haben die Kirchen für die Frauen, um ihnen in dieser Übergangszeit – von behüteter Abhängigkeit zu verantwortlicher Mitarbeit – zu helfen (eine Botschaft für die alleinstehende Frau, für verheiratete Frauen, die durch ihre wirtschaftliche Lage gezwungen sind, zu verdienen, für Frauen, die der Routine des Haushalts entrinnen möchten und so weiter).

b) Was bedeutet die Gleichheit von Mann und Frau, die von der Verfassung der meisten Länder proklamiert wird, für die Kirchen? Inwiefern gilt die Botschaft der Bibel, die in einer patriarchalen Gesellschaft gegeben wurde, auch für die heutige Welt? Wie weit können die Kirchen die neuen

238

Formen von Zusammenarbeit von Mann und Frau annehmen, die sich in
der säkularen Gesellschaft finden?«

Die Studientagung in Lake Forest versuchte, einigen dieser Fragen nachzugehen. Von drei Seiten her wurde die Arbeit angefaßt:
1. Untersuchung der biblischen Grundlage für den Dienst und die Stellung
der Frau. Darüber sprachen drei Theologen: Prof. Herntrich, Ham-
burg, der als Alttestamentler und eher konservativer Lutheraner die
Bedeutung von Schöpfung, Sündenfall und Gesetz stark unterstrich,
Pfr. van Gelder, Holland, und Pasteur Ch. Westphal, Frankreich, die
beide vom Dienste Christi und der Tatsache der *Gemeinde* und der in ihr
gegebenen Dienste und Gaben ausgingen und von da aus zur vollen
Bejahung des Dienstes der Frau in der Kirche kamen.

Die immer noch offene Frage ist wohl das *Wie* dieses Dienstes, wie
Madeleine Barot es in dem Bericht formulierte, den sie vor der Vollversammlung in Evanston gab:

*»Sollen Frauen neue Ämter schaffen, oder sollen sie danach trachten,
Zutritt zu dem bestehenden, traditionellen Amt zu erlangen? Sollen sie
sich in mächtigen Frauenorganisationen zusammenschließen und durch
die Vertreterinnen solcher Frauenorganisationen Einfluß auf die kirchlichen Behörden gewinnen? Oder ist dieses System, wie manche denken,
von Grund auf falsch und verhindert es die wirkliche Eingliederung der
Frauen in das ganze Leben und die ganze Arbeit der Kirche? Warum
werden Frauen nicht in größerem Ausmaß gebraucht? Warum sind bestimmte Formen des Dienstes ihnen verboten?*
*Wir sehen, wie überall der Versuch unternommen wird, zu definieren,
was ›Gleichheit‹ bedeutet, wenn von Mann und Frau die Rede ist. Alle
stimmen darin überein, daß ›Gleichheit‹ nicht Identität bedeutet, aber
was meinen wir eigentlich damit? In ähnlicher Weise müssen wir uns
darum mühen, zu definieren, was wir mit den besonderen Gaben – Ei-
genschaften – Aufgaben der Frau meinen. Zu oft sagen wir, die Frau
müsse frei sein, all die Gaben, die Gott ihr anvertraut hat, zu gebrauchen,
aber – paradoxerweise – sind wir immer noch befangen in einer Definition von Weiblichkeit, die auf einer veralteten Psychologie und Soziologie beruht...«*

2. Die soziologische Seite der Frage wurde von Prof. Muelder von der
Universität Boston glänzend und umfassend gestellt. Für uns Europäe-
rinnen waren seine Gesichtspunkte neu und aufschlußreich, so seine
Analyse der heutigen Situation der Frau in der Arbeitswelt – wo sie dem
Manne ebenbürtig ist – und in der Familie, auf die die Beziehungen der
Arbeitswelt (Konkurrenzkampf, Wetteifer zwischen Kollegen und so
weiter) nicht übertragen werden können, ohne daß sie Schaden leidet.

Er zeigte sehr klar, wie sehr wir in einer Übergangszeit leben und wie ein neues Gleichgewicht in der Zusammenarbeit von Mann und Frau gefunden werden muß. Bis jetzt ist es weitgehend so, daß die Kirche die alten Formen der Familie, die aus einer patriarchalischen Ordnung stammen, festzuhalten sucht. Sie hat zum Beispiel keine Botschaft für die verheiratete Frau, die auch zur Arbeit geht, sei es, daß sie verdienen muß, sei es, daß ihr Leben in einer kleinen Wohnung neben einem Mann, der den ganzen Tag fort ist, sonst zu eintönig ist.

3. Die ganz praktischen Fragen wurden von zwei Frauen beleuchtet: Frau Nold, Nürnberg, sprach über die alleinstehende Frau und ihre besonderen Probleme und eine Amerikanerin, Mrs. Douglas Horton, über die amerikanischen Frauenorganisationen, die heute ja in der Ökumene so umstritten sind (vgl. das Zitat aus dem Bericht von M. Barot). Sie selber bekannte sich in humorvoller und für die Europäerinnen verblüffend unkomplizierter Weise voll zu den kirchlichen Frauenorganisationen, die einen wertvollen Dienst tun. Die bis in die Nacht gehende lebhafte Diskussion zeigte dann, daß wir vielleicht, ob wir nun organisierte Frauengruppen haben oder nicht, gar nicht so weit voneinander weg sind in dem, was wir als Frauen in unseren Gemeinden tun.

In allem wurde deutlich, daß wir noch viele Fragen durch Studium und praktisches Experimentieren zu beantworten haben. So ist es gut, daß das »Departement für die Zusammenarbeit von Mann und Frau in Kirche und Gesellschaft« existiert.

Noch einmal ein Abschnitt aus Madeleine Barots Bericht über die praktische Arbeit des Departements:

»Praktisch gesprochen muß die Arbeit in zwei Richtungen gehen:
1. *Unter Männern und Frauen, durch die Studienabteilung des Ökumenischen Rates und direkt, das Studium der Fragen zu fördern, die die Beziehung, die Zusammenarbeit und den gemeinsamen Dienst von Männern und Frauen in den Kirchen und in der Gesellschaft betreffen; Frauen zu helfen, ihren vollen Beitrag zum ganzen Leben der Kirchen zu geben, und gleichzeitig die Kirchen zu ermuntern, den Beitrag der Frau in weiterem Ausmaß und auf mannigfaltigere Weise anzunehmen.*
2. *In Frauenorganisationen verschiedener Kirchen und Länder ökumenisches Denken zu wecken, die Zusammenarbeit unter ihnen zu fördern und ihre Teilnahme an der ganzen ökumenischen Bewegung zu sichern.«*

Bericht von MB in »Aus Ewigkeit und Zeit«, März 1955

Die Kirche an der Straße der Welt

Erfahrungen mit der SAFFA-Kirche

Bei der Planung der Ausstellung wurde sehr darüber diskutiert, wo der rechte Platz für die Kirche sei. Die einen fanden, sie müsse etwas abseits stehen, abseits vom Lärm und Betrieb, die anderen waren im Gegenteil der Meinung, sie gehöre »an die Straße«. Diese Auffassung setzte sich durch, und das SAFFA-Kirchlein erstand in der Nähe des Haupteingangs zur Ausstellung, dort, wo die meisten Besucher vorbeikamen. Wir haben diese Entscheidung nie bereut, obschon sie uns manche Probleme stellte. Während der 8½ Wochen der Ausstellung flutete von 9 bis 22 Uhr ein kaum abreißender Strom von Menschen durch das Kirchlein, oft mehr als 1000 in der Stunde. Was suchten und was fanden sie?

Viele betraten an der SAFFA zum erstenmal seit langer Zeit wieder einen kirchlichen Raum, der in aller Schlichtheit einlud zum Stillstehen und zur Besinnung, der unaufdringlich Halt gebot und der durch einige Symbole über sich selber hinauswies...

Sie fanden aber in diesem Raum auch die Kirche, von der wir im Glaubensbekenntnis bekennen, sie sei die »Gemeinschaft der Gläubigen«, und zwar begegnete sie ihnen in einer Form, wie sie sich sonst gewöhnlich nicht darstellt: als eine überkonfessionelle Gemeinschaft.

Die »Gemeinschaft der Gläubigen«, auf die die Besucher stießen, war aber nicht nur interkonfessionell, sondern innerhalb der protestantischen Kirchen haben wir eine selten gute Mitarbeit der sogenannten Laien gehabt. Es hat sich gezeigt, daß wir in den evangelischen Frauenverbänden eine nie geahnte Zahl fähiger, selbständiger Mitarbeiterinnen zur Verfügung hatten. Von ihnen arbeiten viele in den ausgesprochenen Frauenorganisationen mit statt in der Kirche selbst, weil die Kirche keine wirklichen Aufgaben für sie hat. In der SAFFA-Kirche konnten nun mancherlei Gaben zum Einsatz kommen. Durch die ganze Ausstellung hindurch waren immer 3–4 Frauen im Vorraum der Kirche anwesend. Sie empfingen die Besucher, suchten mit ihnen ins Gespräch zu kommen, was besonders an den Türen zum eigentlichen Gottesdienstraum und an den Büchertischen möglich war. An den Türen aber entspannen sich Gespräche über das Wesen der Kirche... Es wurden viele Fragen gestellt, wieso und warum da eine Kirche sei, was die Leute täten, die still darin saßen (zum Beispiel die Schwestern von Grandchamps, die meditierend und betend an den Nachmittagen anwesend waren). Über diese Dienste des Empfangs und des Gesprächs hinaus haben wir es aber gewagt, die Laien in unseren Abendandachten reden, das heißt diese Andachten halten zu lassen. Für je 14 Tage der Ausstellung hatten zwei Theologinnen gemeinsam die Verantwortung, aber diese bestand nicht darin, daß sie alles selber machten, sondern daß sie diejenigen, die eine Andacht zu halten hatten, in einer

Gruppe zusammenfaßten, bei der Textwahl und bei der Vorbereitung halfen und eben als Theologinnen »dabei« waren. So mußten diejenigen, die zu reden hatten, nicht als »Solisten« auftreten, sondern wußten sich getragen von einer Gemeinschaft. Dieses Vorgehen hat sich sehr gut bewährt, und viele Besucher haben uns bestätigt, daß die oft schlichteren Worte der sogenannten Laien, Worte, die unmittelbar aus dem Leben kamen und ins Leben trafen, sie besser erreichten als manche Predigt in der gewöhnlichen Kirche. – Wir werden solche Erfahrungen in unseren Kirchen nicht leichtnehmen dürfen. Sie werden uns bestimmt nicht zum Abbau der Theologie führen dürfen, wohl aber zu ihrer anderen Verwendung.

Die Besucher, und zwar Männer und Frauen, wobei aber die Frauen in der Ausstellung naturgemäß überwogen, begegneten in unserem Kirchlein auf protestantischer Seite einer reinen Frauenkirche. An den Sonntagen predigten Theologinnen, als Lektorinnen wirkten Frauen, auch die wöchentlichen Abendmahlgottesdienste wurden von einer ordinierten Theologin und zwei Helferinnen gehalten. Es hat sich gezeigt, daß das geht, wir sind auch verschiedentlich darauf angesprochen und gebeten worden, diese Kirche in irgendeiner Weise weiterzuführen. Uns scheint aber, das wäre genauso verkehrt, wie der jetzige Zustand in den meisten Kirchen verkehrt ist, wo sozusagen alle Dienste in den Händen von Männern liegen. Gerade das Gelingen des Experiments an der SAFFA hat gezeigt, daß die Stunde der Partnerschaft auch in der Kirche gekommen wäre, einer Partnerschaft, die grundsätzlich alle Dienste den Frauen öffnet, wobei sich dann zeigen wird, daß Mann und Frau diese Dienste auf verschiedene Weise erfüllen...

Gekürzter Artikel von MB, geschrieben 1958 für die Zeitschrift »Reformed and Presbyterian World«

Zum Thema Interkommunion

Im Anschluß an eine ökumenische Frauentagung zum Thema »Im Wandel leben«, die am Bettag 1970 in Zürich stattfand und von der Arbeitsgemeinschaft der konfessionellen Frauenverbände veranstaltet wurde, einigten sich ca. 120 Teilnehmerinnen auf die folgenden Leitsätze:

1. Die Frage der gemeinsamen Feier der Eucharistie hat sich eindeutig von der theologisch-akademischen und kirchenrechtlichen Ebene auf die der menschlichen und sozialen Beziehungen der Christen verlagert. Das haben unsere Gespräche deutlich gezeigt. Dabei verleihen das Problem der Mischehe sowie die heutige Weltsituation dieser Frage eine Dringlichkeit, die uns oft nicht genügend bewußt ist.

2. An ökumenischen Veranstaltungen und in ökumenischen Arbeitskreisen haben viele Christen die Erfahrung einer Gemeinschaft gemacht, die quer durch alle Konfessionen hindurchgeht. Diese verlangt mehr und mehr nach dem sichtbaren Ausdruck in der Eucharistie. Weil die Taufe von allen Kirchen als Fundament des Christseins anerkannt wird, auch dann, wenn sie von einem Angehörigen einer anderen Kirche vorgenommen wird, ist es für viele unverständlich, daß eine gemeinsame Feier der Eucharistie – im gemeinsamen Glauben an den gegenwärtigen Herrn – noch immer Schwierigkeiten macht.

3. Wir haben festgestellt, daß der Zwiespalt zwischen der persönlichen Mündigkeit erwachsener Christen und ihrer Loyalität gegenüber der Kirche, zu der sie gehören, eine stets wachsende Belastung darstellt. Wir bitten die zuständigen Kirchenleitungen, diesem unwürdigen Zustand so rasch wie möglich abzuhelfen. Wir bitten dies in erster Linie in der Sorge um jene – besonders die Jugend –, die sich den Kirchen sonst noch mehr entfremden.

4. Wir haben uns ernsthaft gefragt, welchen Menschengruppen gegenüber wir zu mehr Rücksicht verpflichtet sind, den stärker traditionell Gebundenen oder denen, die auf eine rasche Verwirklichung der Einheit drängen. Wir erkennen es als unsere Verantwortung, der letztgenannten Gruppe mehr Rechnung zu tragen.

5. Beim Versuch der Feier eines offenen Abendmahls ist uns bewußt geworden, wie verschieden in der heutigen Situation die Risiken sind, die Amtsträger und Teilnehmer der verschiedenen Konfessionen eingehen. Diese müssen in Liebe gegeneinander abgewogen werden, ohne daß sofort eine volle Gleichgewichtigkeit erwartet werden darf.

6. Wir sind uns bewußt, daß die Kirchen sich in Gesprächskommissionen und an vielen Orten engagieren an der Frage der Einheit der Kirche. Aber die Einheit der Welt im Kampf gegen Ungerechtigkeit und Hunger steht uns als noch dringlichere Aufgabe vor Augen. Darum sehen wir das Teilen des eucharistischen Brotes als Zeichen dafür an, daß die ganze Menschheit in Christus wiederhergestellt werden muß.

Frau und Konzil – Hoffnung und Erwartung

Dr. iur. Gertrud Heinzelmann

Einleitung zur Eingabe an die Hohe Vorbereitende Kommission
des II. Vatikanischen Konzils über Wertung und Stellung der Frau
in der römisch-katholischen Kirche vom 23. Mai 1962

Verschiedene Aufsätze in der Tagespresse, vor allem aber die vom Verlag Herder, Freiburg, publizierte Umfrage zum Konzil (Enquête der Zeitschrift ›Wort und Wahrheit‹) haben in mir den Entschluß reifen lassen, mich an die Vorbereitende Kommission des Vatikanischen Konzils zu wenden. Ich ergreife das Wort als eine Frau unserer Zeit, die durch Studium, Beruf und eine langjährige Tätigkeit in der Frauenbewegung die Nöte und Probleme ihrer Schwestern kennt. Ich wende mich an Sie in der Hoffnung, daß meiner Eingabe die Beachtung zukomme, die sie nach dem Ernst und der Schwere ihres Inhalts verdient. Denn indem ich meinen Gedanken Ausdruck gebe, empfinde ich mich als Schwester aller Schwestern. Meine Worte möchte ich verstanden wissen als Klage und Anklage einer halben Menschheit – der weiblichen Menschheit, die während Jahrtausenden unterdrückt wurde und an deren Unterdrückung die Kirche durch ihre Theorie von der Frau in einer das christliche Bewußtsein schwer verletzenden Weise beteiligt war und beteiligt ist.

Zitiert aus: Gertrud Heinzelmann: Wir schweigen nicht länger. Frauen äußern sich zum II. Vatikanischen Konzil, Interfeminas-Verlag, Zürich

Frau und Massenmedien, Wien 1972

Vorschläge zur Aktion
(von den jungen Teilnehmerinnen, aufgenommen in den
Konferenzbericht)

»Entsendung von Repräsentantinnen durch die Konferenz an die Fernsehgesellschaften der vertretenen Länder, um gegen das zur Zeit vermittelte Bild von Frauen zu protestieren, insbesondere
- gegen die stereotype Schilderung der Frauen als einsam und aggressiv, wenn sie nicht verheiratet sind; als unfähig, politisch zu denken; als ununterbrochen mit bestimmten »femininen« Aufgaben beschäftigt, während ihr Mann das verdienstvolle Objekt ihrer Dienstleistungen bleibt.
- als ein Objekt zur Befriedigung der sexuellen Bedürfnisse und Wünsche des Mannes, statt als intelligentes, individuelles menschliches Wesen mit seinen eigenen sexuellen Gefühlen und Bedürfnissen, das mit einem

anderen menschlichen Wesen in einem dynamischen und kreativen Verhältnis lebt...

Das Bild, das die Massenmedien von den Frauen vermittelt haben, war einseitig und destruktiv. Es hat uns beleidigt, weil es uns als inkompetent und dumm geschildert hat.«

Aus dem Bericht einer Arbeitsgruppe, deren Vorstellungen sicher der Mehrheit der Teilnehmerinnen entsprachen:

»Wir müssen uns davor hüten (das gilt übrigens für den gesamten Bereich der Kirche), uns außerhalb der Massenmedien zu stellen oder ihnen gegenüber eine Frontposition zu beziehen (was leicht zur Bildung von pressure groups und Oppositionsgruppen führen könnte); wir müssen im Gegenteil in den Medien sein und mit ihnen zusammenarbeiten und uns in den Dienst all jener – Männer und Frauen – stellen, die die Massenmedien machen.«

Aus einer Zusammenfassung von Madeleine Barot:
»Eine Haltung des Dienens setzt voraus:
- einen Geist der Inkarnation und des Engagements für alle Menschen, die sich mit uns auf dem Weg befinden;
- einen eucharistischen Geist, der dankbar ist für alles, was gut ist, und sich wie Christus alles Schlechten annimmt, ohne daran zu denken, die anderen anzugreifen;
- einen Geist der Echtheit, wenn es um die Vermittlung der christlichen Botschaft geht und um die Art und Weise, wie sie aufgenommen wird;
- einen Geist der Freiheit, der sich nicht mit dem »Niederknüppeln« der Propaganda begnügt und auch nicht mit dem Schweigen jener abfindet, denen man nicht das Wort erteilt oder denen man es vorenthält;
- den Willen, innerhalb der Gesellschaft diejenigen zu finden, die der Öffentlichkeit Wesentliches zu sagen haben, und dafür zu sorgen, daß sie in den Programmen der Massenmedien ihren Platz finden.
- Das bedeutet auch, daß sich die christliche Präsenz nicht darauf beschränken oder damit begnügen darf, daß man sie auf Sendungen mit der Etikette ›Religiöses Programm‹ einengt.«

Zum Kapitel »Anstöße zur Radikalisierung«

»Ich-Sagen« in der Öffentlichkeit (1976)

In unseren Gesprächsführungskursen oder in anderen Trainings haben wir selber gelernt, »ich« zu sagen statt »man« oder »wir alle«. In einem Blatt über »Spielregeln der Gesprächsführung in kleinen Gruppen nach Ruth Cohn«, das wir an die Teilnehmer von Gesprächsführungskursen abgeben, heißt es: »Die allgemein gebrauchten Wendungen wie ›Wir meinen doch alle...‹, ›Jeder merkt doch...‹, ›Man sollte jetzt aber...‹ sind allzu oft Mittel, eine nicht bestehende Übereinstimmung vorzuspiegeln und anderen zu suggerieren, somit Mittel heimlicher Manipulation. Gleichzeitig übernimmt der Sprechende beim Gebrauch solcher verallgemeinernder Wendungen nicht die volle Verantwortung für das, was er sagt. Er bemüht eine nicht festgestellte allgemeine Meinung, um andere und vielleicht auch sich selbst zu überzeugen. Wenn ich Bestätigung für eine Feststellung oder Zustimmung zu einer Zielsetzung wünsche, ist es besser, andere ausdrücklich zu fragen.«

In unserer Tagungsarbeit haben wir in der letzten Zeit versucht, etwas von dem Gesagten zu verwirklichen, zum Beispiel indem wir mehr als früher in kleinen Gesprächsgruppen arbeiten. Dort erweist sich sowohl das »Ich-Sagen« als auch die direkte Anrede an andere Teilnehmer als hilfreich. Es bewirkt Veränderungen in der Gesprächssituation, ermöglicht unerwartete Kontakte und Korrekturen, führt zum Verständnis für die eigene Situation und die des andern. Aber eine Erfahrung, an der wir herumstudieren und wo wir noch nicht recht wissen, was für Konsequenzen wir daraus ziehen sollen, möchte ich hier beschreiben und zur Diskussion stellen. Vielleicht – hoffentlich! – finden sich Leser, seien sie nun Tagungsteilnehmer oder nicht, die sich in dieses Gespräch einschalten und uns helfen können.

Die Erfahrung als solche ist banal: Es ist sehr viel einfacher, in Gesprächen über Persönliches – über Partnerbeziehungen, über Selbstverwirklichung, über Altwerden – in der Ich-Form zu reden, als wenn es um politische Fragen (im weitesten Sinn dieses Wortes) geht. Ist »Ich-Sagen« hier überhaupt sinnvoll? Läßt sich eine Haltung, die sich im Klima einer Kleingruppe bewährt und sich auch in unseren sonstigen nahen und näheren Beziehungen leben läßt (Familie, Freundschaft, Arbeitsgruppe und so weiter), auf das Feld der Politik übertragen, und was würde geschehen, wenn es möglich wäre?

Von zwei Seiten her möchte ich illustrieren, wo ich die Schwierigkeiten sehe. Ich erinnere mich an eine Tagung mit einem »heißen« politischen Thema. In Kleingruppen und inoffiziell – im Speisesaal bis in die späte Nacht hinein – redeten Menschen verschiedenster politischer Färbung, die noch nie miteinander geredet hatten, wirklich miteinander. Sie hörten einander mit Erstaunen zu, sahen und spürten, daß der andere auch Angst hatte und sie zu verbergen suchte, oder begriffen etwas von seiner anderen Herkunft. Als sich dann aber die Gruppen im Schlußplenum zu einer Auswertung und Zusammenfassung trafen, explodierten zwei Teilnehmer. Die Meinungen prallten genauso aufeinander wie zu Beginn der Tagung. Wie sinnvoll sind dann solche Gespräche – oder waren sie nur nicht lang genug?

Ich denke aber auch an eine andere Situation, nicht an einer Tagung. Es ging um ein Gespräch zweier Gremien, in dem ich selber eine Position zu verteidigen hatte, die ich um der Sache willen nicht aufgeben durfte, auch deswegen, weil ich gar nicht die Kompetenz gehabt hätte, sie aufzugeben. Es war eine Gesprächsatmosphäre, in der beide Parteien um Vertrauen warben. Wie gerne hätte ich nachgegeben und die vom »Gegner« erhoffte Harmonie hergestellt. Ich konnte es nicht um der Institution willen, die ich vertrat. Ich konnte es auch persönlich nicht, weil mich die Argumente nicht überzeugten, aber ich spürte in mir auch den Druck, daß ich mich nicht überzeugen lassen durfte. Was heißt in solchen Situationen »ich« sagen und die volle Verantwortung übernehmen?

Persönlich bin ich bis jetzt etwa zu den folgenden Einsichten gekommen: Im sehr komplexen Ineinander von persönlichen und strukturellen Gegebenheiten (siehe die eben geschilderte Situation) hat mir das, was ich in Kleingruppen gelernt habe, zu größerer Sensibilität geholfen. Ich kann die Zusammenhänge bei mir selbst besser verstehen und sie bei anderen wenigstens ahnen. Aber was mache ich damit? Klar ist, daß das Leben dadurch nicht einfacher geworden ist. Theoretisch sehe ich drei Möglichkeiten:

1. Ich kehre nach einem Gespräch dorthin zurück, wo ich vorher war, das heißt, ich vertrete völlig unangefochten weiterhin genau das, was ich vorher vertreten habe. Das ist die Situation in fast allen öffentlichen Diskussionen, inklusive unseren Parlamenten.

2. Möglicherweise bleibt doch etwas zurück (das ist die Hoffnung in all unserer Tagungsarbeit!). Ich kann es vielleicht noch nicht klar formulieren (und schon gar nicht öffentlich sagen), aber der Wunsch nach neuer Information, die Ahnung eines anderen Ansatzpunktes, die Bereitschaft, mich einem weiteren Gespräch zu stellen, sind vorhanden. Ich kann auch nicht mehr unreflektiert über einen Gegner schlecht reden oder denken. Ich sehe ein Gesicht, keine »Vogelscheuche«, auch keine Ideologie, sondern einen Menschen. Solche Gesichter durchbrechen Frontlinien, die vorher klar schienen. Aber ist das überhaupt erwünscht? Ich wünsche es.

3. Einer von uns nützt die erkannte Schwäche des anderen aus. Was dann? Dahinter steht die Frage: Ist Offenheit und Vertrauen im Bereich der Öffentlichkeit möglich? Ist zum Beispiel die so oft geforderte »Transparenz« möglich ohne Vertrauen? Und wer kann in wen Vertrauen haben? Nur die-

jenigen, die sich aus einem gleichen Betroffensein, einer ähnlichen Situation heraus miteinander solidarisieren können? Aber kann ich ohne Vertrauen überhaupt »ich« sagen?

Ich meine, daß wir nicht nur auf Boldern an diesen Fragen, die übrigens auch zentrale Fragen des Evangeliums sind, weiterarbeiten und unsere positiven und negativen Erfahrungen einander weitererzählen sollten.

Wie verhalten wir Frauen uns zu
Angst – Schweigen – Initiative (1978)

Ich habe die Wörter Angst und Schweigen in den Titel dieses Referats gesetzt, und ich möchte mich zunächst mit diesen Wörtern und mit den Realitäten unseres Lebens, die dahinterstehen, auseinandersetzen, bevor ich noch ein sehr kurzes Wort über mögliche Initiativen sage. Wovor haben wir eigentlich Angst? Ich möchte gerne auch zu den Männern reden, obschon ich mir das Thema von meinem Standpunkt als Frau, von meiner Situation her überlegt habe. Wovor habe ich eigentlich Angst, und ich muß ganz ehrlich sagen: Ich habe Angst gehabt, heute abend hierher zu kommen.

Wovor haben wir eigentlich Angst?

Ich würde sagen: vor den Realitäten. Wir verdrängen die Fakten. Man kann sie lesen, sie sind aufgeschrieben, sie sind jedem zugänglich. Warum bewegen sie uns nicht? Ich glaube, wir haben Angst, sie könnten unsere Idylle stören oder zerstören. Darum treten wir bewußt oder unbewußt Fluchtwege in unsere kleine, harmlose Welt an. Weil wir aber diese Fakten nicht sehen wollen, sind wir auch allen Verharmlosungen gegenüber, die uns serviert werden, so leichtgläubig. Solche Verharmlosungen sind zum Beispiel: Das diene ja alles nur zur Abschreckung, das seien alles nur Vorsichtsmaßnahmen, das mache man alles in bester Absicht. Im übrigen sei die Schweiz ja sowieso neutral, was uns angesichts all dessen, was wir wissen, kaum etwas nützen wird. Von daher ist auch unsere Ablenkbarkeit durch Feindbilder erklärlich. Wir brauchen diese Feindbilder, zum Beispiel die Vorstellung, daß wir alle diese Waffen brauchen, um uns gegen einen Angriff zu schützen, der in unserer Sicht auf jeden Fall nur aus dem Osten kommen kann.

Unnötiger Respekt vor den Experten

Wir haben aber nicht nur Angst vor der Realität, sondern wir haben auch Respekt vor den Experten. Es war übrigens eines der Motive, die es mir am schwersten gemacht haben, heute abend hierherzukommen: die Einsicht nämlich, daß ich nichts davon verstehe. Ich weiß nicht, wie diese

Kernspaltung funktioniert. Ich bin Geisteswissenschaftlerin und Theologin und habe mich leider nie für Naturwissenschaften interessiert. Darum begreife ich das einfach nicht. Ich habe auch gemeint, es gehe mich nichts an. Doch zurück zu meiner Aussage: Wir haben Respekt vor den Experten, die etwas verstehen, das wir nicht verstehen. Ich bin überzeugt, daß wir diese Experten ganz maßlos überschätzen. Ich verliere den Respekt vor dieser Wissenschaft, wenn ich höre, daß 400000 Wissenschaftler sich für ein völlig sinnloses Unternehmen einspannen lassen, nämlich schlicht gesagt für den Untergang der Menschheit. Wenn soviel Energie und Intelligenz für die Konstruktion von immer raffinierteren Vernichtungswaffen aufgewendet werden, nicht nur zur sinnlosen Anhäufung dieser Waffen, sondern zu ihrer ständigen Verfeinerung und Verbesserung, dann muß ich doch eigentlich diesen Respekt verlieren. Denn wie soll ich Respekt haben vor einer Wissenschaft, die nicht mehr danach fragt, was das Ziel ihrer Forschung ist? Wenn man als Ergebnis dieser Forschung Prozesse auslöst, von denen man weiß, daß man sie nicht mehr steuern kann – und ich glaube, das weiß man heute –, dann weiß ich wirklich nicht, warum ich vor so einer Wissenschaft noch Respekt haben soll. Wir haben aber Angst, daß man uns für dumm hält, wenn wir Fragen stellen, wohin das alles führen solle, und lassen uns von der beruhigenden Versicherung einlullen, das alles sei doch eben nötig zu unserem Schutz. Diese Ängste, von denen ich nur andeutungsweise gesprochen habe, um der Diskussion genügend Zeit zu lassen, teilen wir mit allen, die nicht unmittelbar an Entscheidungsprozessen beteiligt sind, das heißt mit allen Kleinen, Durchschnittlichen, Machtlosen oder jedenfalls mit jenen, die sich für machtlos halten. Und vielleicht ist das der größte Irrtum, daß wir uns für machtlos halten.

Persönliche Werte in die Politik einbringen

Und jetzt möchte ich ein Wort über die Frauen sagen. Diejenigen von uns, die Frauen sind, jedenfalls diejenigen, die nicht mehr ganz jung sind, sind noch so erzogen worden, daß wir alles Gegebene einfach hinnehmen. Wir haben ganz große Mühe, etwas in Frage zu stellen. Wir sind auch dazu erzogen worden, uns auf das Kleine und Persönliche zu beschränken, und diese Beschränkung erfährt heute eine neue Bestätigung durch das verständliche Bestreben der jungen Generation, sich im Überschaubaren zu engagieren. Ich möchte hier nicht mißverstanden werden, ich halte die Konzentration auf das Persönliche für sehr wesentlich, aber es scheint mir allerhöchste Zeit zu sein, Werte, die wir in diesem Bereich gelernt haben, in die Welt der Politik zu übertragen. Viele von uns sind so erzogen worden, daß man ihnen gesagt hat: »Du bist ja nur ein Mädchen.« Wie viele Biografien in diesem Land habe ich schon gehört, wo Frauen sagten, daß sie nicht das haben lernen dürfen, was sie wollten, eben weil sie nur ein Mädchen waren. Oder wie oft habe ich schon gehört, wenn sich etwa Teilnehmer an einer Tagung vorstellen mußten, wie Frauen fast entschuldi-

249

gend sagten: »Ich bin ja nur eine Hausfrau.« Durch die Art, wie sie es sagten, wurde das verletzte Selbstwertgefühl deutlich. Manchmal fügten sie dann noch bei: »Nur eine gewöhnliche Hausfrau.« Aus dieser Erziehung ergibt sich natürlich noch einmal mehr Bewunderung von Experten oder dann eben ein kritikloses Hinnehmen und Überhören von Fakten, die sich unserem Urteil entziehen. Dazu kommt noch die Angst, uns zu exponieren, und darum ist es auch so leicht, uns fertigzumachen. Wenn Frauen für oder gegen etwas aufstehen (und ich glaube, daß die »Frauen für den Frieden« hier auch einige Geschichtlein erzählen könnten, die leider keine Märchen sind), dann heißt es sofort: »Aber die sind ja so emotional!« Man sagt dann sofort: »Die sind ja so unsachlich, und mit dieser Emotionalität kommt man doch nirgends hin.« In gewissen Kreisen ist Emotionalität zwar heute hoch im Kurs, aber nicht in denen, die die Entscheidungsbefugnisse in diesen Fragen haben. Dort soll man alles logisch beweisen können, wehe wenn auch nur ein Faktum in einem guten Buch falsch ist, dann kann man das ganze Buch abtun, wie das in namhaften Zeitungen geschieht. Man kann uns leicht vorwerfen, wir seien emotional. Dazu sind wir erzogen worden, aber ich möchte auch sagen: Leider sind die Männer viel zuwenig dazu erzogen worden, denn wenn sie es wären, würden sie heute nicht mit Atombomben spielen wie einst mit der Eisenbahn. An diesem Punkt hat sich bei mir langsam ein Zorn angestaut, und er ist mit eine Motivation, warum ich heute hier bin, obschon ich Angst habe. Wie lange wollen wir Frauen diesem Spiel zuschauen und uns einreden lassen, das alles sei einfach nötig, und am Schluß bewundern wir die müden Helden noch. Dazu sind wir Frauen erzogen oder – böser gesagt – abgerichtet. Nun scheint es mir höchste Zeit zu sein, daß die vielgerühmten Werte, die wir vertreten, wie Kommunikationsfähigkeit, Intuition, das Gespür für das, was nicht meß- und zählbar ist, nicht in der Wohnstube bleiben, in der angeblich ja alles anfängt, sondern daraus heraus und in die Diskussion über die Fragen kommen, wegen welchen wir hier versammelt sind.

Von den Männern wird uns Frauen in wunderschönen Worten immer wieder gesagt, wie wunderbar es sei, daß wir die Gabe und die Aufgabe haben, Leben zu schenken, zu bewahren, zu pflegen, zu behüten. Dazu sind wir Frauen da, aber gerade darum ist es mir selber in zunehmendem Maße unbegreiflich, warum ich mich nicht längst viel mehr mit diesen Fragen um Frieden und Abrüstung engagiert habe.

Ich habe mir vieles für den heutigen Abend überlegt, ich habe auch einiges gelesen, um nicht ganz so dumm und unwissend hierher zu kommen. Etwas ist mir dabei aufgefallen, und ich möchte das hier wenigstens zur Diskussion stellen. Ich habe das Gefühl, ja das Gefühl – ich weiß es nicht –, daß unsere vordergründigen Ängste und Abhängigkeiten uns im Wege stehen, das wahrzunehmen, was uns wirklich Angst machen sollte. Diese kleinen Ängste hindern uns daran, daß die große Angst oder Sorge um das Überleben der Menschheit, ja noch mehr um das Überleben der ganzen Natur, der gesamten Schöpfung (und es geht ja leider um nicht weniger als um das) wirklich hochkommen kann. Von mir aus gesehen würde es aber genau darum gehen, daß diese begründete Angst stärker würde als unsere persönlichen Ängste um unser Prestige, unseren Namen, unsere Karriere, und was man hier sonst noch nennen könnte.

Aus Angst schweigt man

Mein zweites Wort im Titel hat SCHWEIGEN geheißen. Wenn man Angst hat, schweigt man. Wir haben ja immer viele Ausreden bereit, um nicht reden zu müssen. Wir schweigen wegen der Ängste, die ich eben skizziert habe. Aber nun ist das Unheimliche, daß das Schweigen von unten das Schweigen von oben unterstützt. Von oben wird geschwiegen, man könnte auch sagen, verschleiert, und das Schweigen von unten unterstützt das Schweigen von oben. Wenn man unten nicht fragt, kann man oben schweigen. Weil man unten nicht protestiert, muß man oben nichts offenlegen, dann kann der Komplex von Militär, Industrie, Bürokratie und Wissenschaft unangefochten weiterwirtschaften. Es ist nämlich interessant, zu sehen, wie wenig bekannt wird, und wenn etwas bekannt wird, wird es irgendwo nur so am Rande erwähnt. Oben deckt jede dieser Mächte die andere, weil sie alle voneinander abhängig sind und weil es zum Teil dieselben Leute in verschiedenen Gremien sind, und das Schweigen von unten, unser Schweigen, unterstützt das. Von daher müßten wir uns nun überlegen: Was können wir denn tun?

Darüber müßten wir diskutieren, und oft sind wir recht ratlos. Ein erster Schritt scheint mir, daß wir uns, und zwar jede von uns ganz persönlich, Rechenschaft darüber geben, wovor wir, wovor ich eigentlich Angst habe. Und warum ich die Fakten, die man ja immerhin lesen und zur Kenntnis nehmen kann, ständig verdränge. Ich glaube, es wäre schon sehr viel, wenn in den verschiedensten Gruppierungen überhaupt einmal über diese Fragen geredet würde. Ein weiterer Schritt wäre der folgende: In den Dokumenten für die Konferenz der Nichtgouvernementalen Organisationen (das heißt, der regierungsunabhängigen Organisationen wie »Frauen für den Frieden« oder ÖRK), die Ende Februar zur Vorbereitung der Abrüstungskonferenz im Mai in New York stattfand, taucht immer wieder der Hinweis auf, daß im Mai und Juni 1979 zur Unterstützung der Abrüstungskonferenz an möglichst vielen Punkten Demonstrationen der verschiedensten Art geplant werden sollten. In Genf fand bereits ein solcher Friedensmarsch statt. Im übrigen werden wir nicht darum herumkommen, uns der Mühe zu unterziehen, uns immer besser zu informieren. Hier sollten wir Frauen auch unsere Phantasie und unsere Kreativität ins Spiel bringen, ohne uns davon beeindrucken zu lassen, daß das alles doch angeblich nichts nützt.

Abschließend möchte ich nochmals fragen: Welche Angst ist bei uns größer? Diejenige um uns selbst oder diejenige um das Überleben der

Menschen? Ich möchte ganz persönlich hier etwas erzählen. Mich hat es sehr umgetrieben, heute abend hier reden zu müssen. Darum habe ich heute mittag ein Buch aufgeschlagen, das ich auch sonst öfter gebrauche, in dem für jeden Tag des Jahres ein Bibelwort in einer modernen Übersetzung abgedruckt ist. Für den heutigen Tag fand ich die Geschichte, wie Jesus am Sabbat einen Kranken heilte. Sie wissen ja, daß das verboten war. Er verstieß also damit gegen die Normen seiner Zeit und seiner Religion. Er wurde denn auch befragt, ob es denn erlaubt sei, am Sabbat zu heilen, und er antwortete ihnen: »Wie ist das, wenn einem von euch am Sabbat ein Schaf in die Grube fällt, das einzige, das er hat – wird er es nicht ergreifen und herausholen? Hier ist aber kein Schaf, sondern – und das ist mehr – ein Mensch.« Er heilte dann den Kranken, und im Anschluß daran heißt es weiter: »Da gingen die Pharisäer hinaus, besprachen sich miteinander und suchten Mittel und Wege, ihn umzubringen.« Weiter unten im Text wird dann ein Wort aus dem Propheten Jesaja zitiert, das so endet: »Die Völker aber werden ihre letzte Hoffnung auf ihn setzen« (Übersetzung von Jörg Zink). Wenn ich um diese Zusammenhänge nicht wüßte und nicht daran glauben würde, daß es um den Menschen geht und daß Gott zu einem solchen Engagement steht, wäre ich heute abend nicht hier.

Nachdenken über Boldern (1982)

Aus einer gewissen äußeren Distanz heraus soll ich noch ein letztes Mal einen Beitrag für den Jahresbericht schreiben. Es fällt mir nicht leicht, das zu tun. Ich möchte mich und das, was ich als Leiterin von Boldern zu tun versuchte, weder rechtfertigen noch mich der geäußerten Kritik anpassen und mich entschuldigen. Beides würde nah liegen. Ob es mir gelingt, es zu vermeiden, können nur meine Leserinnen und Leser entscheiden. Etwas werde ich auf keinen Fall vermeiden können: Ich werde manches wiederholen, was ich in früheren Jahresberichten geschrieben habe. »Neues« über Boldern zu schreiben ist Sache der jetzigen Generation. Ich hingegen werde versuchen, die Erfahrungen nochmals zu formulieren, die mir rückblickend am wichtigsten scheinen.

Sicherheit – Verunsicherung – Gewißheit

Als ich (zusammen mit Else Kähler) 1959 nach Boldern kam, schien uns vieles noch unerschütterlich sicher. Es war klar, daß es in einer Tagung darum ging, »Menschen zu Christus« zu führen. Boldern war für seine Bibelarbeiten bekannt: H. J. Rinderknecht – Theophil Vogt – Paul Frehner und wir selbst auch, die wir Bibelarbeit bei einer berühmten deutschen Theologin, Dr. Maria Weigle, gelernt hatten. Zwar hatten die Tagungen schon damals als Ausgangspunkt berufliche und schicksalsmäßige Themen, aber das Entscheidende war doch das »Gespräch über der Bibel«, wie es damals hieß. Von den sogenannten Sachfragen weg wagten wir rasch den Sprung: »So und so ist es, aber Gott sagt...« Dieses Reden Gottes schien uns klar.

Aber weil es mehr und mehr wirkliche Gespräche wurden, wurden die Beiträge der Teilnehmer immer wichtiger, das Lehrer-Schüler-Verhältnis wandelte sich in ein Miteinander-auf-der-Suche-Sein. Ein entscheidender Schritt für mich als Theologin war das Hören-Lernen und damit das Ernst-Nehmen von Erfahrungen anderer. Das war oft schwierig. Als ich Theologie studierte, war das Wort »Erfahrung« verpönt. Menschliche Erfahrungen zählten nicht. Nur das »reine« Wort Gottes war wichtig. Sich auf Erfahrungen einzulassen schien gefährlich. Es stellte den eigenen Glauben in Frage – oder wurde vielleicht nur die Schultheologie, jenes in sich geschlossene Gebäude, in Frage gestellt?

Für mich war es ein wichtiger Schritt auf einem langen Weg, mir bewußt zu werden, daß Erfahrungen ernst zu nehmen sind. Wer versucht, sich darauf einzulassen, wird verunsichert. Auf diese Verunsicherung kann man so antworten, daß man nichts mehr an sich herankommen läßt. Dann wird man stur und unbeweglich, und der Kreis derer, die sich noch ansprechen lassen, verengt sich. Man kann aber auch lernen, sich selbst und das, was man für seinen Glauben hielt, in Frage stellen zu lassen. Unser Glaube ist ja nie identisch mit der Botschaft, die wir verkündigen. Unser Glaube ist nicht objektiv, auch wenn wir es noch so redlich versuchen, uns an der Bibel und an Jesus zu orientieren.

Für mich war es eine der wesentlichen Erfahrungen der Boldernarbeit, diese Erlebnisse zuzulassen und immer intensiver von den Problemen und der Lebensgeschichte der Menschen auszugehen. Das führte eine Zeitlang dazu, daß wir Theologen auf Boldern sehr schweigsam wurden. Viele Formen verschwanden, weil sie nicht mehr ankamen – auch bei uns selber nicht. Es braucht wohl Zeiten des Schweigens, damit ein echteres, mehr aus der Tiefe kommendes Reden möglich wird.

Heute – das heißt für mich: in den letzten Jahren – reden wir wieder. Die Theologie, die eine Zeitlang in die Ecke gedrängt worden war, wurde wieder wichtig. Wie kam das? Hier kann ich nur persönlich reden: Daß ich wieder reden kann, hängt damit zusammen, daß ich gelernt habe, Ich zu sagen. Wir lernten das zuerst in gruppendynamischen Übungen. Zuerst war es eine hilfreiche Spielregel. Wir flüchten uns ja gern in Allgemeinheiten. Ich-Sagen heißt: Ich bringe mich selber ins Spiel, ich stehe selber dahinter, ich äußere nicht nur meine Meinung, sondern ich bin selbst da. Ich bin da, mit meiner Herkunft, mit meiner Geschichte, mit meinen Interessen, aber auch mit meiner Angst. Mit meinen Wünschen und Bedürfnissen, aber auch mit meiner Begrenzung. Mir ist es zuwenig, wenn dieses Ich-Sagen nur die Methodik für eine Gruppenarbeit ist. Das ist es natürlich auch, und es ist sehr wichtig. Mir hat das Ich-sagen-Dürfen die Türe geöffnet, es führte zu einem Prozeß der Befreiung. Ich möchte dazu eine kurze Interpretation von Dorothee Sölle geben, einer Frau, die in meiner Entwicklung und in der Theologie von Boldern eine gewisse Rolle spielt. In einem Aufsatz »Feminismus – Befreiung und Mystik« polemisiert sie dagegen, daß die Studenten in Harvard »immer noch als erstes lernen, nicht Ich zu sagen. Das ist verboten und wird angestrichen, das macht man nicht. Das ist die Sprache der Herrschaft, zu der Menschen erzogen werden, indem ihre Subjektivität, ihre Emotionalität, ihre Erfahrungsbreite und ihre Parteilichkeit ihnen weggenommen werden.« Wer sich das nicht mehr wegnehmen läßt, sondern Ich sagt, erfährt auch Gott neu.

Ich meine heute ernsthaft, daß eigene Erfahrungen mit Gott unabdingbar sind, wenn man über ihn reden will. Ich habe mir angewöhnt, keine Meditation, in der ein Bibeltext vorkommt, oder keine Bibelarbeit mehr zu halten, ohne daß irgendwo klar wird, daß das meine Interpretation, meine Erfahrung ist. So haben wir versucht, von Gott zu reden, ohne die alten Worte zu gebrauchen, und ich muß gestehen, ich habe auf diesem Weg sehr häufig Angst gehabt. Ich habe sie auch jetzt manchmal. Was wird aus dieser Botschaft? Aber eines habe ich aus eigenen und fremden Erfahrungen gelernt: Ich kann diese Botschaft nicht mehr weitergeben und auch nicht mehr selber lesen, ohne daß ich das mit einbeziehe, was sie in ihrer langen Geschichte, in der sie existiert, an Wirkung ausgelöst hat. Ich kann zum Beispiel auch nicht davon absehen, daß sie zum einen oder zum anderen mißbraucht wurde. Ich kann nicht davon absehen, daß sehr viele Zeitgenossen Gott nur erleben als einen, der Grenzen setzt, und nicht als einen, der befreit. Ich kann nicht mehr so reden, als wüßte ich das nicht, als könnte ich einfach zur Quelle zurückgehen, und dann wäre alles ausgelöscht. Das ist nicht wahr. Nicht für mich und nicht für die andern. Ich gestehe mir selbst und den anderen zu, eigene Erfahrungen zu machen, aber wenn ich Christ sein will, dann muß ich diese Erfahrungen zu dem in Beziehung setzen, was in der Bibel steht. Es ist ein spannender Weg. Für mich ist auf diesem Weg Gott größer geworden. Wir haben wohl noch viel neu (oder wieder) zu entdecken, und in den letzten Jahren ist mir immer deutlicher geworden, daß hier Frauen eine ganz entscheidende Rolle zukommt. Ihre Erfahrungen mit Gott und der christlichen Tradition sind auch für ein neues Glaubensverständnis von Männern unabdingbar.

Adressaten der Botschaft

Aus dem Gesagten dürfte klargeworden sein, wie ich Boldernarbeit und »Bolderntheologie« verstanden habe; mit wem ich diese Erfahrungen gemacht habe und an wen sie zurückgingen. Nach meinem Verständnis ist Boldern »Kirche für Unkirchliche«. Ich kenne aus unserer Arbeit viele Menschen, für die Boldern wirklich so etwas wie »Kirche« ist, ein Ort, wo sie angenommen sind, wie sie sind, wo sie Solidarität – Brüderlichkeit und Schwesterlichkeit – erfahren, wo sie über ihre wirklichen Lebensfragen und Sinn-Fragen reden lernen, wo sie aber auch mit der »alten« Botschaft von Gottes Liebe wieder neu in Kontakt kommen. Ein Kurs im Boldern-haus, der mir noch sehr lebendig in Erinnerung ist, hieß: »Neue Zugänge zu alten Aussagen«.

Aus dem Gesagten ist klar, daß mein Herz bei den Suchenden, Kri-tischen, Unsicheren war und »meine« Theologie sich im Gespräch mit ihnen gewandelt hat. Daß dieses Interesse und diese Zuwendung nicht die einzig möglichen sind, weiß ich.

Zum Kapitel »Bekehrung zum Feminismus«

Was ist eigentlich feministische Theologie? (1981)

Nicht alles, was Frauen, auch Theologinnen, im Bereich von Glauben
oder Theologie sagen oder schreiben, ist deswegen, weil eine Frau es sagt,
feministische Theologie. Diese ist vielmehr der Ausdruck einer Bewegung
von Frauen. Sie ist am ehesten vergleichbar mit der Theologie der Befreiung, wie sie zum Beispiel unter den Schwarzen in den USA oder Südafrika
gewachsen ist und wächst.

Frauen, die aus althergebrachten inneren und äußeren Rollenzwängen
aufgebrochen sind, versuchen, sich selbst und einander Rechenschaft zu
geben über ihre Erfahrungen mit Gott. Sie lesen, meditieren und besprechen biblische Texte und machen dabei Entdeckungen.

Ein neues Lebensgefühl

Die katholische Theologie-Professorin Catharina Halkes sagt noch etwas
kämpferischer und befreiter, was feministische Theologie ist: Wir meinen,
»daß das Erlebnis von Unterdrückung und Einschränkung, die Erfahrung
der Befreiung und des Kampfes, sich selber zu werden, die Freude über
ein neues Lebensgefühl, aber auch die Solidarität mit allen anderen Unterdrückten in der Gesellschaft sowie das leidenschaftliche Suchen nach
neuen menschlichen Verhältnissen den Kontext dieser Theologie bilden... Auf ihrem Weg der Bewußtwerdung machen aufständisch gewordene Frauen Erfahrungen der Transzendenz, wenn sie ihre Ketten zerbrechen, mit denen sie sich gefesselt fühlten. Dadurch treten sie in einen
neuen Raum ein, wo sie die Arme in die Luft werfen, den Kopf empor-
heben und ausrufen können: Hier bin ich, ich darf so sein, wie ich
bin...« [*]

Diese Theologie ist noch ganz am Anfang, sie ist darum schwer formu-
lierbar, sie ist nicht festgelegt, und viele von uns wehren sich dagegen, ihre
Aussagen festlegen zu lassen. Wir wollen keine feministische Dogmatik.
Wir sind miteinander unterwegs und brauchen einander, damit das geschieht, was eine amerikanische Theologin so umschrieben hat: »Neue
Worte in Sprache hineinzuhören«, das heißt so aufeinander zu hören, bis
neue Worte wirklich gesagt werden können. Aber weil wir Glieder einer
Kirche sind, die aus Männern und Frauen besteht, sind wir auch verpflichtet, »Rechenschaft zu geben über die Hoffnung, die in uns ist« (vgl. 1. Pe-
trus 3,15), und darum zu versuchen, etwas von dem weiterzusagen, was

[*] aus: C. Halkes, Gott hat nicht nur starke Söhne, Siebenstern-Taschenbuch
371

uns bewegt. In diesem Sinne möchte ich einige Gedankenkreise nennen, die mir wesentlich und typisch erscheinen.

Eine Kirche der Männer?

Frauen werden sich bewußt, wie stark auch die Kirche (und nicht nur die Gesellschaft), in der sie leben, von Männern und »männlichem« Denken geprägt oder gar beherrscht ist und wie sehr wir Frauen selbst dem Vorschub geleistet haben. Heute fragen Frauen nach ihrer eigenen Geschichte, sowohl in der Bibel als auch in der christlich geprägten Tradition. Einige Beispiele: Warum sind so viele Frauen fast vergessen worden, zum Beispiel Mirjam, die Schwester von Mose? Sie hat ihn schließlich gerettet, und eine andere Frau, die Schwester des Pharao, war maßgeblich daran beteiligt. Ihre Namen nennt keiner. Nach dem Durchzug Israels durch das Schilfmeer heißt es von Mirjam: »Da griff die Prophetin Mirjam, Aarons Schwester, zur Handpauke, und alle Frauen zogen hinter ihr her mit Handpauken und im Reigen, und Mirjam sang ihnen vor...« (2. Mose 15,20). Warum wissen wir nicht mehr von dieser Frau? Offenbar spielte sie doch eine gewisse Rolle, sie wird immerhin erwähnt inmitten einer patriarchalischen Kultur. – Oder um noch weiter zurückzugehen: Warum ist Eva in der Kirche nicht die »Mutter aller Lebenden« (oder des Lebendigen) geblieben (1. Mose 3,20)? Statt dessen ist ihr Bild als das der Verführerin zur Sünde geschichtsmächtig geworden. Oder ein Blick ins Neue Testament: Frauen waren nach der Überlieferung bei Lukas und Markus die ersten Zeugen der Auferstehung, aber ihr Zeugnis drang nicht durch (Lukas 24,11), damals nicht und durch die ganze Geschichte der Kirche bis heute. Heute suchen Frauen ihre Spuren. Die meisten von ihnen haben allerdings ein neues Verständnis ihrer selbst, ein stärkeres Selbstwertgefühl außerhalb der Kirche, in der Frauenbewegung gefunden. Darum wollen auch viele nichts mehr von der Kirche wissen. Diejenigen aber, die zu tief vom christlichen Glauben erfaßt sind, als daß sie sich von ihren Wurzeln lösen könnten, suchen mit Liebe, aber auch mit Zorn diese Spuren auf und versuchen, die von Männern weitergegebene Botschaft mit den Augen erwachter Frauen zu lesen.

Eine Botschaft der Befreiung

Auf diese Weise wird es für manche von uns möglich, das Evangelium auch für uns Frauen als Ruf und Ermutigung zu unserer eigenen Befreiung zu verstehen. Ein Schlüsselwort für viele von uns war und ist dabei Galater 3,28: »Da gilt nicht mehr Jude oder Grieche, nicht mehr versklavt oder frei, nicht mehr Mann oder Frau, denn alle seid ihr einer in Christus Jesus.« Dieses Pauluswort spricht vom Niederreißen von Grenzen. Die große Frage ist immer: Ist es »nur« eine Zukunftsvision oder eben Ermutigung, schon hier und jetzt bestehende Herrschaftsverhältnisse abzubauen? Wir entscheiden uns für dieses zweite. Die Überwindung von jeder Form von Hierarchie ist im übrigen ein starker Akzent in der christlichen Frauenbewegung. Das Evangelium wird dann als Kraft nicht zum Ausgleich, sondern zu einem lebendigen Miteinander, einer Gegenseitigkeit in Schwesterlichkeit (und Brüderlichkeit) erfahren und verstanden.

Erfahren Frauen Gott anders?

Diese Frage ist wohl die heikelste und am schwersten zu beantworten. Vielen von uns steht zu viel im Weg. Zu viel ist verschüttet. Allzu lange war ja auch das Wort »Erfahrung« im Zusammenhang mit Glauben verpönt. So ist es eine Hilfe, auch in der Bibel »weibliche« Züge in Gott zu finden. »Ich will euch trösten, wie einen seine Mutter tröstet« (Jesaja 66,13). »Auch der Sperling hat ein Haus gefunden und die Schwalbe ein Nest für sich, darein sie ihre Jungen gelegt hat: deine Altäre, o Herr der Heerscharen...« (Psalm 84,4). Man könnte auch sagen, daß Jesus in seinem Verhalten kein ausgesprochen »männlicher« Held war, sondern ein ganzheitlicher Mensch mit »weiblichen« und »männlichen« Zügen. Der Heilige Geist (im Hebräischen ist das Wort weiblich, was manche Frauen freut), ein Geist der Kommunikation, der Verständigung, des Brücken-Schlagens, der Freude und des Miteinander-Lebens, »gehört« sicher nicht den Frauen, wird nicht von uns vereinnahmt, aber er (oder »sie«) wird als nah erlebt. Frauen spüren wohl mehr von Urvertrauen, von Nähe zum Leben und zur Schöpfung, von Verbundenheit mit allem Lebendigen. Daraus wächst bei vielen auch die Verantwortung für die Erhaltung des Lebens und damit auch ein neues Suchen nach umfassendem Frieden.

Frauenerfahrungen als Frage an die Kirche

Wie schon oben gesagt: Das alles ist unfertig, im Aufbruch, aber trotzdem voll Leben und Freude. Es wäre schade, wenn sich diese Frauenerfahrungen aus der Kirche hinaus entwickeln müßten, wenn sie nicht wirklich ernst genommen würden. Theologen – vor allem auch Männer – sollten sich mehr darauf einlassen. Nicht mit herablassendem Lächeln und auch nicht mit dem Hinweis, »ihre« Theologie sei doch viel umfassender. Wir brauchen einander, ebenbürtig, auf gleicher Ebene, damit die Kirche »ganz« werden kann.

258

Marga Bührig
Die unsichtbare Frau und der Gott der Väter
Eine Einführung in die feministische Theologie
135 Seiten, kartoniert

Die Autorin wendet sich an diejenigen, die dem Engagement christlicher Frauen mit Mißtrauen und Unverständnis begegnen. Sie gibt einen Überblick über die Kernfragen feministischer Theologie und nimmt persönlich dazu Stellung. Es ist einmal die Unsichtbarkeit der Frauen in der christlichen Tradition, die bereits im Neuen Testament ihren Ursprung hat.»Unsichtbar« bedeutet zugleich unhörbar. Glauben und Leben der Frauen wurden immer wieder übersehen und überhört, als habe es sie nie gegeben. Frauen wollen heute sichtbar und hörbar werden. Da ist zum zweiten die kritische Auseinandersetzung mit der Bibel und zum dritten die Frage nach dem Gottesbild, zum vierten das Verhältnis zwischen Mann und Frau, wie es aus der Geschichte von Adam und Eva hergeleitet wird. Im letzten Beitrag entwirft die Autorin das Bild einer Kirche, die sich an jesuanischem Geist orientiert, eine herrschaftsfreie Gemeinschaft, in welche Frauen ihren Beitrag einbringen können.

Norbert Sommer (Hrsg.)
Nennt uns nicht Brüder!
Frauen in der Kirche durchbrechen das Schweigen
384 Seiten mit 54 Porträtfotos, kartoniert

»Das kecke Buch, das aus einer Sendereihe des Kirchenfunks heraus entstanden ist, enthält 54 Kurzbeiträge von katholischen und evangelischen Frauen aus der Bundesrepublik, der Schweiz, der DDR, aus Frankreich, Österreich und den Niederlanden. Sie fordern eine innere Reform der Kirchen und sind auch bereit, sie mitzutragen. Aus den einzelnen Beiträgen spricht so viel Eigenständigkeit, Mut und nicht selten auch Charme und Humor (ein Beitrag heißt denn auch treffend ›Mehr Phantasie, Charme, Weisheit und Humor‹), daß die Lektüre geradezu vergnüglich ist.«
Mirjam (*Christliche Zeitschrift für die Frau*)

Kreuz Verlag

Hildegunde Wöller
Ein Traum von Christus
In der Seele geboren,
im Geist erkannt
270 S., gebunden mit Schutzumschlag

Ein Christusbuch, das ungewohnte Wege geht. Auf dem Hintergrund
des Mythos vom Helden und der mythischen Gestalt der Sophia erzählt die Autorin die Geschichte von Jesus, dem Christus, unter Fragestellungen von heute. Die Autorin entwirft hier ein Christusbild, das
über die traditionellen Engführungen hinausweist. Glaube an Christus
ist zu wenig, es geht um die Erfahrung des Christus in jedem einzelnen
und um die Erkenntnis, zu welcher der Heilige Geist befähigt. Die
Geschichten des Neuen Testaments geben zuletzt auch Hinweise auf
das Verstehen der Gegenwart und Zukunft. Was heute als Bewußt-
seinsveränderung oder Paradigmawechsel bezeichnet wird, stellt die
Autorin in den Zusammenhang mit dem Wachsen des Reiches Gottes.
Christus, sagt sie, ist »Symbol einer Menschheit, die im Werden ist«.

Christa Mulack
Jesus – der Gesalbte der Frauen
Weiblichkeit als Grundlage christlicher Ethik
300 Seiten, kartoniert

Eine Neuinterpretation der Gestalt und Lehre Jesu ist das Thema dieses Buches. Grundlage dafür ist nicht nur die feministische Perspek-
tive, sondern eine geschlechtsspezifische Deutung der Evangelien. Jesus hat von Frauen und aus dem Umgang mit ihnen seine wesentlichen
ethischen Lehren bezogen und weibliches Verhalten Männern als Vorbild gegeben. Frauen sollen in der Kirche nicht gehorchen, sondern
verkündigen.

Kreuz Verlag